LE DERNIER ÉTAGE
DU MONDE

Ouvrage publié sous la direction
de Manon Buselli

Bruno Markov

LE DERNIER ÉTAGE DU MONDE

Éditions Anne Carrière

ISBN : 978-2-8433-2265-6

www.anne-carriere.fr

Prologue

Octobre 2019

Je ne suis plus très loin du but. Tous les membres de l'Institut se sont réunis à flanc de falaise, autour de la piscine à débordement, pour assister au spectacle : le soleil ne devrait pas tarder à plonger derrière l'horizon. Puis, en toute logique, la nuit devrait tomber, la pleine lune apparaître et mon triomphe advenir – dans cet ordre. La voix amplifiée de Jim Morrison ne s'y trompe pas : *This is the end*. Tout ce que j'ai vécu ces trois dernières années mène à cet instant. L'aboutissement de toute ma stratégie…

En retrait du bassin se trouve le « feu sacré », un imposant brasier creusé dans le sol et encerclé de pierres plates autour duquel chacun peut venir se recueillir, à toute heure du jour et de la nuit. À condition de garder le silence. Je me suis assis là, en attendant l'heure fatidique. Un endroit propice à la concentration, aux idées claires. C'est de ces flammes, dit-on, que jaillit l'âme des lieux. Elles ne s'éteignent jamais.

Ma vigilance non plus. Depuis mon poste d'observation, j'ai une vue dégagée sur le jacuzzi, un peu plus loin. Stan y roucoule avec deux actrices vaguement célèbres, rencontrées au yoga cet après-midi. En attrapant son cocktail posé sur le rebord, il m'adresse un regard, pas plus simple à déchiffrer que les précédents.

Je tâche de cacher mon anxiété, avant tout à moi-même. J'arrive encore à me persuader qu'il n'est au courant de rien.

Indifférent à l'enjeu, le soleil – du moins ce qu'il en reste – entretient un semblant d'insouciance. L'air et les visages ont gardé leur douceur. Ça sent encore l'été, l'herbe chaude et l'huile de monoï. Même l'odeur des joints qui circulent a quelque chose d'août ou de septembre. La plupart des filles ont la peau dorée, les cheveux humides et le rire facile, sont ouvertes au regard et à la discussion. Au langage des corps, on pourrait croire l'instant paisible. Il pourrait l'être, d'ailleurs, sans ces relents d'inquiétude au creux de ma gorge. Je pourrais savourer ma victoire avant l'heure, profiter en toute légèreté du privilège d'être ici. Ça ne saute pas aux yeux mais, si on additionne la fortune des personnes qui m'entourent – feu sacré, piscine et jacuzzi –, on obtient à peu près le PIB d'un pays comme l'Islande. Me trouver ici parmi eux prouve tout le chemin parcouru. Mon père serait fier de moi, j'ai conjuré le sort, la promesse d'effondrement qu'il m'avait léguée malgré lui. Je me suis infiltré dans le camp des vainqueurs, de ceux qui comptent, jusqu'à devenir l'un des leurs. Insoupçonnable. Oui, rien que pour ça, on pourrait estimer que j'ai déjà gagné. Et pourtant…

Pourtant une sensation de flottement dans ma poitrine assène le contraire. L'intuition figée d'un abîme inexorable, d'un détail qui m'aurait échappé. Plus rien ne s'oppose à mon triomphe, sauf peut-être mon conditionnement pour l'échec, capable jusqu'au dernier moment de fausser ma perception, de me pousser à prendre une mauvaise décision.

J'entends d'ici ce que Constance voudrait me dire : « Si tu vas jusqu'au bout, tu ne vaux pas mieux que ceux que tu disais combattre. » Elle espérerait encore que je suspende l'exécution de mon algorithme, que je lui dise ô combien je regrette d'avoir perdu le sens des priorités. « Grâce à toi, Constance, j'ai compris l'inanité de la vengeance. » Ah ça, elle serait émue ! Je rentrerais passer la nuit avec elle, à refaire le monde et lui dire tout bas ce qu'elle a toujours rêvé d'entendre, cherchant la satisfaction dans son regard et finissant par la trouver entre ses jambes. Ça ressemblerait vaguement au bonheur, c'est sûr.

Mais le piège est là, précisément. Amour, culpabilité, morale... C'est toujours au nom des bons sentiments que l'espèce dominante vous baise. Ces remparts la protègent en vous faisant croire qu'il serait plus noble de continuer de perdre, de rester insignifiant plutôt que d'aller vous salir à gagner sur son terrain. C'est ainsi qu'elle perpétue sa lignée, sans jamais laisser la place. Épargnée par votre mauvaise conscience.

Qu'à cela ne tienne, le Reboot Institute a justement été conçu pour laver les états d'âme des dirigeants en crise de sens. Les rares journaux qui en parlent évoquent un pèlerinage pour nantis en quête de rédemption, une retraite spirituelle sur cooptation. Un séjour à l'Institut, peut-on lire, vous absout en partie du cynisme qui vous a permis d'y entrer.

Partout autour du feu, on voit de futurs milliardaires en posture de méditation, jambes en tailleur, dos rectiligne et paupières closes. Certains étaient avec moi cet après-midi, à l'atelier Tech Detox. Dinesh, dont la start-up vient d'être achetée par Amazon. Rachel, ingénieure repentie de Facebook. Jean-François, dit Jeff, superstar des algorithmes de *trading* à haute fréquence. À première vue, personne ne soupçonnerait ces trentenaires décoiffés aux allures hippie chic d'être au pinacle de la compétition mondiale – pas plus que Stan et moi, d'ailleurs. C'est le secret. La réussite est un spectacle : il faut pouvoir se fondre dans n'importe quelle mise en scène, dès que le contexte l'exige. Si tout le monde ici partage un talent, c'est bien celui de savoir cacher son jeu.

Avec le déclin du jour cependant, cette parodie de sagesse se dissipe et les oppositions affleurent. Des éclats de rire proviennent du jacuzzi, dont je comprends aussitôt l'origine. Un nouveau soupirant vient d'entrer dans le bain, tente de s'y faire une place. Stan le chambre un peu, marque son territoire, rappelle son statut de mâle alpha. Et les deux actrices, objets de cette rivalité, s'en réjouissent ouvertement. Derrière nos masques civilisés, peu de choses ont changé depuis cent mille ans que notre espèce règne sur le monde. Nos stratégies sont plus élaborées mais les principes restent les mêmes : séduire, conquérir, soumettre... Toujours ce même affrontement, entre notre désir et tout ce qui s'y oppose.

Autour des flammes aussi, les visages se gorgent d'ombre. En observant bien, on peut voir émerger leur véritable nature, l'instinct de prédateur qui a rendu chacun de leurs succès possible. Tous ces indices visuels de la réussite que j'ai appris à détecter, décrypter puis contrefaire.

Là-bas, Stan a une tête blonde sur chaque épaule à présent : sa position sur le partage et la redistribution des richesses est claire. Le nouveau venu, vexé de n'avoir pas pu soutenir la comparaison plus longtemps, fait mine d'admirer la vue. Soudain contemplatif, il s'insurge peut-être en lui-même de ce monopole injuste, tout en sachant pertinemment que ce sont les règles du jeu. Les mêmes qui ont permis à nos ancêtres de se hisser au sommet de la chaîne alimentaire, d'éteindre toutes les espèces concurrentes, de soumettre les tribus voisines puis les villes, les royaumes, les empires qui menaçaient leur hégémonie.

Chacun de nous est le digne héritier de cette guerre ininterrompue contre l'autre. J'ai fini par l'accepter.

This is the end. Le disque rouge part s'éclipser sous la ligne d'horizon. La foule applaudit, comme à tous les couchers de soleil. Autour de moi je m'explique la présence de certains visages et d'autres moins. Assise à ma gauche, Constance agite nerveusement les jambes. Elle a peur. Je pourrais la réconforter, lui expliquer ma stratégie, lui énumérer toutes les précautions prises, les risques anticipés. Mais autour du feu sacré, seul Jim Morrison a la parole. *This is the end, beautiful friend.*

— Tu es sûr de savoir ce que tu fais ?

C'est elle qui vient d'enfreindre la loi du silence. Je suis visiblement le seul à l'avoir entendue.

— Réfléchis. Tu as bien mesuré toutes les conséquences ?

J'ai encore la présence d'esprit de ne pas lui répondre. Elle insinue que je vais échouer, que ces gens-là sont intouchables. Elle ne sait pas...

— Quelque chose t'a peut-être échappé.

Elle ne sait pas que j'ai l'arme ultime, la bombe atomique du XXIe siècle, à même d'éradiquer toute riposte. Rien n'a changé depuis cent mille ans, ma chère Constance, sauf un point, spectaculaire : la quantité de muscles et d'efforts nécessaires pour détruire ton ennemi. Jadis il fallait cumuler la force, la vitesse et l'endurance pour manier l'épée, l'arc ou la lance – sans jamais être certain que le coup porté soit fatal. Aujourd'hui, grâce aux algorithmes, un gamin de vingt-cinq ans peut déchaîner la foudre depuis son écran d'iPhone.

— Mais tu as peut-être un angle mort, comme au Fouquet's.

Il aura suffi d'un seul mot pour que la sensation de flottement se ravive. Pourquoi « mais » ? M'aurait-elle entendu penser ? Ses yeux me fixent intensément, à m'en donner le vertige. Une bourrasque au même instant fait danser les flammes, comme si elles paniquaient à leur tour. Si l'objectif est d'attiser mes doutes, bravo, c'est efficace. Au loin, Stan me jette un nouveau regard indéchiffrable. Et s'il était au courant ?

Ça y est. Sur la pelouse en contrebas commencent les festivités pour la pleine lune. De puissantes basses font désormais trembler la pierre et mon corps avec elle. Aux couleurs du crépuscule, je sais qu'il me reste un peu de temps : mon algorithme ne sévira qu'à partir de 20 heures, quand l'obscurité sera totale. J'ai encore le choix.

À mon tour, je ferme les yeux. Une dernière fois, par précaution, je me repasse le film des événements qui m'ont mené jusqu'ici.

I

Février 2017

Définition des objectifs

1

Avenue Marceau, à deux pas de l'Arc de triomphe, 8 h 30. Au premier étage d'un hôtel particulier, je suis accueilli par une jeune recruteuse, Nora quelque chose, semblant comme moi fraîchement sortie d'école. Son attitude et l'intonation de sa voix sont presque chaleureuses : on jurerait qu'elle est véritablement ravie de faire ma connaissance – sans doute une des compétences qui lui ont valu ce poste. Elle me guide vers une salle de réunion confortable, sièges en cuir et cafetière haut de gamme. C'est ici qu'aura lieu mon troisième et dernier entretien chez Bates & Greene, un cabinet de conseil en stratégie parmi les plus prestigieux au monde. Pour l'occasion, j'ai mis toutes les chances de mon côté : chemise et costume tout droit sortis du pressing, chaussures lustrées ce matin, nœud de cravate à la limite de l'étranglement.

— Installez-vous, je reviens.

Dehors, il ne pleut pas encore. Je m'efforce d'y voir un heureux présage. La baie vitrée laisse entrevoir un carré de ciel sombre et tourmenté, enserré d'élégantes façades claires en pierre de taille. J'imagine la vue que doivent avoir les directeurs, au dernier étage : une carte postale de toits gris et de nuages gorgés d'encre, jusqu'à l'horizon.

En contrebas dans la cour, dans un petit jardin à l'anglaise, oasis discrète à l'abri des fourmillements de la ville, des consultants fument parmi les plantes en tâchant d'imiter leur naturel. J'observe un instant leurs postures et l'expression convenue de leurs visages, pour m'en inspirer. La première impression est cruciale, on doit d'emblée me prendre pour l'un des leurs. Je révise une dernière fois mes réponses et mes éléments de langage, tel un pianiste répétant ses gammes avant un concert.

Les cabinets comme B&G sont reconnus pour leur sélectivité, plus de 98 % des candidats échouent à y entrer. J'ai beau sortir d'une école d'ingénieurs notoire, figurer parmi les meilleurs élèves de ma promotion, être assuré d'un statut cadre dans n'importe quelle entreprise du CAC 40, ici rien n'est acquis. Pour devenir consultant, l'excellence académique ne suffit pas, il faut satisfaire à d'autres critères qui ne sont mentionnés nulle part. Certains ont peut-être eu la chance de se les faire expliquer par un parent, une sœur, un ami faisant déjà partie du sérail. Pas moi. Depuis la mort de mon père, mes seuls guides sont les blogs et forums spécialisés.

Sur Internet il existe un tutoriel, une recette pour tout : confectionner une tarte aux pommes, réussir son deuil, avoir l'air d'un consultant modèle.

Chez B&G, le processus de recrutement dure environ six semaines. Je peux le réciter par cœur. Vous débutez par un test chronométré sur le site web de l'entreprise – principalement des maths, un peu de logique et d'économie. Taux de réussite : un candidat sur trois environ. Puis on vous convoque à un premier entretien, encore assez technique mais filmé cette fois, où l'on vous demande d'expliquer votre raisonnement sur certaines questions. Taux de réussite : un candidat sur cinq.

Les choses sérieuses commencent à l'entretien suivant : l'étude de cas. Des consultants très sûrs d'eux vous soumettent des problèmes issus de leur expérience, en vous donnant très peu d'informations :

« *Un grand groupe pharmaceutique a conçu un médicament prévenant la calvitie : quelle est la taille du marché adressable ?* »

« *À budget illimité, en combien de temps pourriez vous couvrir tous les toits de Paris de panneaux solaires ?* »

Écoutez attentivement chaque énoncé, notez-le, relisez-le deux ou trois fois. Reformulez, pour vérifier que vous avez bien compris. Posez toutes les questions pertinentes qui vous viennent à l'esprit. Le médicament peut-il supporter toutes les températures ? Où sont stockés les panneaux solaires en attendant la pose ? Collectez un maximum d'informations, sachant que vous n'obtiendrez pas grand-chose. La plupart du temps, on vous dira qu'on ne sait pas.

Ensuite, décomposez le problème en variables fines et précises, pour réduire l'incertitude. Par exemple, au sujet des panneaux solaires : nombre d'immeubles à Paris, surface de toiture moyenne pour un immeuble haussmannien type, quantité de main-d'œuvre, temps de pose par mètre carré, temps de transport vers et depuis l'entrepôt, nombre de véhicules, capacité de stockage… Il s'agit de poser la bonne formule, sans passer à côté d'une variable, ni pour autant vous perdre en détails inutiles.

Puis vient la dernière étape, celle du calcul : il faut résoudre l'équation. Estimez chaque variable, et répondez à la question posée, en espérant ne pas tomber trop loin de la réalité. La calculatrice est autorisée, mais j'ai lu que c'était mal vu, à moins d'une opération particulièrement complexe. Si vous êtes fort en calcul mental, c'est un *plus* appréciable. Taux de réussite : un candidat sur quatre.

De retour, Nora la recruteuse retire sa veste et l'accroche au dossier de son siège. J'aimerais en faire autant – l'immeuble est surchauffé – mais la manche de ma chemise est encore constellée du café que j'ai renversé chez Starbucks ce matin, trop fébrile.

— Mon collègue arrive dans un instant.

— Très bien.

J'essaie de sourire, ce n'est sans doute pas très convaincant. Mes lèvres sont engourdies par le stress. Au dernier entretien, ce ne sont plus vos capacités de raisonnement qu'on évalue, mais votre aisance relationnelle – et ce n'est pas ma plus grande qualité. Les questions devraient porter sur ma personnalité, mon parcours, mes motivations... J'ai beau m'y préparer depuis une semaine, je n'en mène pas large. À ce stade, le taux de réussite est d'un candidat sur deux. Tout peut encore s'arrêter là.

Un type entre et se présente en levant à peine les yeux de son téléphone :

— Jules Duphot, consultant senior B&G Disrupt.

Pas un mot de plus, ni bonjour ni bienvenue. Je réponds :

— Victor Laplace, enchanté.

La poignée de main est expéditive. Son regard ne dit rien d'essentiel, à part qu'il se sait important. Il rejoint son siège d'une démarche lente, les yeux rivés sur son petit écran, tandis que ses talons scandent chacun de ses pas d'un bruit sec. Difficile de lui donner un âge. Son teint rose pâle, clairsemé de fines taches de rousseur, lui confère un air de petit garçon qu'une barbe de trois jours et le reste de sa posture s'efforcent de contredire. Selon son grade, il doit avoir une trentaine d'années. Sa montre massive et brillante raconte déjà l'histoire d'un homme en pleine réussite. À l'autre poignet, un fin bracelet de tissu, sobre et sans prétention, veut sans doute indiquer qu'il a su rester simple.

La recruteuse prend la parole, tandis que l'autre caresse et tapote son petit appareil. On aurait aussi bien pu commencer sans lui.

— Comment expliqueriez-vous le métier de conseil en stratégie à un enfant de douze ans ?

Elle semble amusée par sa propre question. Imitant son détachement, je fais comme si cet entretien ne revêtait aucun enjeu particulier. Comme si tous mes plans ne risquaient pas de tomber à l'eau durant les prochaines minutes. Intérieurement, je construis ma réponse selon le principe des Lego, assemblant des blocs formatés, préparés à l'avance.

— Puisqu'à cet âge on étudie l'époque napoléonienne, je lui citerais l'un des principaux généraux de Bonaparte : la stratégie, c'est l'art de faire la guerre sur des cartes ! Sauf qu'ici, on ne parle pas de guerre, mais de compétition. Des entreprises s'affrontent pour conquérir des marchés, qui sont comme des territoires. Pour y parvenir, elles ont besoin d'un plan d'action clair et sur plusieurs années, le temps de déplacer leurs troupes. Mon rôle en tant que consultant, c'est de les aider à choisir la meilleure stratégie, en leur fournissant la carte la plus fidèle et la plus détaillée qui soit de ces territoires : la topographie du marché, les positions prises par leurs concurrents, les grands mouvements à venir...

L'analogie guerrière semble inspirer mon interlocutrice, qui hoche énergiquement la tête en écrivant sur son carnet, avant d'enchaîner :

— Admettons que deux entreprises concurrentes veuillent s'attacher vos services mais que vous ne pouviez en conseiller qu'une seule. Laquelle choisiriez-vous ?

Le changement de thème est assez brutal. Je réponds le plus vite possible, sans me montrer déstabilisé.

— Je miserais sur celle qui stocke le plus de données, sur tout et tout le monde : ses concurrents, ses clients, tous ceux qui pourraient le devenir... L'intelligence artificielle est le nerf de la guerre, tout le monde le sait. Mais les algorithmes ont besoin de données pour fonctionner : c'est leur carburant, le nouvel or noir. Alors si je dois choisir mon camp, je me tourne logiquement vers celui qui dispose du plus de « pétrole » en réserve.

Je surjoue un peu l'enthousiasme sur ma conclusion. Tout doit mener à penser que le sujet me passionne. Nora la recruteuse en a l'air plutôt convaincue.

— Pourquoi souhaitez-vous effectuer votre stage de fin d'études chez Bates & Greene, et plus particulièrement chez B&G Disrupt ?

À vrai dire, j'ignorais l'existence de cette filiale jusqu'à la notification reçue sur mon faux profil LinkedIn : *Félicitez Stanislas Dorsay pour son nouveau poste de directeur associé.*

— D'abord, l'évidence : commencer sa carrière chez B&G, c'est un gage d'excellence, la garantie d'évoluer au contact des meilleurs.

Pouvoir écrire B&G sur son CV, c'est avoir l'assurance de réussir sa vie – c'est du moins ce qu'on peut lire sur les forums d'étudiants. Or plus de 95 % des stages de fin d'études y débouchent sur une embauche en CDI six mois plus tard.

— Ma motivation à vous rejoindre est d'autant plus forte que vous avez monté cette filiale, entièrement dédiée aux technologies disruptives. Je tiens à faire partie des pionniers de cette aventure.

La recruteuse affiche un sourire satisfait. L'autre, cependant, ne réagit toujours pas, alors je mets le paquet :

— Je crois que la technologie va prendre une part de plus en plus importante dans nos vies. Nous sommes à l'aube d'une nouvelle révolution industrielle. Intelligence artificielle, neurotechnologies, réalité virtuelle, blockchain : le premier qui maîtrisera ces innovations contrôlera le futur. Tous les cabinets de conseil ont donc intérêt à renforcer leur expertise technologique, comme vous le faites avec B&G Disrupt.

L'hommage, grossier, n'atteint pas sa cible. Après un long silence, mon interlocutrice se sent même obligée de demander :

— Jules, tu souhaites rebondir ?

Sur ce le type s'anime enfin, prend le temps de poser son téléphone, se redresse sur le dossier de son siège, passe en revue la pièce comme s'il se réveillait dans un endroit mystérieux… Puis fixe son regard sur moi, fronce les sourcils en s'apprêtant à me poser sa première question. Je crois bien que je la connais déjà.

— Vous avez un diplôme d'ingénieur, de niveau bac + 5. Or vous avez obtenu le bac en 2011 et nous sommes en 2017. Pourquoi six ans ?

Les premières gouttes de pluie se font entendre sur la baie vitrée. Nous y voilà. Une semaine que je m'exerce à répondre à cette question, devant la glace de ma salle de bains. Hier encore, sur une quinzaine de répétitions, j'ai décelé des traces d'émotion sur mon visage à deux reprises. Cette fois c'est du sérieux, je n'ai plus droit à l'erreur.

— Ayant perdu un membre de ma famille juste après le bac, j'ai voulu faire une pause dans mes études afin de soutenir mes proches et de les aider dans leurs démarches administratives. Je ne voulais pas que mes résultats pâtissent de cet événement.

Paraître immaculé, sans tache. Dissiper tout soupçon de fragilité, de tristesse, de colère. Ne pas cacher la réalité, non, l'édulcorer. Mon père ne s'est pas suicidé, il est juste mort – ça arrive à tout le monde. D'ailleurs, ce n'était pas nécessairement mon père – juste un membre de ma famille. Et son décès, bien sûr, n'a rien à voir avec ma présence ici – j'ai toujours voulu devenir consultant, c'est ma vocation.

La recruteuse fait une moue indécise, entre défiance et compassion. Elle n'entend pas en rester là :

— Nous sommes sincèrement désolés pour votre perte. Et bien sûr, je comprendrais que vous souhaitiez changer de sujet. Simplement, pour être au clair : vous n'avez exercé aucune activité notable pendant ce « trou » ?

En prononçant ce mot, elle a mimé des guillemets avec ses doigts. Je la dévisage un instant, cherchant à comprendre : qu'attend-elle au juste ? Que je lui relate mon deuil, étape par étape ? Le déni, la rage, la rancœur, le dégoût, et la culpabilité par-dessus tout... L'insouciance qui s'en va, mes amis qui s'éloignent, le regard qui noircit, celle qui disait m'aimer qui me fuit à son tour... Voudrait-elle que je dessine un schéma sur le tableau blanc, illustrant le cercle vicieux *plus de solitude, donc plus de noirceur, donc plus de solitude* ? À la fin de mon exposé, elle pourrait ainsi noter dans son petit carnet que je suis un profil « à risque », et mimer des guillemets avec ses doigts en présentant sa synthèse au DRH.

— Si, bien sûr. Je travaillais chaque jour sur des projets personnels, dès que j'en avais le temps, pour ne pas perdre la main.

— Vous avez un exemple à nous donner ?

— Mon passe-temps favori consistait à développer des intelligences artificielles capables de battre un joueur humain à toutes sortes de jeux de stratégie : échecs, Othello, dames, jeu de go, Puissance 4, Mastermind... Ça l'est toujours, d'ailleurs. Je code en Python pour le plaisir, comme d'autres jouent au football ou à la PlayStation.

Cette fois, c'est Jules-Duphot-consultant-senior-B&G-Disrupt qui hoche la tête pour valider ma réponse. J'ai une idée moins précise de ce que pense Nora-la-recruteuse, dont le regard acéré semble vouloir me mettre à nu.

— Pourquoi pensez-vous que je devrais vous embaucher dans mon équipe, plutôt qu'un autre candidat ?

C'est lui qui pose la question. Ça doit être bon signe.

— Parce que justement, partout où il existe un jeu, une compétition entre plusieurs adversaires, avec des règles claires et définies à l'avance, il existe un algorithme capable de gagner à coup sûr. Ce qui est valable aujourd'hui pour les échecs ou le jeu de go peut l'être demain pour la stratégie d'entreprise, la conquête de nouveaux marchés. Or, parmi tous vos candidats, je pense être le mieux placé pour mettre ce type d'algorithme au jour.

J'ai dû trouver la bonne formule. Pour la première fois de l'entretien, ils échangent un regard en acquiesçant tous les deux. Je ressens une nausée lointaine – sans doute le café de ce matin – mais ne laisse rien paraître. Je ne suis plus très loin du but.

2

Un rayon pâle et sans chaleur me réveille. Je me suis encore écroulé sans prendre le temps de fermer les rideaux. Mon costume d'hier gît sur le sol ainsi que ma chemise tachée, au pied du lit. Ce matin encore, je vérifie que le soutien-gorge de Marion est toujours là, sous mon oreiller. C'est un rituel étrange, presque animiste, comme si ce dernier vestige d'elle avait sa volonté propre. Tant qu'il choisit de rester, je me dis qu'elle n'est pas totalement partie, qu'un bout d'elle la rattache encore à moi. Qu'un fragment de cette époque a survécu.

Bientôt cinq ans que cette fable dure.

Cette nuit encore, j'ai rêvé d'elle – enfin, d'une version réactualisée de son visage, mélangé à celui de la recruteuse d'hier. Nous étions à une fête organisée chez elle en l'absence de ses parents, du genre de celle où je l'ai embrassée pour la première fois. Elle me posait mille questions, demandait pourquoi elle devait me choisir moi plutôt qu'un autre… Et moi, je restais muet comme un idiot, incapable de trouver la bonne réponse.

Elle m'a tout de même invité à la suivre et, après un dédale de couloirs et de portes – Marion vivait dans un petit palace en bordure du bois de Vincennes –, nous sommes arrivés dans sa chambre, au premier étage. Sur sa mezzanine, j'ai retrouvé mille odeurs familières. Celle du bois verni, de ses échantillons de parfums, du tilleul à sa fenêtre et de tous ses effluves intimes piégés sous les draps. Combien de nuits j'ai passées là-bas ! Combien de fois nous y avons fait l'amour, refait le monde, plané sur de la musique sans paroles en fumant l'herbe que son frère lui refilait en cachette... J'ai cru que mon existence tout entière ressemblerait à ces nuits-là, que rien ne me ferait jamais quitter cette insouciance et qu'il suffirait de faire ce que j'aime pour réussir ma vie.

Dans mon rêve elle s'est déshabillée, les yeux mi-clos comme pour se recueillir, à la lueur vacillante des bougies. Mais peu à peu, tandis que j'imaginais déjà la chaleur de sa peau contre la mienne, les contours de son visage ont commencé à s'estomper, puis sa silhouette entière. L'apparition touchait à sa fin, le souvenir de son corps s'évanouissait. C'est quand j'ai voulu la toucher qu'elle a disparu pour de bon.

Je me suis retrouvé seul, dans l'obscurité d'une pièce étrangère, soudain menaçante. Des échos, des murmures ont rempli l'espace, puis des rires malveillants. J'ai compris qu'on m'avait tendu un piège. Les monstres n'allaient plus tarder à surgir.

Mes rêves dévissent inéluctablement de cette manière à l'approche de leur dénouement. C'est une sorte de tradition, depuis la mort de mon père et plus encore depuis que Marion m'a quitté l'année suivante – par surprise, elle aussi. Un beau matin, elle m'a simplement annoncé : « Si je reste, j'ai peur de sombrer avec toi. » Il fallait en avoir, de la crasse dans le cœur, pour dire une chose pareille. Son expression, sa voix étaient restées d'une infinie douceur, comme si elle m'abandonnait pour mon bien.

Je n'avais rien vu venir. Comme pour mon père, j'avais été pris de court, aveugle aux signes avant-coureurs, inattentif aux indices cachés derrière les apparences. Au bout du compte, c'est surtout ce regret-là qui m'est resté en travers de la gorge. Plus vigilant, c'est sûr, j'aurais pu tout anticiper, tout prévoir. Peut-être même tout éviter.

Debout, j'enfile un caleçon pas trop sale, avale un demi-litre d'eau tiédasse au goût plastique. Sur mon bureau, un carnet moleskine est ouvert à la date du 10 septembre 2008. Depuis qu'ils ont été retrouvés à son bureau peu après sa mort, les dix-huit cahiers rédigés par mon père sont devenus mon unique source de lecture quotidienne. Autrefois, je préférais les romans. Pas besoin de relire le passage surligné, je le connais par cœur : « *Trois consultants sont arrivés : un jeune, deux plus âgés, directement rattachés à mon service. Ils n'ont aucune compétence en réseaux télécoms. Pourquoi c'est eux qu'on envoie ?* »

Avant 2008, il s'agit essentiellement de notes professionnelles, sans grand intérêt : listes de tâches, schémas d'architecture, noms d'ouvrages scientifiques à lire... Mais par la suite et jusqu'en juin 2011, ses carnets se transforment en journal de bord, retraçant l'histoire du département qu'il pilotait chez France Telecom – et de son effondrement. Des centaines de pages à l'écriture austère, qu'il m'a fallu lire et relire pour commencer à comprendre son geste.

C'est là que j'ai fait la connaissance de Stanislas Dorsay.

Son nom est mentionné pour la première fois à la page ouverte hier soir, « *jeune homme dont l'esprit semble vif, contrairement aux deux autres* ». Il pilote alors sa première mission de conseil, à vingt-six ans. Peu à peu, mon père se prend de sympathie pour ce garçon « *curieux, qui s'intéresse à tout et pose des questions intelligentes* ». Quelques mois plus tard, en mars 2009, il écrit même : « *Si seulement Victor s'intéressait autant que Stan à l'ingénierie !* » À l'époque, j'ai quinze ans, je viens de rencontrer Marion et passe le plus clair de mon temps avec elle. Mon père m'apparaît alors comme un homme trop sérieux, grisâtre et sans plaisir, obnubilé par sa carrière. La suite ne me donnera pas tort sur ce point, contrairement à beaucoup d'autres.

Par automatisme, j'agite ma souris pour que l'écran d'ordinateur s'allume, même si je ne compte pas m'en servir. Deux photos s'affichent. Mes parents en lune de miel à Florence – apparemment heureux. Marion et moi juste après la dernière épreuve du bac – manifestement amoureux. C'est un autre rituel, le soir avant de me coucher : réinterroger les souvenirs qui me restent pour y trouver les failles que je n'ai pas su voir à l'époque. Déceler après coup des indices, si ténus soient-ils, de ce qui allait advenir.

J'ai même fait de cette quête un projet d'intelligence artificielle, en école d'ingé. Je partais d'une photo de Marion, visiblement amoureuse, et je la modifiais par algorithme pour donner l'impression opposée, sans que les changements apportés à l'image soient perceptibles à l'œil nu. Quelques pixels bien choisis devaient suffire : un zeste de noirceur dans le regard, un soupçon d'ambivalence dans le sourire...

Pour valider mes résultats, j'ai créé un site web et une annonce Facebook pour générer du trafic. Sur Internet il existe un public, un intérêt pour tout, même pour se prêter aux expériences les plus saugrenues, tant que l'interface est attractive. Quand il arrivait sur ma page, je demandais au visiteur d'évaluer le sentiment de Marion sur une série de photos, sur une échelle de 0 – totalement indifférente – à 10 – éperdument amoureuse. Les photos originales et celles modifiées par mon algorithme étaient volontairement mélangées. De temps à autre, j'alternais en présentant les deux versions d'une même photo et en demandant si elles lui paraissaient identiques.

En répétant cette expérience avec des centaines d'internautes, j'ai pu obtenir des résultats spectaculaires : Marion était parfois jugée amoureuse à plus de 8 en moyenne sur l'original et moins de 2,5 sur la photo modifiée, alors que trois quarts des votants jugeaient les deux images absolument identiques. Conforté dans mon idée, j'ai réitéré l'expérimentation sur une photo de mon père, avec un succès comparable : sur l'original il semblait heureux, dynamique, pleinement satisfait de son existence, et sur la photo modifiée, apparemment similaire, on le trouvait affligé, usé, mélancolique. Il suffisait ainsi d'un rien, de changements infimes pour modifier le sens d'un visage et tout en effacer : l'amour, la joie, la vie même. Je me sentais un peu moins coupable d'avoir été pris de court. Et ce projet m'a valu la meilleure note de ma promo.

Mon alarme de 11 heures retentit. Ma mère m'attend dans une heure à l'autre bout de Paris pour déjeuner. Et accessoirement pour fêter mes vingt-trois ans. Je consulte WhatsApp, interroge ma messagerie vocale, réactualise mon flux Facebook : rien. À chaque anniversaire je reçois moins de messages qu'au précédent. J'avoue que ma solitude est plus facile à vivre les trois cent soixante-quatre autres jours de l'année.

Dans une réalité parallèle, si la mort de mon père n'avait pas tout foutu en l'air, mon groupe d'amis du lycée serait en train de sonner à ma porte en criant « Surprise ! ». On passerait la journée ensemble et Marion nous rejoindrait le soir. On finirait tous ivres morts, à rire trop fort et sans raison. Franck raterait le dernier métro comme d'habitude et je lui proposerais de rester dormir. Il me remercierait puis irait vomir dans ma salle de bains. Finalement, je suis peut-être mieux comme ça.

De toute façon, la mélancolie ne sert à rien. Seule compte ma stratégie, la seconde phase de mon plan, sur le point de commencer. D'ailleurs, il serait temps que mon studio ne soit plus ce lieu de fouilles archéologiques, consacré tout entier au passé. Je range le carnet sur l'étagère, avec les dix-sept autres. Ramasse ma veste de costume, l'accroche à un cintre. Jette ma chemise au linge sale. Déplace mon dossier photos dans un recoin moins accessible de mon disque dur... À chaque nouvelle tâche accomplie, je suis récompensé par une décharge de dopamine.

Quant au soutien-gorge... je le replie sous l'oreiller. Il est encore trop tôt. Je jure de songer à m'en débarrasser si B&G m'embauche.

Dans le métro, je me retiens de vérifier si Marion s'est connectée ce matin. J'actualise encore mon flux Instagram, sans succès. Les épaules de mon voisin de strapontin me pressent contre la vitre. Un quadragénaire dégarni nous explique pourquoi il fait la manche :

— Je me disais que ça ne pouvait pas m'arriver, mais croyez-moi, ça n'arrive pas qu'aux autres, tout le monde peut y passer, un jour tout s'effondre, et beaucoup plus vite qu'on pense. Il suffit d'un rien, d'une glissade : vous perdez votre boulot, vos amis, puis tout s'enchaîne, façon dominos...

Mon voisin souffle bruyamment : il n'avait pas envie d'entendre ça ce midi. Pour ma part, j'ai trouvé ce discours assez convaincant. Il suffit parfois d'un changement d'angle infime pour que le rêve dévisse en cauchemar. À son passage, je lui filerai 2 euros.

II

Juin 2017

Collecte des données

3

Comme chaque matin, je retire mes écouteurs avant d'entrer dans la tour B4, dissimule les émotions que ma playlist nostalgique était en train de ranimer dangereusement. Être conforme, c'est comme apprendre à conduire : au départ, ça requiert toute votre concentration. Vous débutez au volant, une jolie mélodie vous rappelle un souvenir et *crac*, vous vous trompez de sortie, vous grillez une priorité – quatre points en moins. En entreprise, c'est la même chose. L'aisance vient avec le temps. Un jour, je serai comme ce type qui badge à côté de moi, pile au bon moment pour ne même pas devoir ralentir avant que le portique s'ouvre, le tout avec un casque à réduction de bruit vissé sur les oreilles, et pas un soupçon de vie sur le visage – du très haut niveau. Un jour, je serai cet homme-là mais pour l'heure, je suis celui qui fouille sa poche intérieure devant la borne, en sentant bien que la fille derrière s'impatiente et s'imagine déjà dire, en arrivant à sa réunion : *Désolée pour le retard, un con qui n'arrivait pas à trouver son badge*. Ça y est, je l'ai, je le brandis presque, avec mon nom et ma photo dessus – c'est qu'en fin de compte, je dois bien avoir ma place ici. Débutant mais pas imposteur, ou pas plus qu'un autre.

Comme chaque matin, je finis seul dans l'ascenseur. Peu de gens vont au-delà du vingt-quatrième étage : les trois derniers sont réservés aux directions générale et stratégique. Dans le miroir, tout semble en ordre. Il m'a fallu plusieurs tentatives pour réussir mon nœud de cravate mais cette fois, je crois bien qu'il est irréprochable. Le cuir de mes chaussures brille en tous points d'une lumière égale. Je suis l'un des leurs. Victor Laplace, *consultant stagiaire B&G Disrupt* depuis trois mois. Le dire me fait encore grincer des dents, mais ça passera. L'important, c'est que tout se déroule comme prévu.

Comme l'écrivait mon père dans son carnet n° 18 : « *Le succès ne répond plus au mérite ou à l'intelligence, mais à d'autres règles.* » Je suis au meilleur endroit pour les apprendre. C'est même ici qu'on en érige la plupart. Après B&G, on devient banquier d'affaires, directeur marketing, lobbyiste, directeur de la stratégie, capital-risqueur... En tout cas un rouage précieux, inamovible au cœur du système. Certains vont jusqu'à devenir ministres ou capitaines d'industrie. Peu importe *qui*. La question, c'est *comment*. Il existe un mode opératoire, une recette pour tout, même pour réussir mieux que les autres.

Mes semelles s'enfoncent dans la moquette neuve du vingt-septième étage sans produire le moindre bruit. J'arrive dans l'open space qui nous est dédié, atmosphère studieuse et ouatée. Une des plus belles vues de la Défense, dit-on : sous nos fenêtres s'étend l'Ouest parisien – Arc de triomphe, tour Eiffel, dôme des Invalides et bois de Boulogne au premier plan. Pour mon premier « job », on m'a fait rejoindre une équipe de six consultants, en mission pour le Crédit Général – la plus grosse banque de détail française. « Il n'y a pas de place attitrée, tu t'installes où tu veux », s'est-on félicité à mon arrivée – même si, à l'usage, chacun s'assoit toujours au même bureau que la veille.

En bon geek, j'ai deux écrans sur le mien. Indispensable, pour effectuer plusieurs tâches en parallèle, sans quoi mon cerveau tourne en sous-régime. C'est ici que je construis mon algorithme de détection des fraudes, en analysant plus de 15 milliards de transactions par an. À mon premier jour, on m'a présenté comme un *petit génie* capable de *faire parler les données*, rien que ça. Autrefois, les oracles s'adressaient au feu, aux astres ou aux esprits pour se faire raconter l'avenir. Désormais, le futur se lit dans des puits de données obscurs, dont seuls les *data scientists* comme moi savent déchiffrer les augures.

— On t'attend, Victor...

J'ai justement un « point de synchro » ce matin, pour expliquer les rudiments de mon algorithme à Jules Duphot et Aude Barthélemy. J'arrive avec un léger retard, qu'ils me font lourdement sentir. L'accueil est froid, le ton maussade. Tous deux représenteront B&G lors du comité de direction de demain, et doivent donc être en mesure d'exposer mon travail à ma place aux huiles de la banque. Je sais faire parler les données, certes, mais on me préfère d'autres porte-parole.

Il faut dire que sur la pyramide des grades, je suis au plus bas niveau possible : stagiaire. De là, vous pouvez passer consultant junior. Puis, un ou deux ans plus tard, consultant confirmé. Deux à trois ans de plus et vous devenez consultant senior, comme Jules. Trois à cinq années encore et vous êtes manager, comme Aude. Et si ça ne vous suffit toujours pas, vous pouvez ensuite prétendre aux niveaux senior manager, directeur, puis directeur associé. De quoi y consacrer toute une carrière.

Naturellement, chaque règle a ses exceptions. Vous pouvez passer au grade supérieur plus vite – on dit alors que vous êtes sur un *fast-track*, une voie rapide – ou plus lentement que prévu – on dit alors que vous feriez mieux d'aller voir ailleurs : *up or out*. Stanislas Dorsay, par exemple, est passé manager à trente ans, puis directeur à trente-quatre : un record chez B&G France.

Ce matin, tandis que je leur présente mon travail, Aude et Jules ont la bonne idée d'endosser le rôle de clients particulièrement imbuvables. Pour éprouver, j'imagine, la robustesse de mes explications. Ou peut-être pour le plaisir. Quoi qu'il en soit, je ne peux jamais finir une phrase sans me faire interrompre.

— Écoutez, je ne comprends rien à votre jargon, là. Expliquez-moi comme si j'avais huit ans.

Je me cramponne aux accoudoirs de mon siège, respire un bon coup.

— Justement. Une intelligence artificielle, c'est comme un enfant à qui vous souhaitez enseigner quelque chose de très spécifique. Par exemple, à deviner l'âge des personnes qu'il rencontre. D'abord, vous lui montrez des dizaines, des centaines de visages, en lui précisant à chaque fois leur âge. Automatiquement, son esprit va construire un modèle lui permettant d'estimer l'âge d'une personne en fonction de plusieurs variables : rides, teint de la peau, couleur des cheveux…

Les deux prennent des notes, pour pouvoir réviser leur leçon puis la réciter par cœur, demain matin.

— Avec le temps, l'enfant va rencontrer des centaines de nouveaux visages et tenter de deviner leur âge. Parfois il se trompera, vous corrigerez alors sa réponse et chaque erreur lui permettra d'affiner son modèle. Peu à peu, ses variables deviendront plus complexes, moins catégoriques : à partir d'un sourire ou d'un regard, il essaiera d'imaginer son vécu, son histoire, son rapport au passé, à l'avenir… À force d'apprentissage, ses prédictions gagneront en précision. Il détectera des indices insoupçonnables, que vous-mêmes n'auriez jamais pu voir. C'est normal, il aura été *entraîné* pour ça.

Je me tais pour apprécier le silence et le visage studieux de Jules, penché sur son petit carnet. Aude, elle, se relit en fronçant les sourcils. Son personnage de cliente imbuvable n'a pas tout compris.

— C'est bien beau, mais quel rapport avec ce pour quoi je vous paie ?

— Eh bien moi, j'entraîne mon algorithme à reconnaître des fraudes bancaires : je lui montre des milliards de chèques et de virements, dont une infime partie seulement sont des fraudes avérées. Alors il construit un modèle estimant la probabilité qu'une transaction soit frauduleuse, en fonction de milliers de variables – montant, jour de la semaine, fréquence, pays d'émission, de destination, libellé de l'opération, etc. Au fur et à mesure, son modèle s'affine et détecte des fraudes de plus en plus sophistiquées.

Hier matin, il m'a par exemple trouvé un système d'échange triangulaire permettant de faire disparaître une infime partie des montants vers des comptes hongrois, sur quelques dizaines de milliers de transactions. C'est assez magique, presque émouvant de voir votre algorithme vous trouver un cas que vous n'auriez jamais détecté vous-même. Vous vous sentez à la fois puissant et dépassé. L'enfant s'est mis à marcher.

Après deux autres questions du même acabit, Jules finit par refermer son carnet, bourré de statistiques et de termes savants. Demain c'est sûr, il va faire un malheur. Il quitte la salle, repu d'informations. Aude, elle, reste pour me faire son retour :

— Tu as un savoir-faire rare et très demandé. Là-dessus, je ne me fais aucun souci pour toi. Mais ton challenge va être de t'améliorer sur le savoir-être.

Dans le conseil, on ne parle pas de *personnalité* mais de *savoir-être*. Ce n'est pas mon point fort, on l'aura compris. Pour faire bon poids, elle me dresse l'inventaire de mes fautes :

— Ça commence par te présenter à l'heure aux réunions. Il aurait aussi fallu que tu prépares des slides, et que tu te lèves pour nous les présenter. Ça t'aurait évité de te balancer sur ta chaise, ce qui est intolérable. Et enfin, tu peux améliorer ton nœud de cravate. Il y a plein de tutos sur Internet.

Je dois rougir de honte. Ou de colère, je ne sais plus. Aucun commentaire sur le fond. Aucun remerciement pour mes explications, qui la feront passer pour une experte face au CoDir. Non, juste une leçon de bienséance.

— Voilà. Tu as des questions ?

— Non, c'est bon. Merci pour ton feedback.

Je retourne à mon bureau, les pommettes encore à vif comme après une paire de gifles. À l'abri derrière mes deux écrans, je suis bien obligé de me rendre à l'évidence : ma mise en conformité s'annonce laborieuse.

Autrefois pourtant, j'arrivais à me fondre dans n'importe quel moule, un vrai caméléon. C'est à la sortie du lycée que j'ai perdu la formule. Après la mort de mon père, je n'ai plus su me connecter aux autres, comme si les codes avaient changé. Ces choses-là vont très vite. Aux premières amitiés qui se rompent, vous prenez vos distances et déjà, d'un peu plus loin, la comédie humaine vous apparaît sous un autre angle. Vous décelez mieux ses mises en scène, ses impostures et dès lors il devient plus difficile d'y prendre part, de croire sincèrement au rôle que vous pourriez y jouer. La solitude affûte votre regard mais, en contrepartie, vous efface de celui des autres. Vous devenez un spectateur lucide, mais un acteur médiocre. En un rien de temps, un fossé infranchissable se creuse entre le devant de la scène et vous. Ce même fossé qui me sépare de mes collègues aujourd'hui. Il suffit de les voir aller et venir dans l'open space : ça crève les yeux qu'ils *savent* mieux *être* que moi.

D'abord, ils maîtrisent couramment la novlangue du conseil, parlent de *bullet points*, de *best practices* et de *quick wins*, se déplacent de *CoPil* en *war-room*, toujours *agiles* et *proactifs*… Aucun d'eux ne s'insurge de cette uniformisation du langage, pas plus que du *dress code* : costume, chemise blanche et cravate pour messieurs, tailleur noir ou bleu marine pour mesdames. Chacun s'applique à incarner fièrement ce modèle unique, dont il se présente comme la reproduction la plus fidèle.

Parfois, en bon oracle, je m'amuse à prédire leur avenir : lequel deviendra *fast-track*, laquelle atteindra le sommet de la pyramide avant les autres ? Les premières semaines, j'ai collecté les données évidentes : sexe, grade, ancienneté, école de commerce ou d'ingénieurs. Puis mon modèle s'est enrichi de variables plus fines, plus complexes : confiance en soi, aisance avec le sexe opposé, niveau d'ambition affiché, rapports avec la hiérarchie, sujets de conversation favoris...

Amir, par exemple, est consultant confirmé, issu d'école d'ingénieurs, lunettes vintage et barbe soigneusement taillée, s'intéresse à la mixologie – hobby qui lui permet d'écumer les bars à cocktails en se donnant des allures de critique d'art – et raffole de musique électro pointue. Je prédis qu'il finira dans le luxe ou l'hôtellerie, ou par monter une start-up dans l'événementiel.

Aude a fait l'ESSEC, possède une Mini Cooper noire et deux enfants – dont elle ne mentionne jamais le père –, va danser la salsa tous les mardis soir. Elle se présente toujours en jupe-tailleur et copieusement maquillée, revendique une féminité par ailleurs écornée par un style de management autoritaire et un timbre de voix que vingt années de tabagisme ont sérieusement éraillé. Elle devrait pousser jusqu'à senior manager, puis s'en aller finir sa carrière au chaud dans une société confortable, à un poste de direction pépère.

Jules a fait HEC, passe un midi sur deux à la salle de sport et l'autre à se caresser les muscles en prenant un air meurtri, comme s'il se remettait d'un combat héroïque. Ses soirées consistent à faire la connaissance intime de jeunes femmes inconnues, la plupart rencontrées sur Tinder, pour nous en faire une synthèse faussement pudique le lendemain matin. Je crains qu'il soit promis à un brillant avenir.

Ces spéculations ne me servent pas à grand-chose, sinon passer le temps. Quelquefois, j'essaie à l'inverse de prédire ce qu'eux pensent de moi, mais ce jeu-là m'amuse moins, on peut rapidement s'y perdre.

Toujours est-il que leurs distinctions superficielles – leur goût pour la mixologie, les salles de sport ou la salsa – n'entravent en rien leur mise en conformité, cette inéluctable standardisation de leur personnage à laquelle Aude m'exhorte à souscrire au plus vite. Un formatage en série dont je comprends tout à fait la logique commerciale. Dans le modèle économique du conseil – *business model*, pour les intimes –, nous, consultants, *sommes* le produit : le Crédit Général, ou n'importe quel autre client, nous achète pour une durée déterminée, à un prix journalier fixé par une grille tarifaire – 1 500 euros pour un junior, 2 500 euros pour un senior… Dès lors, notre homogénéité revêt naturellement un enjeu majeur : imaginez que vous achetiez deux steaks de la même marque et qu'ils n'aient pas le même goût, ni la même couleur, ni la même texture… Vous crieriez au scandale, et vous ne feriez plus jamais confiance à cette marque. C'est pour cette raison qu'à midi, quand l'équipe descend déjeuner, le reste de la banque nous voit débarquer comme une armée de clones interchangeables.

Le seul qui, comme moi, échappe encore au moule, et que j'apprécie plutôt, c'est Igor. Consultant senior, issu d'école d'ingénieurs, la trentaine passée, mâchoire large et mal rasée, veste de costume un peu trop grande pour lui – on ne voit jamais les manches de sa chemise. Ce midi encore, je m'installe en bout de table face à lui, mon plateau rectangulaire aligné contre le sien. C'est dans ces circonstances qu'a eu lieu notre première conversation, il y a deux semaines. Sans prévenir, il m'a lancé :

— Qu'est-ce que tu fais là, toi ?

Il voulait dire « chez B&G », j'ai fini par comprendre. Alors je lui ai récité la même chanson qu'à mon entretien d'embauche :

intelligence artificielle, jeux de stratégie, disruption, révolution industrielle...

— OK, OK, très bien. Mais dans ce cas, pourquoi tu n'es pas allé bosser chez Google, Facebook ou Microsoft ? Pourquoi tu as choisi le conseil ?

J'ai pensé lui faire une réponse du genre : « Je ne veux pas seulement être un geek, je veux comprendre le monde des affaires. » J'avais de quoi enchaîner, dire que mes études m'ont enseigné les lois de la physique, de l'informatique, de la thermodynamique et des probabilités, mais qu'il me reste à apprendre les plus importantes : les lois du business et du marché, qui régissent secrètement le monde et nos vies, notre degré de confort et de liberté, nos désirs et nos frustrations. Mais le temps d'y penser, Igor enchaînait déjà :

— Pour moi, nous tous ici, on est des talents en jachère. On sait ce qu'on vaut, mais on ne sait pas encore ce qu'on veut. Alors, en attendant, on fait fructifier notre potentiel.

Surpris par sa spontanéité, je me suis contenté d'acquiescer. Dès lors, Igor s'est mis en tête de me prendre sous son aile et me faire découvrir les ficelles du métier. Comme s'il avait enfin trouvé quelqu'un à qui parler, ce qui est chez lui un besoin constant. C'est un féru d'analyse et d'observation, comme moi, mais pour lui c'est une activité sociale, qui passe avant tout par la parole. Sa tête est manifestement trop pleine d'opinions et de théories, qu'il doit déverser sur quelqu'un pour s'en désencombrer. Je lui offre une oreille nettement plus attentive que les autres, qui semblent s'être faits à ses réflexions comme à une musique d'ambiance.

À nouveau ce midi, vers la fin de ses frites, il me demande :

— Tu connais l'expérience du marshmallow de Stanford ?

J'ai bien sûr entendu parler de Stanford – prestigieuse université de la baie de San Francisco, berceau de Google et de la Silicon Valley – mais de cette histoire de marshmallow, jamais.

— Dans les années 1960, un psychologue a pris une centaine d'enfants en bas âge et leur a offert un marshmallow. Puis il leur a donné le choix : soit tu le manges, soit tu attends dix minutes et je t'en offre un deuxième.

Sa passion pour son histoire lui donne une énergie fantasque et singulière. Un autre handicapé du *savoir-être*.

— Les enfants ont essayé de résister, mais seul un tiers d'entre eux a réussi à tenir dix minutes. Deux tiers ont cédé à la tentation du marshmallow.

Il semble attendre une réaction de ma part. À court d'idées, je lance :

— Un *tiens* vaut mieux que deux *tu l'auras*.

— Justement non, tu vas voir ! Des années plus tard, ils ont revu chacun des enfants qui avaient participé à l'expérience, devenus adultes, et ils ont mesuré leur niveau de réussite, leurs résultats aux examens, leur revenu annuel, leur situation maritale. Puis ils ont répété ces mesures tous les cinq ans.

— Et ?

— Et le résultat, c'est que ceux qui avaient réussi à attendre dix minutes réussissaient beaucoup mieux que ceux qui avaient mangé le premier marshmallow. Parce qu'ils savaient patienter pour une gratification plus grande, leur vie était meilleure. Tu vois l'idée ?

Je vois l'idée. À la sortie d'une école de commerce ou d'ingénieurs, la plupart des gens obtiennent ce qu'ils étaient venus chercher : leur diplôme leur donne accès à un vaste catalogue de modèles de réussite disponibles. Ils n'ont qu'à en choisir un puis suivre docilement les rails jusqu'à devenir ce qu'ils veulent. Mais ici c'est différent, personne ne devient consultant par vocation. Tout le monde est là pour une promesse implicite : débloquer l'accès vers des postes à plus haute responsabilité, plus vite, trouver des raccourcis pour doubler ceux qui ont suivi le chemin tout tracé. La récompense arrive plus tard, mais sa valeur est démultipliée.

Vers le milieu de son île flottante, pour la première fois, il se met à parler du patron. Comme ce dernier travaille pour d'autres clients que le Crédit Général, je ne l'ai encore jamais croisé. Étant donné que Stanislas est trop long à dire et que « Stan » est réservé à quelques rares élus de son cercle proche, tous les consultants l'appellent Dorsay. Je n'apprends rien d'autre – le reste, je le savais déjà : un mec brillant, charismatique, à l'ascension fulgurante, skieur émérite, ancien judoka, un modèle à suivre, etc. Je me contente de hocher la tête en silence, avec un relatif détachement. Igor tient à montrer qu'il le connaît bien. Par exemple :

— Tu le gardes pour toi mais, à la soirée annuelle, Dorsay m'a dit qu'il allait parler de nous. C'est lui qui a le plus long temps de parole.

« Nous », c'est B&G Disrupt. Une filiale montée par Dorsay pour y regrouper les *petits génies* comme Igor et moi, un peu moins branchés *savoir-être* mais redoutables sur les mathématiques et les nouvelles technologies. Des profils autrefois jugés inadaptés au conseil – trop techniques, trop experts – mais qui se vendent aujourd'hui comme des petits pains. À l'heure du *digital* et du *big data*, la demande des entreprises change : les geeks sont à la mode.

— Café ?

— OK.

Au Crédit Général, on cherche même à les séduire en ajoutant des bornes d'arcade aux salles de pause. Igor me fait part de son avis sur la question en commandant son expresso :

— On voulait plus de sens et d'autonomie au travail, on nous construit des aires de jeux. Il ne manque plus que le bac à sable et le toboggan.

Puis il me propose quand même de faire une partie de Street Fighter.

4

Les consultants aiment l'alcool. Dans les grandes écoles dont ils sont issus, les beuveries sont une tradition hebdomadaire à laquelle presque personne ne déroge. Visiblement, le propriétaire du restaurant a été mis au courant. Champagne et vin coulent en abondance. Un ballet incessant de serveurs passe de table en table, remplissant les verres dès qu'ils menacent d'être à moitié vides. Impossible à ce stade de dire combien j'en ai bu.

Nous sommes ce soir au Pré Catelan, trois étoiles au *Guide Michelin*, dans une vaste clairière au cœur du bois de Boulogne. C'est ici que B&G France organise sa grande cérémonie annuelle, juste avant les congés d'été. Tout le monde y participe, du consultant junior au directeur général, soit environ trois cents personnes réparties sur une trentaine de tables, posées sur la pelouse. À l'entrée de la terrasse se dressent une estrade et un micro, pour les discours à venir. Dans la douceur estivale, l'odeur des plats se mêle à celles de la cigarette et du parfum. Des dizaines de conversations, d'éclats de rire et de bruits de couverts s'agrègent sur un fond de musique classique.

Tout à l'heure, j'ai reconnu *Clair de lune*, ce morceau de Debussy que Marion écoutait en boucle pour s'endormir et qui provoque toujours en moi, depuis lors, ce curieux mélange de tristesse et de ravissement – nostalgie du paradis perdu, mais joie de retrouver son souvenir intact, prêt à jaillir sur commande. Quand j'ai senti cette sensation familière à la lisière des yeux, j'ai tout rapatrié sous ma poitrine en urgence, fermé toutes les issues. En un temps record, la musique a cessé de faire effet sur moi – j'étais plutôt fier de ma performance.

L'euphorie générale, aussi, me rappelle les soirées de mon adolescence. Sauf que sous l'influence du décor et des tenues de soirée, tout paraît plus raffiné. Les activités sont à peu près les mêmes – on boit un peu trop vite, on mate un peu trop les filles, on rit un peu trop fort afin de faire croire qu'on passe un meilleur moment que les autres – mais on se sent tellement plus important que c'est incomparable.

À ma table il n'y a qu'une consultante, Amélie. Issue d'école d'ingé, comme tous les autres assis là. Le placement était libre et pourtant, par instinct grégaire, les geeks se sont reconnus sans se connaître et ont choisi de s'asseoir à cette table-ci, la plus excentrée. Je suis à ma place habituelle, celle que j'occupe depuis le deuil, parmi les réservés, les invisibles, ceux qui préfèrent observer plutôt que prendre part. De toutes les tables, la nôtre est la plus discrète, celle qui s'attire le moins de regards.

Igor parle beaucoup, comme à son habitude. Plus expérimenté, c'est lui qui rythme la conversation, décide de l'enchaînement des sujets et de la répartition de la parole, comme un animateur de talk-show. Jusqu'ici, je garde la plupart de mes observations pour moi : tout à l'heure, j'ai voulu faire de l'humour mais un autre a pris la parole au même instant, annulant mon effet. Actuellement, il est question de prédire qui va passer manager, l'annonce des promotions étant prévue pour le dessert. J'entends fuser des noms auxquels je n'associe aucun visage. Pierre Marcin, Anna Fourcade devraient en être. Jonathan Levy, ça se discute.

Une chose est sûre en tout cas, Igor n'en fera pas partie. Il me l'a confié dès l'amuse-bouche, sans masquer sa déception :

— Dorsay me l'a officiellement annoncé ce matin. Une blague, sérieux ! J'étais déjà consultant senior à son arrivée, on était presque au même grade. À l'époque, je lui ai présenté plein de monde, j'ai veillé à ce qu'il s'intègre bien à l'équipe... Et aujourd'hui, c'est lui qui vient m'expliquer que je n'ai pas encore la posture pour être manager.

— La posture ?

— Oui, faut croire que je me tiens mal à table...

Voyant que je ne riais pas, il a repris sur un ton plus pédagogue :

— En gros, mes clients m'apprécient, me trouvent fiable et compétent... Mais s'ils veulent négocier un nouveau contrat, ils vont s'adresser à Dorsay, Aude ou quelqu'un d'autre, pas à moi. Tu comprends ?

Je comprenais parfaitement. Le problème avec Igor, c'est que les qualités qui en font un type appréciable – sa spontanéité, sa fougue et sa liberté de parole – sont justement celles qui l'empêchent d'être pris au sérieux. Je l'imagine moi-même assez mal signer une vente à plusieurs centaines de milliers d'euros. En le voyant, ses clients doivent se dire : *Ne l'ennuyons pas avec ça, ce sont des affaires de grandes personnes.*

Le comble, c'est qu'Igor se sent lui-même illégitime à jouer les premiers rôles. Il suffit de voir où il a choisi de s'asseoir. Tous les VIP du cabinet siègent logiquement aux tables les plus proches de l'estrade. Dorsay est en première ligne, bien sûr, vers la gauche. Je l'ai reconnu dès mon arrivée, à partir de ses photos Instagram. Au classement des tables les plus en vue, la sienne est facilement sur le podium. Les femmes y sont en surnombre. Mon regard s'attarde notamment sur sa voisine de gauche, une blonde solaire en tunique blanche dont les yeux rayonnent d'aisance et de douceur. Son visage est si finement dessiné qu'il est visiblement inutile de le maquiller. La nudité de ses épaules est accentuée par un chignon dont une mèche dorée s'échappe et vient mourir au creux de son cou. Elle donne l'impression de flotter au-dessus des autres, mystérieusement singulière, parfaitement élégante et tout à fait inaccessible. À elle seule, elle incarne la distance qui s'est creusée entre le monde enviable et le mien.

À ma table d'ailleurs, on en vient inéluctablement à parler d'eux, qui n'ont aucune raison de parler de nous. Igor se lance dans une de ses nombreuses anecdotes à la gloire de Stanislas Dorsay. Sur son visage, plus aucune trace de rancœur, son admiration a déjà repris toute la place.

— En plein ComEx, le DG d'Alcovia engueule son DirStrat parce que notre plan stratégique ne tient pas compte de ses priorités. À tous les coups, ça va nous retomber dessus – quel intérêt de raquer 10 000 euros de consultants par jour, sinon s'en servir comme fusibles quand ça chauffe ? Mais Dorsay, lui, non content d'être arrivé avec un quart d'heure de retard, continue de lire ses e-mails, tranquille.

Igor a le chic pour raconter les histoires. Tandis qu'il boit une gorgée de son vin, tout le monde reste en suspens, le regard fixé sur lui.

— La réunion s'embourbe, tout le monde est sur les nerfs. Au bout d'un quart d'heure, le DG bien agacé nous demande de continuer la présentation, dans une ambiance de mort. Je reprends la parole et là, sans gêne, Dorsay ressort carrément pour prendre un coup de fil !

Rires stupéfaits, bouches en cercle. « Mais non ! » « Sérieux ? »

— Moi, je déroule mes slides la boule au ventre : je m'attends à ce que le DirStrat me passe un savon pour sauver la face, à tout moment. Mais Dorsay finit par revenir dans la salle et me coupe net : « Bon, si je synthétise. » Là, en pesant chaque mot, il résume l'engueulade en deux phrases, en s'appliquant à ce que chacun y trouve son compte. Les deux hochent la tête, alors il continue : « Ce que je suis en mesure de vous proposer... » Et voilà.

Igor tape théâtralement dans ses mains, comme pour les essuyer.

— Trois minutes plus tard, rideau : réunion terminée ! Le DG nous paie une mission supplémentaire – 120 000 euros sur deux mois, tout de même – juste pour s'assurer que ses priorités figureront dans notre rapport final. Le DirStrat est soulagé, tout le monde peut aller déjeuner sereinement. Et Dorsay s'en va comme il est arrivé.

Son histoire provoque une admiration unanime autour de la table et, à lire la satisfaction sur son visage, je suppose qu'Igor s'en approprie une partie. Il doit avoir un faible pour Amélie car je le surprends quelquefois à guetter ses réactions, et sa voix s'atténue quand il la regarde. Mais c'est une assomption difficile à confirmer : les filles sont le seul sujet dont Igor ne parle jamais.

— Moi, j'ai quand même entendu dire qu'en tant que femme, il valait mieux garder ses distances avec lui. On dit qu'il aurait eu des comportements déplacés avec des consultantes.

C'est Amélie, justement, qui vient de jeter ce pavé dans la mare, l'air de rien, douchant d'un coup l'enthousiasme suscité par le récit d'Igor. Mon oreille se dresse. Je serais heureux qu'elle développe mais hors de question d'être celui qui relance. Autour de la table on fixe son assiette, un type se risque à un « Ah bon ? » mais n'ira pas plus loin. Au bout de quelques secondes, la pauvre comprend que personne ne donnera suite alors, saisissant son verre, elle ajoute avant que ça devienne franchement gênant : « Bon, en même temps, les rumeurs... », autorisant tout le monde à hocher la tête et se détendre.

Au dessert, un homme aux cheveux argentés se lève d'une des tables VIP : c'est Mansart, notre président, qui monte l'estrade pour y prononcer son discours, sous l'ovation de ses troupes avinées. B&G France a réalisé une année formidable. Ce succès, c'est le nôtre. Nous *devons* en être fiers. Plusieurs minutes de verbiage et d'éloges monotones, que mon ivresse et les chuchotements d'Igor contractent en un battement de cils. Puis vient le moment tant attendu : l'annonce des promotions.

Il appelle à le rejoindre sur scène les vingt-six juniors passant confirmés, puis les seize confirmés passant seniors. Une musique festive accompagne la montée des marches. Mansart frappe des mains en rythme et sa posture de technocrate austère prend des airs surréalistes d'animateur de camping. Encore huit promotions au grade de manager, dont en effet Pierre Marcin et Anna Fourcade, laquelle n'est autre que ma blonde solaire assise à côté de Dorsay. L'occasion d'admirer la courbe élancée de ses hanches alors qu'elle gravit l'estrade, perchée sur ses talons hauts.

— Et pour finir… une distinction toute particulière pour l'un de nos directeurs.

Cette fois, le président ménage ses effets, présente l'heureux élu sans le nommer. Il fait état de résultats exceptionnels : 16 millions d'euros de chiffre d'affaires et 86 % de taux de *staffing*, alors que sa filiale n'en est qu'à sa deuxième année d'existence. Ses effectifs ont plus que doublé sur les douze derniers mois, sans aucune perte de rentabilité. Promu plus jeune directeur associé de B&G France, il est aussi le premier, tous pays confondus, à dépasser les 15 millions de chiffre d'affaires annuel à seulement trente-cinq ans.

— Merci d'ovationner… Stanislas Dorsay, fondateur de B&G Disrupt !

Son nom à peine prononcé, l'intéressé grimpe déjà sur l'estrade en sautant une marche sur deux, sous un véritable triomphe. Le roi félicite son probable héritier, qui lui adresse une accolade complice avant de s'emparer du micro. Un feu s'allume dans mon estomac. J'arrive à le circonscrire au niveau de l'œsophage.

À vingt mètres de moi, Dorsay devient une entité tangible, un être incarné pourvu d'une vraie barbe de trois jours, d'un vrai costume *slim fit* et d'une vraie tête de con.

— Merci, président. Et merci à vous tous, qui avez renoncé à vos primes de fin d'année pour pouvoir financer cette petite fête.

Rires nourris de l'assemblée, qui lui est déjà tout acquise. Je bois une gorgée de mon verre pour calmer l'incendie, puis me rassure : le plan se déroule comme prévu. Tout le monde ignore les raisons de ma présence et ce qui me rattache à cet homme. À commencer par lui-même. D'ici, je peux patiemment l'observer, analyser ses forces, ses faiblesses.

— J'ai la chance de pouvoir compter sur de nombreux talents remarquables chez B&G Disrupt. Il n'y a pas de secret : avec une équipe pareille, les objectifs sont beaucoup plus simples à atteindre.

Il ne lit pas de notes : son discours est improvisé, ou récité par cœur. Le débit est rythmé, l'articulation ciselée, le nœud de cravate impeccable. Chacun de ses gestes est intentionnel et maîtrisé. Pour autant, sa voix ne cesse jamais tout à fait de sourire comme si rien, dans ce cérémonial, ne méritait son sérieux.

— Mais je leur répète souvent – ils pourront en témoigner – que le talent ne suffit pas. Parce que les grandes entreprises qui font appel à nous ne manquent pas de talent mais d'autre chose. Elles manquent de *certitudes*.

Il souligne ce dernier mot par un silence. Son regard balaie la foule avec assurance, dévisageant à chaque seconde une personne différente. Dès qu'il s'en approche un peu trop, le mien se détourne aussitôt.

— Nous sommes à l'aube d'une nouvelle révolution industrielle, mais nos clients sont myopes : aucun d'eux ne connaît sa destination.

En arrière-plan, sur l'estrade avec les autres promus, Anna Fourcade boit ses paroles. L'hypothèse qu'il ait une liaison avec elle émerge soudain, plausible et répugnante. Le feu m'arrive au creux de la gorge. Je descends mon verre d'une traite.

— Rappelez-vous Virgin, Kodak, Blackberry... Au début des années 2000, ces entreprises étaient des leaders intouchables sur leur marché. Moins de vingt ans plus tard, elles sont hors-jeu. Et croyez-moi, tous nos clients connaissent cette histoire, ils savent qu'en prenant du retard sur la révolution technologique, ce sera leur tour.

Il décroche le micro du pupitre et se promène librement sur la scène, à la manière d'une conférence TED.

— Un jour, on a demandé à Larry Page – à l'origine d'une petite start-up qui s'appelle Google, vous connaissez peut-être...

Jules-Duphot-consultant-senior-B&G-Disrupt rit plus vite et plus fort que le reste de la foule.

— On lui a demandé comment il était possible de passer aussi vite de la réussite au naufrage. Il a répondu que ces entreprises échouaient sur la durée parce qu'elles rataient le futur.

Je pense aux kilos de pages noircies par mon père au sujet de cet homme. Sans elles, c'est sans doute moi qui aurais *raté le futur* : je me serais noyé dans la solitude, la tristesse et les remords, comme Marion l'avait prédit. Il aura suffi d'un seul nom pour tout changer : Dorsay. Sa présence répétée, tout au long des carnets, a fait renaître l'étincelle. En nommant l'ennemi, mon père m'offrait une issue, un horizon, une direction claire.

— Être le meilleur aujourd'hui, c'est savoir lire l'avenir. Et pour cela, il vous faut des *data*, il vous faut des algorithmes... et il vous faut des certitudes !

Je pense aux centaines d'heures passées dans ma chambre, à collecter toutes les informations que je pouvais trouver sur lui. Si les données sont le nerf de la guerre, j'ai mis toutes les chances de mon côté. Sa voix, justement, se fait plus martiale, comme s'il haranguait ses soldats.

— Voilà ce que nos clients nous achètent. Ça se traduit non seulement par ce que nous *faisons* pour eux, mais aussi par ce que nous *sommes*. Chacun de nous doit incarner cette certitude. Un consultant B&G ne brille pas par son seul talent, mais par son assurance et sa force de persuasion.

Je me laisse convaincre par l'aplomb qu'il dégage, même si tout en moi voudrait condamner ce discours. Igor me glisse à l'oreille :

— Il est fort, ce con.

Comme lui, je succombe à l'euphorie collective. M'infiltrer dans le camp de l'ennemi, c'est aussi savoir épouser son point de vue. L'écouter patiemment dévoiler la recette de ses triomphes, prendre note en silence… Et me lever pour l'applaudir avec le reste de ses troupes.

Dans la foulée, Mansart annonce enfin le début des festivités. À partir de là, tout s'orchestre rapidement. En cinq minutes, le personnel du restaurant débarrasse les tables centrales et les retire de la pelouse, laissant seulement celles en périphérie – dont la nôtre. Des consultants se ruent déjà vers l'espace ainsi libéré pour danser, comme si ça ne pouvait plus attendre. Autour de moi, on hésite encore sur la marche à suivre. Certains se déhanchent timidement sur leur chaise, pour voir comment leurs mouvements sont accueillis. Igor, lui, préfère me hurler dans l'oreille :

— Là, tu vas voir, c'est à peu près le seul moment de l'année où les grands pontes du cabinet sont accessibles. Tu peux parler, boire ou danser avec n'importe qui.

Je m'amuse à lui désigner Amélie :

— Toi, je crois savoir avec qui tu as envie de parler, boire et danser !

Il secoue vigoureusement la tête en signe de démenti, comme si je l'accusais d'un crime. Puis s'empresse de me crier autre chose :

— Mais demain matin, tout le monde retrouve son grade et sa mission, alors il faut éviter de dire ou faire des conneries qui laissent des traces.

Au vu de cet évitement grotesque, je présume qu'Igor a peu d'expérience avec les femmes. L'équivalent de la mienne, si on retire mes trois années de parenthèse dorée avec Marion. Autant dire le désert, à l'exception d'un ou deux rapprochements accidentels.

Comme un symbole, sur la piste de danse déjà prise d'assaut, la plupart des filles nous tournent le dos. Ça reste un joli spectacle. Avec le bruit, la communication passe désormais par le corps bien plus que par les mots. Pas besoin d'entendre, il suffit d'observer. C'est encore ce qu'on sait faire de mieux.

5

Une demi-heure et trois verres plus tard, je n'ai toujours pas trouvé le courage de me lever. Pour retarder encore l'échéance, j'étudie patiemment les mouvements de cette foule, ces trois cents concurrents désireux d'incarner le même modèle, postulant aux mêmes grades et gravissant la même pyramide. Ce n'est pas une fête, mais un champ de bataille. Derrière chaque rire, pas de danse ou poignée de main, je sens la compétition qui transpire, omniprésente. Chacun s'efforce d'attirer l'attention sur lui, de démontrer plus ou moins subtilement qu'il vaut mieux que les autres. Et moi, je suis en position d'arbitre : je compte les points.

En 1998, deux étudiants de Stanford ont justement voulu répondre à une question similaire : sur des milliers de pages web traitant d'un même sujet – donc concurrentes –, comment savoir laquelle a le plus de valeur ? Ainsi est né l'algorithme *PageRank*, qui a fait de Google le moteur de recherche le plus utilisé au monde. Son élégance – la simplicité avec laquelle il résout un problème complexe – tient en trois idées simples.

1) Plutôt que de la popularité d'une page auprès des internautes – *plus elle a de visiteurs, plus sa valeur augmente* –, *PageRank* tient

compte de son crédit auprès des autres pages – *plus on dénombre de liens menant à elle, plus sa valeur augmente.*

2) Plutôt que de compter bêtement le nombre de liens, *PageRank* se base sur la valeur des pages à l'origine de ces liens : *si le* New York Times *parle de vous en première page, ça a davantage de valeur que si un ami vous mentionne sur son blog.*

3) *PageRank* tient aussi compte du nombre de liens affichés sur cette page d'origine : *si l'article du* New York Times *ne fait référence qu'à vous, c'est encore plus valorisant que s'il cite une centaine d'autres noms.*

La beauté de cet algorithme, c'est qu'on peut facilement le transposer à d'autres sujets. Ainsi, parmi tous les consultants B&G qui se donnent en spectacle devant moi, lequel a le plus de valeur ? Pour répondre à cette question, c'est simple, il suffit de remplacer les liens du *PageRank* par les regards. Le principe est le même.

1) Un regard est unidirectionnel : vous pouvez scruter quelqu'un sans que cette personne vous prête la moindre attention, et inversement.

2) Votre valeur dépend de *qui* vous regarde : si c'est un type comme Igor, passant inaperçu, l'impact est anecdotique. Mais si c'est une jolie manager ou un consultant s'attirant toutes les attentions, l'impact est considérable. Bientôt, tout le monde veut savoir vers qui leur regard se tourne : votre valeur grimpe en flèche. C'est mathématique.

3) D'autant plus s'ils ne regardent que vous, et personne d'autre.

Pour calculer les scores, j'ai un jeu amusant. Choisissez un consultant au hasard, qui sera votre point de départ : disons Igor. Celui-ci regarde Amélie, qui s'est levée de table sans encore oser la quitter. Amélie regarde un grand brun sur la piste de danse. Celui-ci regarde Dorsay, qui regarde son interlocuteur, lequel jette un furtif coup d'œil aux fesses d'Aude, qui regarde celles de Jules devant elle. Ce dernier se retourne afin de vérifier que Dorsay se trouve toujours à proximité derrière lui. Et ainsi de suite... Suivez la chaîne en augmentant d'un point la valeur de chaque personne recevant un regard. Au bout d'une dizaine de minutes, relevez les compteurs.

À ce jeu-là, sans surprise, c'est Dorsay qui obtient le meilleur score. Puis trois poursuivants se tiennent en peu de points : Aude, Jules et Anna – cette dernière devant en partie son classement aux coups d'œil insistants du vainqueur, qu'elle lui rend parfois.

Quant à moi, mes calculs me situent vers le bas du classement. Seuls deux regards ont répondu au mien, probablement par accident, sans s'arrêter plus d'une seconde. Je ne suis pas tout à fait invisible mais, disons, anecdotique. L'algorithme de chacun ne me prête aucune valeur ajoutée, aucune raison de croire qu'il y ait un intérêt à s'attarder sur moi. Je peux le comprendre. Au bureau, mes compétences me précèdent : je suis un *petit génie*, c'est ainsi qu'on me présente avant même de connaître mon prénom. Mais ici seuls comptent le charisme, l'aura, la prestance... tout ce dont le deuil m'a dépossédé.

Autrefois, les choses étaient différentes. L'amour de Marion, auquel tous les garçons prétendaient plus ou moins secrètement, m'avait offert une popularité soudaine et les regards complaisants qui allaient avec. J'étais de tous les anniversaires, de toutes les confidences. Le week-end on me faisait toutes sortes de propositions. Mais le suicide et la rupture ont redistribué les cartes. Le poids de l'échec m'a brusquement fait chuter au classement du *PageRank*. En plus du reste, j'ai dû affronter le changement des regards sur moi, leur désaffection croissante et, pour finir, leur désintérêt pur et simple. On a décrété que j'étais devenu trop pesant, trop amer ou trop sombre. J'ai été prié de quitter la scène.

Accablé par trop d'effondrements à la fois, j'ai accepté mon sort sans faire de vague. J'ai disparu des radars en silence, me suis réfugié derrière mon écran. Là, j'ai mis au point ma nouvelle stratégie. Dorénavant, c'était une affaire de patience. Un jour viendrait où je devrais faire mon retour, reprendre part au spectacle. Il faudrait alors être prêt.

Or voilà, ce jour semble venu. Mes calculs de *PageRank* m'ont encore permis de gagner un quart d'heure, mais ça ne peut plus durer, il va bien falloir que je me lève. Je n'ai pas fait deux années de prépa, trois d'école d'ingé puis quatre mois chez B&G pour rester éternellement collé à ma chaise, à regarder la vie passer devant moi. Je dois me faire violence. Tout commence par cet acte ridiculement simple et pourtant vertigineux, si lourd d'incertitude : aller vers les autres. Par chance à cette heure-ci, l'alcool allège le poids des conséquences.

Ça y est, je suis debout.

Prétextant une excursion vers le bar, je fausse compagnie à Igor pour me mêler à la foule, sourire à des gens que je ne connais pas, m'intégrer un instant à des conversations inaudibles. Grâce au vacarme et à la nuit, on ne risque pas trop de me voir ou de m'entendre, c'est un parfait entraînement. Je papillonne ainsi de groupe en groupe, toujours à peu près bien accueilli. Ici tout le monde se tutoie, sans distinction d'âge ou de grade, comme dans une grande famille à laquelle le seul fait d'appartenir vous rendrait digne d'attention.

Bientôt je croise une fille seule qui me sourit. Plutôt mignonne, cheveux mi-longs châtains, un visage rassurant dont le regard ne cherche pas à m'intimider mais à faire connaissance. Je m'approche d'elle et me présente à la manière d'un pur produit du conseil, sur un ton théâtral :

— Victor Laplace, consultant stagiaire chez Bates & Greene.

Elle éclate de rire et me serre la main, se prêtant au jeu :

— Enchantée, Victor ! Constance Caillet, consultante junior chez Bates & Greene.

— Enchanté. Quel est votre feedback sur cette soirée, Constance ?

— Voulez-vous que je vous fasse un retour d'expérience ?

— Précisément.

Le vouvoiement me procure une assurance inhabituelle. D'emblée, il tourne en dérision ce personnage que je suis tenu d'incarner.

— Eh bien, voyez-vous, j'aimerais aller danser, mais je me sens encore un peu frileuse. Alors je bois du champagne, pour noyer mes complexes et me donner du courage. Ma vie est d'un compliqué...

— Je comprends parfaitement, Constance, d'ailleurs je me rends au bar pour la même raison. Je vous propose un pacte : le premier qui trouve le courage d'aller danser vient chercher l'autre, d'accord ?

— C'est d'accord. À bientôt, alors.

Elle semblait s'attendre à ce que je reste avec elle plus longtemps. Ça ne m'aurait pas déplu mais, pour l'heure, mieux vaut me satisfaire de petites victoires. D'autant que la discussion prenait une dangereuse tournure : je ne danse jamais et n'ai pas l'intention de commencer ce soir. Revenir sur scène, je veux bien, mais pas à n'importe quel rythme.

Une coupe de champagne et deux gin tonics plus tard, je croise à nouveau cette fille assise sur un canapé, à l'abri des enceintes. Une configuration plus proche de ma zone de confort. Au culot, je prends place à côté d'elle. Mon assurance doit lui plaire, car elle m'accueille avec un grand sourire. Mais aussitôt, une chaleur vive me monte aux joues. Anna Fourcade est là, sur le fauteuil d'en face. Les présentations sont faites. Elles sont ensemble en mission, chez Sanofi. En quelques secondes, ma blonde solaire gagne en relief, s'enrichit d'un parfum, d'un grain de peau, d'une élocution précieuse et souple... Un spectacle pour tous les sens, dont je ne perds pas une miette. Reprenant leur conversation, Constance se dit contrariée par le discours de Dorsay :

— Quand je l'entends parler de certitudes, je me dis que je pars avec un handicap énorme : rien qu'en me présentant en réunion, je rougis comme une petite fille.

— Ne t'en fais pas, ça s'apprend. Tout s'apprend. Moi aussi, au départ, j'étais une grande timide. C'est le théâtre amateur qui m'a sortie de ma coquille. Je me souviens d'un conseil de mon prof, un jour où j'étais pétrifiée par le trac avant de monter sur scène. Il m'a d'abord demandé de décrire mes sensations, une à une, en distinguant chaque partie du corps. Alors, je lui ai parlé du sang qui monte aux joues, de bouche sans salive, de jambes engourdies…

Ce n'est sans doute pas le but recherché, mais entendre Anna lister les dysfonctionnements de son corps me plonge dans une rêverie délicieuse.

— Puis il m'a dit : « Prends chacune de ces sensations et refile-les à ton personnage. » Je jouais une des précieuses ridicules. « Ce n'est pas toi qui rougis, c'est ton personnage. » Elle a peut-être peur d'être percée à jour. « Ce n'est pas toi qui manques de salive, c'est ton personnage. » Elle est peut-être fatiguée de ses bavardages. Tu comprends ? En transférant ta timidité sur ton personnage, tu la mets à distance.

Constance fait la moue, à moitié convaincue. Pour ma part, je trouve ce conseil absolument brillant mais, à cet instant précis, je manque peut-être d'objectivité.

J'ai toujours pensé qu'on choisissait d'être amoureux. Ce n'est pas quelque chose qui vous tombe dessus par hasard. L'attirance ou le désir peuvent se provoquer, d'accord, mais l'amour se *décide*. Je ne dis pas que je suis amoureux d'Anna – ce serait prématuré –, mais j'ai peut-être déjà *choisi* de le devenir. Et ainsi de trouver, dans tout ce qu'elle dira, tout ce qu'elle fera, dans son rire ou le son de sa voix, des raisons venant étayer ma décision. Ce n'est qu'une question de temps. J'observe ses yeux verts en amande, sa peau dorée juste ce qu'il faut, et j'en fais dorénavant mon point de référence, le standard auquel je comparerai tous les autres yeux et toutes les autres peaux.

Bien sûr, à ce stade, on ne joue pas dans la même division, comme en témoignent nos classements respectifs au *PageRank*. Mais elle le dit elle-même : c'est à force d'apprentissage et d'entraînement qu'elle est devenue cette femme-là. Eh bien justement, je suis comme mes algorithmes, moi, j'apprends vite. Si j'applique le bon mode opératoire, qui sait, c'est peut-être un jour vers moi que le regard d'Anna finira par se tourner.

Constance interrompt mon dialogue intérieur et me propose d'aller danser, invoquant notre pacte. Dilemme : soit je vais me ridiculiser sur la piste avec elle, soit je reste à contempler bêtement sa manager. Patience, Victor. Surtout, *agir avec certitude*.

Je me lève et prends Constance par la main. Avant toute chose, je l'entraîne vers le bar.

La suite est un peu confuse. Je danse avec cette fille souriante et douce, au milieu de la foule. La décoration d'extérieur, l'éclairage doré, le parfum d'ambiance, le champagne, les serveurs et leur cérémonial : tout ici répond aux plus hautes exigences de raffinement. Sauf la musique. Le DJ semble bénéficier d'une dérogation spéciale l'autorisant à passer ici la même soupe tapageuse que dans n'importe quelle fête foraine ou grande surface. Mon sens du rythme est désastreux, mais je me rassure : *Ce n'est pas moi qui danse mal, c'est mon personnage*. Constance, du reste, fait preuve d'une grande indulgence. Aurait-elle *décidé* de m'aimer, jusqu'à ériger le spectacle loufoque de mes mouvements désarticulés en standard auquel elle comparera toutes les autres danses ?

Quoi qu'il en soit, j'aurais bien envie de l'embrasser, par gratitude ou par euphorie. Il me semble que ses yeux m'y invitent. Un instant, j'ai même eu l'impression qu'elle me caressait la nuque – mais c'était trop court, peut-être un accident. Par maladresse il arrive à mon visage de se trouver à quelques millimètres de son cou. Elle a des grains de beauté comme je n'en avais plus vu d'aussi près depuis une éternité, une odeur de caresses et d'après-shampooing. La bretelle gauche de son soutien-gorge est un peu lâche. J'aurais bien envie de l'embrasser, oui, mais j'entends la voix d'Igor en écho : *éviter de faire des conneries qui laissent des traces.* Et puis il y a cette question qui me taraude alors qu'elle ne devrait pas : Anna Fourcade et Stanislas Dorsay sont-ils ensemble ? Dès qu'elle effleure mon attention, l'hypothèse prend toute la place. J'analyse les données dont je dispose à ce sujet, c'est-à-dire presque rien. Il s'agit d'une affaire capitale, l'élue de mon cœur est aux mains de l'ennemi. Autour, le décor commence à tourner. Mais je contrôle.

Bientôt, ma décision est prise. Les choses ne m'ont jamais paru si claires. Je glisse quelques mots confus à l'oreille de Constance, qui sourit pour masquer sa déception. Puis je déambule à travers une foule ivre et étrangère. Pendant une période indéterminée, je me dilue dans une mer d'ombres parfumées, transpirantes et semblables. Près de ma table initiale, j'aperçois Dorsay en discussion avec Amélie, qui lui fait de sacrés sourires – elle semble avoir changé de regard sur lui. C'est l'heure où les couples se forment, avec plus ou moins de pudeur et pour plus ou moins longtemps. Tout autour de moi, les corps sont agglutinés par paires et je dois longuement réfléchir pour me rappeler ce qui m'a pris de quitter Constance. Il fallait être con ! Je suis sur le point de repartir à sa recherche quand j'aperçois Igor qui discute avec *elle*. Je souris, c'est parfait.

En m'approchant, je reconnais son impatience, familière. Anna s'ennuie. Elle fronce les sourcils en attendant qu'Igor s'essouffle au creux de son oreille. J'imagine qu'il lui parle d'objectifs, de CoDir épiques ou de promotions – des sujets trop sérieux, qui n'ont plus cours à cette heure-ci. Il s'interrompt net en voyant que je me dresse devant eux, plutôt content de me retrouver.

— Ah, te voilà, toi ! Vous vous connaissez ?

Anna répond que oui mais je prends sa main, avec assurance.

— Victor Laplace, consultant chez Bates & Greene. Enchanté.

Elle sourit moins franchement que Constance tout à l'heure.

— Vous n'auriez pas un peu bu, monsieur Laplace ?

— Ce n'est pas moi, c'est mon personnage.

Elle réagit mieux cette fois. Son rire est délicat, léger comme une brise. Elle relance même la conversation, heureusement car je n'avais plus rien à dire. Des mots s'écoulent spontanément, quelques questions sur moi, sur Constance. J'approche mon oreille de ses lèvres pour mieux entendre. Je m'applique à trouver des reparties amusantes et même il m'arrive de la faire rire. J'ai activé mon pilote automatique, mes pensées sont ailleurs. Ma caméra zoome sur chaque nouveau détail de son visage. Un archipel de taches beiges dans l'iris de son œil gauche. Une légère asymétrie de sa bouche quand elle sourit. Je décide que tout me plaît.

Je sais aussi qu'à chaque seconde supplémentaire où son regard reste fixé sur moi, mon *PageRank* s'agrandit. Je sens ma valeur qui enfle et le champ de mes certitudes qui s'élargit. Je reprends contact avec des forces englouties, de l'époque où les choses étaient simples et l'insouciance, une option valable. Anna pourrait être ma nouvelle Marion. Gagner son amour pourrait me faire retrouver ma prestance, mon rang, mon paradis perdu.

Après l'euphorie, cependant, j'ai l'intuition d'un malaise. C'est encore confus mais indiscutable : quelque chose ne va pas. La température de mon corps s'accroît dans des proportions préoccupantes et l'air se remplit d'une humidité poisseuse. Anna parle sur un ton plus contrarié, son regard se perdant quelque part au-dessus de mon épaule. Bientôt même elle se tait. Je comprends que j'ai commis une faute. Mais laquelle ?

Ma caméra dézoome et soudain, je découvre la scène d'un point de vue extérieur. Mon corps, laissé sans surveillance, en a profité pour s'approcher impudemment du sien. Mon bras est parti s'arrimer au bas de son dos, comme si j'allais l'embrasser. En fait, elle est si proche que nos haleines se mélangent. Son visage et son buste sont penchés vers l'arrière, tentant d'échapper à cette étreinte insensée.

J'ai un mouvement de recul instantané. Maladroit, je marche alors sur le pied de Stanislas Dorsay qui se trouvait derrière moi. Le souffle coupé, je chuchote quelques mots d'excuse, qui restent sans réponse. Ses pupilles sont minuscules. Il a probablement vu toute la scène et ses efforts pour rester impassible lui donnent une allure plus menaçante encore. Gorgée de sueur, ma chemise n'est plus qu'un épiderme humide et pâle. Un instant, j'ai l'impression que la musique s'est arrêtée. Je dézoome un peu plus. Igor me fixe avec des yeux écarquillés. Autour de lui, la plupart des couples ont suspendu leur processus d'agglutinement pour assister au spectacle, médusés. J'entends d'ici les rumeurs : *On dit qu'il aurait eu des comportements déplacés avec une manager.* Je n'ai plus qu'une envie, redevenir invisible.

Anna sourit à présent, comme si mon embarras – si monumental qu'on doit le voir depuis l'espace – suffisait à me faire pardonner. Dorsay ne semble pas tout à fait de cet avis. Avant de l'entraîner loin de moi, il me jette un regard lourd de promesses et de mépris.

Igor attend qu'ils aient complètement disparu pour m'adresser une tape dans le dos fraternelle :

— Bah toi, on peut dire que tu caches bien ton jeu ! Sauf que tu choisis mal tes cibles : elle, c'est chasse gardée, mon vieux.

Il me confirme que la scène n'a duré qu'une poignée de secondes mais n'en était pas moins déroutante. Il dit même

« compromettante », terme qui suffit à me faire dessaouler de plusieurs grammes.

— Je te conseille de rester avec moi, à partir de maintenant.

C'est en effet plus sage, même si le mal est fait. Notre position de spectateurs ne m'allait finalement pas si mal.

6

Un cimetière n'est pas le pire endroit pour une gueule de bois. Les rangées de platanes y apportent ombre et fraîcheur, le silence est à peine troublé par le chant des merles et, surtout, personne ne peut vous reprocher de garder vos pensées pour vous.

Tout en marchant d'un pas cérémonieux vers l'allée n° 15, je me repasse les événements d'hier pour la vingt-cinquième fois. Mon corps et ma tête racontent deux versions radicalement différentes de la soirée. Pour l'un c'est une tragédie, un scénario catastrophe. Pour l'autre une comédie sans gravité : je me suis un peu trop approché d'une fille et j'ai marché sur le pied de mon patron, pas de quoi en faire toute une histoire. Dès le réveil, pourtant, j'ai senti ce nœud dans mon ventre et mon souffle écrasé sous le poids des conséquences. Mon anxiété ne repose sur aucun argument, elle est viscérale.

Le plus grand mystère, c'est la vitesse à laquelle j'ai pu me convaincre qu'une fille comme Anna Fourcade pouvait être accessible à quelqu'un comme moi. C'est une des faiblesses de l'homme face à l'intelligence artificielle : un algorithme, lui, n'est jamais induit en erreur par l'émotion, le désir ou l'imagination, tous ces parasites qui déforment si souvent notre vision de la réalité.

Pour le sixième anniversaire de sa mort, nous venons refleurir la tombe de mon père. Je suis sûr qu'il aurait trouvé cette tradition absurde, d'autant qu'il était allergique au pollen. Ma mère a eu le bon goût d'amener Patrick, son nouveau compagnon depuis trois ans. Mon oncle Jean-Marc et sa fille sont également de la fête, vêtus de couleurs vives. Ils profitent des vacances estivales pour passer quelques jours à Paris. J'imagine à peu près leur programme : 11 heures cimetière, 13 heures Pied de Cochon, 16 heures bateau-mouche.

Ma mère s'avance en premier, stoïque et digne. Ça fait longtemps qu'elle ne pleure plus en venant ici. Les premiers mois déjà, sa tristesse était plus discrète que la mienne. Au bout d'un an, elle savait même la contenir tout entière. À l'époque, j'aurais bien aimé qu'elle me donne sa méthode. Mais à force de répéter la même scène, d'année en année, j'ai fini par la jouer de mieux en mieux. En les déposant ici, un peu plus à chaque visite, mes émotions se sont fossilisées. Désormais, quand je m'avance face à la pierre tombale, j'ai l'air aussi lisse que le marbre. Je dresse intérieurement le bilan de mes avancées, comme si je m'adressais à mon père. C'est devenu mon rituel, notre réunion secrète. Aujourd'hui, les nouvelles sont mauvaises : *J'ai fait une connerie Papa, Dorsay m'a dans le viseur. À cause d'une improvisation de mon corps, toute ma stratégie est peut-être en train de tomber à l'eau.* J'évite pour le moment de parler d'échec, tant que ma couverture chez B&G tient encore.

Mon père accordait une grande importance à la réussite, certainement la raison pour laquelle il ne s'est donné la mort qu'après les épreuves du bac : son acte, ainsi, ne m'a pas empêché d'obtenir une mention Très Bien. Auparavant, lui-même avait grimpé les échelons, toute sa carrière, tenant l'échec bien à distance. Avec son modeste diplôme de technicien, il était rare qu'on devienne cadre. Il y était pourtant parvenu, après quinze années de bons et loyaux services chez France Telecom. Sur le papier, le tableau ne présentait aucune faille : belle évolution professionnelle, mariage heureux et stable, appartement coquet dans le 12e arrondissement, dîners au restaurant le week-end et vacances ensoleillées en pension complète... Un conte de fées de classe moyenne. Il s'est d'ailleurs assombri si progressivement que c'en était imperceptible. Jour après jour, il perdait furtivement une infime dose de lumière, sans que le contraste soit suffisant pour qu'on s'en rende compte. Et pourtant, l'homme qui s'est donné la mort le 26 juin 2011 était, avec le recul, très différent de celui auprès duquel j'ai grandi.

Au début de sa carrière, entre 1980 et 1995, mon père était un spécialiste respecté dans son domaine. Les experts en réseaux de télécommunications étaient une ressource rare et très demandée. Ils accomplissaient des métiers qu'ils étaient seuls à comprendre, mais dont tout le monde pressentait confusément l'importance. L'État tissait un réseau de câbles souterrains toujours plus dense, interconnectant chaque foyer à tous les autres. Avec cette gigantesque toile de fils de cuivre courant partout sous les routes et dans les murs des maisons, on construisait un nouveau monde. Le temps et l'espace allaient rétrécir, contractés par des liens invisibles. L'investissement était colossal et les cerveaux comme mon père, indispensables. En contrepartie, on leur octroyait un confortable statut de fonctionnaire, assorti de nombreux avantages et traitements. Les primes étaient régulières et les congés nombreux. On ne s'inquiétait jamais de l'avenir.

Enfant, j'ai grandi avec cette image héroïque de mon père, renforcée par son indécrottable humilité, sa propension tenace à relativiser ses promotions successives. Rien qu'au mérite, il avait fini par obtenir le titre d'ingénieur sans en avoir le diplôme, c'était quelque chose. Mais, gardant sa modestie d'origine, il estimait que le succès frappait plus ou moins au hasard, comme la foudre. Lui avait eu la chance de naître avec un esprit doué pour les sciences et les mathématiques, à une époque et sur un continent qui accordaient une grande valeur à ces disciplines. Il aurait suffi qu'il naisse ailleurs ou dans un autre siècle pour que ces qualités ne lui soient d'aucune utilité. D'ailleurs, il restait syndiqué, s'intéressait toujours fort à la politique et à la répartition des richesses. Sa réussite ne changeait pas ses convictions, il se sentait toujours proche de ceux qui avaient eu moins de chance au tirage.

Très jeune, son exemple me donna le goût d'apprendre. Héritant de son esprit matheux, j'allais à mon tour prospérer grâce à ma compréhension de techniques complexes. Fasciné par les nouvelles technologies, je prêtais à son Compaq flambant neuf – avec Windows XP – des pouvoirs surnaturels qu'il me fallait impérativement apprendre à maîtriser. À huit ans, je programmais mon premier jeu de démineur. À dix, je développais un algorithme calculant le plan de table idéal pour le mariage de l'oncle Jean-Marc, en fonction des affinités entre invités. Au collège, je me passionnai naturellement pour l'intelligence artificielle : à mon tour, j'allais devenir expert d'une science nouvelle à laquelle personne ne comprenait rien, mais qui conditionnerait nos vies futures.

Cependant à la fin du siècle, déjà, le statut de mon père avait perdu de son lustre. Des technologies plus prometteuses étaient apparues, l'avenir n'était plus aux câbles souterrains, on ne jurait plus désormais que par les ondes électromagnétiques, qui flottaient invisibles dans l'air qu'on respire. Une nouvelle génération d'ingénieurs avait pris toute la place et la lumière. Les réseaux mobiles seraient accessibles non seulement depuis chaque foyer, mais depuis n'importe où. Un beau jour, il n'y aurait plus un seul endroit déconnecté sur terre. L'expertise de mon père restait utile pour la maintenance des réseaux terrestres, et il conservait les acquis de son évolution passée, mais son ascension s'arrêtait là, c'était clair, il avait touché le plafond de verre.

La deuxième lame, plus violente, arriva peu de temps après, en 2004, lorsqu'on entreprit la privatisation de France Telecom. L'époque ne supportait plus ces immenses sociétés d'intérêt général au rendement chétif, qui garantissaient un emploi et de copieux avantages à 200 000 employés quand l'informatique permettait d'en payer cinq fois moins pour un même résultat. Et puisque d'anciennes lois protégeaient leurs contrats, il fallait par tous les moyens les convaincre de partir. Alors on convoqua les directeurs et chefaillons de la France entière, et on exigea qu'ils éradiquent la moindre source d'épanouissement pour leurs salariés. En quelques années, des dizaines de milliers de gens qui, pour la plupart, avaient toujours travaillé là se retrouvèrent au placard. Certains n'eurent plus aucun poste attitré, d'autres plus de bureau. Pour ceux qui avaient eu le malheur de trop croire en leur métier, on leur ôta toute raison d'être.

Avec son statut de cadre, mon père aurait pu se mettre à l'abri. Mais il refusait de se livrer aux injonctions de dégraissage. Son département employait des techniciens aux compétences indispensables : eux seuls connaissaient l'architecture complexe des réseaux permettant à l'ADSL et aux téléphones fixes de fonctionner. En langage syndical, le rapport de force leur était favorable. Aussi, puisque des hauts fonctionnaires – dont ils n'avaient jamais vu le visage – espéraient les remplacer par des logiciels, ceux-là n'avaient qu'à se farcir toute la documentation technique, que personne ne mettait plus à jour depuis une décennie. Ça leur prendrait des mois voire des années, sans les mener nulle part. Mon père se voyait en héros de la résistance.

Mais une force implacable était à l'œuvre et même parmi les décideurs, on ne décidait plus vraiment du cours des choses. C'était plus vaste qu'eux, un phénomène universel : toutes les sociétés du monde qui, jadis, généraient leurs revenus en se rendant utiles allaient dorénavant s'enrichir en rognant le coût de leurs ressources humaines. Les nouvelles rock stars étaient les *cost-killers*, ces patrons qui se spécialisaient dans la *restructuration* d'entreprises centenaires en moins de dix-huit mois, façon Blitzkrieg. Les cabinets d'audit et de conseil en management devenaient incontournables, il en poussait un chaque semaine.

Ainsi, en septembre 2008, trois consultants de chez DSC – Digital Solutions Consulting – débarquèrent dans le département de mon père sans qu'on sache clairement ce qu'ils faisaient là ni qui les avait sollicités. Ils parlèrent d'audit des processus, d'efficience opérationnelle. On s'en tint alors au plan : on leur livra des informations parcellaires, on les noya de documentations obsolètes. Ce qui fonctionna plutôt bien. Dès la fin de l'année, deux consultants avaient battu en retraite pour s'attaquer à d'autres services plus dociles. Il ne resta plus que le jeune Dorsay.

Ce qui se passa ensuite est en partie ma faute.

Au lycée, je me découvris une passion tardive pour les rapports humains qui prit progressivement le pas sur les maths et les algorithmes. Le regard des autres en général – et des filles en particulier – offrait une interactivité plus grande encore qu'un écran d'ordinateur. Au contact de Marion surtout, mon esprit s'ouvrit à toutes sortes de curiosités nouvelles : sa bouche et le cinéma, son sourire et la philosophie, ses caresses et l'anthropologie... Mécaniquement, je passai moins de temps avec mon père et, puisque je me destinais à d'autres carrières que celle d'ingénieur – je m'étais mis en tête de faire une licence d'histoire –, ses récits professionnels n'avaient plus le même intérêt pour moi. Dès lors il fallait bien qu'un autre joue mon rôle, occupe la place que j'avais laissée vacante.

Fatalement le jeune Dorsay, isolé du matin au soir et raillé par tous les techniciens, ne tarda pas à s'attirer la pitié de mon père, puis sa sympathie. Lui-même était le premier à le dire : sa mission pour DSC n'avait aucun sens dès le départ, il n'avait rien à faire ici. Mais puisqu'il était là, sans objectif, autant apprendre le métier. Mon père le prit sous son aile, heureux qu'un jeune homme s'intéresse encore aux formidables complexités de son travail. Ses collègues le mirent en garde : « Les consultants c'est comme les cafards, tu as beau en écraser un, le lendemain trois autres débarquent. » Mais mon père avait organisé la résistance triomphale, il savait ce qu'il faisait. « Stan » était un jeune type intelligent, qui ne tarderait sans doute pas à se lasser du consulting et qui ferait alors une très belle recrue. Comme il se montrait brillant dans tout ce que mon père lui déléguait, mois après mois, il lui en confiait davantage. Sans même s'en rendre compte, il lui livrait ainsi des informations précieuses, dont la seule rétention avait permis la victoire un an plus tôt.

Et un beau jour, en janvier 2010, Dorsay en sut assez.

Trois nouveaux consultants débarquèrent, plus offensifs que les deux premiers. Puis d'autres arrivèrent encore, leur effectif gonfla chaque mois. On leur dédia trois bureaux à l'étage de mon père. Quand ce dernier voulut bien comprendre ce qui arrivait, les grandes manœuvres avaient déjà commencé. Le département fut audité, rationalisé, désiloté. Puis mis en concurrence avec un autre, qui s'occupait de réseaux mobiles. C'était un peu comme un jeu de survie : à la fin, il n'en resterait qu'un. À travers les vitres des salles de réunion où il n'était plus invité, mon père voyait un Dorsay métamorphosé, transfiguré en chef d'état-major et stratège auquel les autres consultants accordaient une révérence exaltée.

Bien qu'il ne fût concerté pour aucune décision, c'était toutefois à mon père d'en assumer la responsabilité. Aux yeux de ses collègues et quoi qu'il puisse en dire, il avait pactisé avec l'ennemi. Ostracisé par les siens, instrumentalisé par les autres, il dut même annoncer un licenciement pour faute grave à Robert Petit, un technicien de maintenance quinquagénaire que tout le monde appréciait bien qu'il se trompât quelquefois dans ses calculs. Deux semaines plus tard, Robert se fracassait contre un platane au volant de sa voiture. Mon père était allé à son mariage. Il ne fut pas invité à l'enterrement. Au bureau, on l'appelait désormais « le Collabo ».

Interrompant mes pensées, Patrick s'avance pour embrasser ma mère, à trente centimètres de la tombe. Suis-je le seul à trouver ce geste déplacé ? Ce petit homme au cheveu rare n'est pas méchant, mais il ponctue souvent ses phrases d'un lieu commun épouvantable – « les goûts et les couleurs », « quand on veut on peut », « pas de fumée sans feu », ce genre de choses – et il lui arrive de dépasser les bornes sans s'en rendre compte. L'autre fois par exemple, il s'est permis de me donner des leçons de deuil :

— Tu devrais prendre exemple sur ta mère. Regarde, malgré la douleur elle a su se relever, lâcher prise du passé pour se tourner vers l'avenir. La vie doit continuer, c'est ce que ton père aurait voulu.

Ça partait d'un bon sentiment, sans doute, comme 99 % des conneries qu'on peut entendre. J'aime ma mère et sa résilience fait plaisir à voir mais, contrairement à elle, je ne peux pas fermer les yeux sur ce qui s'est passé. Je me sentais déjà coupable avant qu'on retrouve les carnets de mon père, alors il était impensable d'en refuser la lecture, au prétexte que *remuer le passé ne sert à rien* ou que *ce qui est fait est fait*. J'ai plongé tête baissée, ravalant ma douleur. En première année de fac d'histoire, j'ai plus étudié ses écrits que l'Égypte ancienne ou la Rome antique. Désormais, je suis le seul dépositaire de sa mémoire, le seul à en assumer la responsabilité. Le seul à pouvoir lui rendre justice.

En 2011, ses notes devinrent plus chaotiques. Certains jours, il se limitait à quelques mots, « *urgence permanente* » ou « *comme un hamster dans sa roue* », puis, le lendemain, il s'enfermait dans son bureau toute la journée pour écrire une trentaine de pages.

Il y décrivait l'effondrement de tout ce qu'il avait bâti, les dépressions à la pelle, les suicides ayant lieu dans l'entreprise. Fin avril, il reçut une invitation de Dorsay sur Outlook : « *Il tenait à planter le poignard lui-même. Chez ces gens-là, c'est comme un rite de passage.* » Mon père se vit offrir une reconversion forcée dans le contrôle de gestion, à Nancy, loin de sa famille cinq jours par semaine. Dorsay, vingt-neuf ans, lui fit cette annonce « *avec un regard détaché, sans aucune cruauté* ». Pour lui, c'était « *juste un jeu* ».

Sa mutation était prévue pour septembre. Il ne nous en parla jamais. Il se contenta d'ouvrir un ultime carnet, le n° 18, dans lequel il dressa le bilan détaillé, méticuleux, de son échec : les raisons de sa chute, les fautes qu'il avait commises et ce qu'il eût mieux valu faire à la place. Le modèle qu'on lui avait proposé au début de sa carrière – *deviens un expert, rends-toi utile dans une grande et belle entreprise d'État, construis avec nous le nouveau monde et on s'occupera du reste, tu ne manqueras de rien* – avait bel et bien atteint sa date de péremption. Et dans ce XXIe siècle qu'il avait contribué à bâtir, on ne lui trouvait plus de place légitime. Ils étaient des millions dans son cas et seraient bientôt plus nombreux. Le niveau de l'eau continuerait de monter, noyant non seulement les plus faibles mais également tous ceux qui se trouveraient au mauvais endroit au mauvais moment, là où la vague choisirait de déferler. Le succès ne répondait plus au mérite ou à l'intelligence mais à d'autres forces arbitraires, qu'il ne comprenait plus. Le 26 juin, il fonça s'écraser à son tour contre un arbre à pleine vitesse. En conclusion de son carnet n° 18, il avait écrit : « *L'Histoire est terminée, il n'y a plus rien à conquérir.* »

Le cortège s'éloigne de la tombe, sous un soleil radieux. Comme à son habitude, ma mère tient à tourner la page *cimetière* au plus vite :

— Tu sais que tes livres sont toujours dans ta chambre ? Il faudrait que tu passes les récupérer, un de ces jours…

Surtout, faire comme si rien n'avait changé, comme si nos vies étaient une parfaite continuité du passé, sans rupture.

— Tiens, samedi dernier, j'ai croisé un de tes amis qui venaient souvent à la maison, Franck je crois, ou Lucas… Tu les vois toujours ?

Je regarde ailleurs en guise de réponse. *Non Maman, je ne les vois plus, je ne vois plus personne et tu le sais très bien*. Les amis, ça ne vaut qu'en temps de paix. Quand la guerre éclate, on ne compte plus que sur soi-même.

C'est ce que j'ai fait.

Un an plus tard, après le départ de Marion, j'obtenais une place en classe préparatoire. Finis l'insouciance et les choix de carrière affectifs, le plan avait changé : je devais intégrer la fabrique des élites. Heureusement, ma mention Très Bien a compensé mon année blanche en fac.

Dans la foulée, je persuadai ma mère de faire figurer son nom en premier sur mon état civil : je n'étais plus Victor Bisset, mais Victor Laplace-Bisset. Dès lors il fut assez simple, à l'usage, de me faire appeler Victor Laplace tout court. Je devenais insoupçonnable.

Après avoir facilement retrouvé la trace de Stanislas Dorsay, je me créai une fausse identité numérique, déclinable en profils LinkedIn, Facebook et Instagram. J'étais un ingénieur commercial de vingt-neuf ans, vivant à Munich mais parlant couramment français, travaillant pour l'éditeur de logiciels SAP. Je copiai les photos du profil d'un inconnu bavarois dont la tête me plaisait bien, après quelques légères retouches. J'alimentai d'abord ma liste de contacts avec les employés de SAP qui voulaient bien accepter mon invitation, puis j'élargis peu à peu le cercle en m'appuyant sur le paradoxe de Milgram : sur les réseaux sociaux, vous êtes en moyenne à cinq personnes de n'importe qui dans le monde, même du président des États-Unis. Dans les faits, Dorsay n'était même qu'à trois personnes de moi sur LinkedIn. Je dressai la liste de tous mes contacts ayant au moins une relation commune avec un des siens : j'avais trente-six chemins possibles. Quand il reçut ma demande de connexion, quelques semaines plus tard, mon faux profil était déjà lié à une dizaine de ses contacts, il n'avait aucune raison de refuser mon invitation. Le procédé fut comparable pour Instagram et Facebook, avec un peu plus de patience et d'images à retoucher. Dès lors, je pus collecter une masse d'informations considérable à son sujet. J'assistai, aux premières loges, à son ascension vertigineuse : consultant senior au sortir de sa mission chez France Telecom, il rejoignit B&G l'année suivante, directement au grade de manager. Tandis que je poursuivais mes études d'ingénieur, il était promu un an sur deux, jusqu'à fonder B&G Disrupt. Un début de carrière triomphal, qui reposait intégralement sur son fait d'armes initial : avoir su exploiter les failles d'un homme qui, naïvement, l'avait pris sous son aile.

Selon Sun Tzu, que j'ai beaucoup lu pendant ces années, l'art de la guerre consiste à soumettre votre adversaire sans le combattre. C'est ainsi que mon père s'est fait détruire. C'est ainsi que j'espère venger sa mémoire.

Sous l'autorité de cet objectif supérieur, le chaos qui m'habitait s'est mis en ordre de bataille. Le torrent d'eau sale court toujours mais j'ai rejoint la rive et entamé mon ascension. Ma honte, mes remords, ma révolte et mes idées noires se sont trouvé un nom, ont mis de côté leurs querelles pour se rallier au même projet. Mon monde intérieur s'est stabilisé, structuré autour d'une stratégie claire : m'approcher pas à pas, sans éveiller les soupçons, m'infiltrer chez l'ennemi, au cœur de la machine de guerre, collecter un maximum de données, apprendre à manier les armes qui ont fait sa force et attendre l'ouverture, la brèche où je pourrai m'engouffrer.

La seule chose que je n'avais pas anticipée, c'est qu'on en vienne aussi vite à la confrontation. À ma décharge, jamais Dorsay n'avait publié la moindre photo d'Anna Fourcade.

7

J'ai toujours été partisan du moindre effort. Pour un ingénieur, c'est une qualité : en faire le moins possible pour un résultat maximal. Ainsi vous inventez constamment de nouvelles techniques pour automatiser vos tâches superflues et aller plus vite à l'essentiel. Pendant mes études, déjà, je rendais systématiquement mes projets en avance sur les autres, pour une note supérieure ou égale. Mon astuce, la loi de Pareto : me concentrer sur les 20 % d'efforts qui produisent 80 % des résultats.

De même au Crédit Général, j'arrive chaque jour parmi les derniers, vers 9 h 30, et ne repars jamais après 19 heures, sans que ça m'empêche de livrer mon algorithme avec deux semaines d'avance sur la date prévue – mon annonce a bluffé toute l'équipe.

Mais cette façon de faire n'est pas du goût d'Aude, ma manager. Ces temps-ci, il arrive qu'elle me colle des réunions sans intérêt à 8 h 30 ou qu'elle m'assigne des tâches imaginaires en début de soirée, dans l'unique but d'affirmer son autorité en allongeant artificiellement mes horaires. De la mesquinerie pure… Aussi, quand j'ai reçu la convocation de Dorsay ce matin, mon premier réflexe a été d'aller lui annoncer que je devais partir à 17 heures, sur ordre du patron. Après quoi, il a bien fallu que je me soucie du rendez-vous en question.

L'invitation Outlook précise juste « Entretien de mission », rien de plus. Au café, Igor m'a expliqué qu'il s'agissait d'un rite important dans la vie d'un consultant :

— À ce stade il n'y a pas d'enjeu de grade – tu seras forcément junior à l'issue de ton stage – mais la note finale est importante : un A signifie que tu peux prétendre à un *fast-track*, avec un B tu restes dans la course, en dessous ça devient plus compliqué.

Comme il évitait d'en parler, j'ai mis les pieds dans le plat :

— C'est normal que Dorsay me fasse passer l'entretien lui-même ?

— Pas trop, j'avoue. Normalement, il ne s'occupe pas des stagiaires.

Igor n'a pas totalement exclu que ce rendez-vous soit pour lui l'occasion de me « recadrer doucement » – j'ai trouvé l'adverbe étrange – à propos de l'autre soir. Pour faire bon poids, il m'a parlé d'un consultant senior qui s'était fait virer l'année dernière, du jour au lendemain, pour des raisons obscures. Comme on voyait souvent ce dernier déjeuner seul à seul avec Anna Fourcade, dont la liaison avec le prince est un secret de Polichinelle, la rumeur d'un « licenciement passionnel » avait couru. Mais Igor s'est voulu rassurant :

— Je n'y ai jamais cru. C'est mal le connaître, il est plus subtil que ça.

Trop tard, le mal est fait. Dans le métro, l'angoisse qui me tord l'estomac depuis trois jours part à l'assaut du reste de mon corps. Quelque part entre La Défense et Charles-de-Gaulle-Étoile, un nœud se serre au niveau de mon sternum pour endiguer la terreur, archaïque. Celle que ressentaient peut-être, il y a cent mille ans, nos ancêtres après s'être aventurés à convoiter la femme réservée au mâle dominant de leur tribu. Pour pareille faute, les représailles pouvaient aller de la simple humiliation à la mort, en passant par la mise au ban de la communauté. C'est ce dernier scénario qui, à cet instant précis, m'apparaît comme le plus crédible. D'un claquement de doigts, Dorsay peut m'exclure définitivement du jeu, avant même qu'il ait commencé, en refusant de me faire une proposition d'embauche à l'issue de mon stage. Échec et mat.

Entre Porte-Maillot et Argentine, toutefois, j'essaie de relativiser. On ne joue pas dans la même division, il n'a aucune raison de me voir comme un adversaire… Pourvu qu'il partage cet avis.

Le rendez-vous est fixé sur l'avenue Kléber, devant le siège de la banque d'affaires Goldman Stanley. Il en sort avec un gros quart d'heure de retard, costume bleu marine à fines rayures, façon loup de Wall Street. Je réalise qu'il est plus petit que moi d'un ou deux centimètres – pourvu qu'il n'y voie pas un outrage. En me serrant la main, il m'appelle par mon prénom puis vérifie sur son téléphone : « Laplace, c'est ça ? » Étrangement, ça me rassure un peu. Il est plutôt souriant, décontracté. Je bloque toutes les images, toutes les pensées qui pourraient lier l'homme que je vois à la connaissance que j'en ai. Je place un couvercle sur le chaos qui m'habite, toute la révolte qu'il m'inspire. Mon cerveau tourne à plein régime. *Ce n'est pas moi qui suis face à Dorsay, c'est mon personnage.*

Il désigne la terrasse du Peninsula, juste à côté. Un terrain luxueux dont l'entrée est gardée par deux immenses statues de lions impériaux, plus trois réceptionnistes aux manières de domestiques qui nous souhaitent la bienvenue. Derrière, une trentaine de tables s'étendent sous une verrière monumentale, à laquelle une jungle de bosquets exotiques donne des airs de serre tropicale. La plupart des clients sont plus âgés que moi. Tous ont l'air plus importants. Je me sens inadéquat, presque ridicule. Ce n'est pas seulement mon costume Celio mais tout un tas d'ingrédients qui me manquent, dans l'attitude, la posture, le spectacle offert de ma valeur. Même le sourire des serveurs et leurs révérences me renvoient à mon évidente imposture : je n'ai rien à faire là, tout le monde le sent.

Une fois assis, je décortique la carte des cocktails, où jamais un alcool n'est cité sans que sa rareté soit mise en exergue, de par son âge ou son origine. Dorsay en choisit un dans la catégorie « Nos Whiskys », j'en prends un dans la catégorie « Sans Alcool », ce qui me vaut un sourire en coin. Sur l'imposante table qui nous sépare, il dépose le formulaire consacré, qu'il remplira pendant notre entrevue.

— Bon, je te rappelle le principe : on va balayer ensemble cette grille de compétences, pour faire un bilan de ta performance.

Rien dans sa voix ne trahit la moindre colère. Il semble parfaitement à l'aise en dépit du cintrage prononcé de sa veste. En fait, son costume paraît indissociable de lui, je n'arrive pas à l'imaginer autrement.

— Plus tard, à ton évaluation annuelle, on fera la synthèse de tous tes entretiens de mission, pour en déduire deux ou trois petites choses sans importance : augmentation, promotion, etc.

Il m'adresse un clin d'œil avec la certitude que je vais sourire. Et je souris en effet, surtout parce qu'il envisage que je sois encore consultant B&G l'année prochaine. Il me faut un moment pour saisir la mauvaise nouvelle qu'il vient en réalité de m'annoncer : c'est lui qui se chargera de mes évaluations annuelles. C'est officiel, Dorsay a dorénavant les pleins pouvoirs sur mon évolution de carrière. Le nœud sous ma poitrine se serre encore.

Il semble avoir pris le temps de se renseigner sur moi, auprès de Jules, Aude et peut-être Igor. Ceux-ci ont dû se montrer élogieux puisqu'à mon grand soulagement j'obtiens une majorité de bonnes notes, dont plusieurs critères à 5/5 : *autonomie*, *expertise* et *qualité des livrables*. Les axes d'amélioration qu'il me propose sont étonnamment justes et précis. Je suis décontenancé. Son attitude a quelque chose d'à la fois éminemment sympathique et foncièrement menaçant. Je note que son visage ne s'anime que lorsqu'il détient la parole. Quand il doit me la laisser, parce que l'entretien l'exige, son sourire s'efface et son regard s'éteint jusqu'à ce qu'il la récupère.

Il expédie comme ça la grille des compétences, en moins d'une demi-heure et, comme son verre se termine, je me dis même qu'on pourrait en rester là. Mais il en commande un autre aussitôt, en rebouchant son stylo Montblanc. Mis en confiance, je prends le même cocktail que lui. Alors il pose ses bras sur l'accoudoir et reprend d'une autre voix, plus sévère :

— Bien. Maintenant, il faut qu'on parle d'un sujet en particulier.

À son tour, ma gorge se noue. J'avais presque fini par baisser la garde, pensant que la confrontation n'aurait pas lieu. Mais c'était juste un round d'observation, le véritable entretien commence maintenant.

— Aude m'a dit que tu avais livré ton algorithme avec deux semaines d'avance. Dis-moi concrètement : quelle valeur ajoutée cette performance a-t-elle généré pour ton client, et pour B&G ?

La chose a l'air très sérieuse. Ses yeux me fixent comme s'ils serraient une proie. J'hésite longuement sur la marche à suivre, trop longuement, jusqu'à ce qu'il devienne urgent d'improviser une réponse, n'importe laquelle :

— Eh bien, comme je suis vendu à un taux journalier de 1 500 euros, mes dix jours d'avance ont fait économiser 15 000 euros. Sachant que mon algorithme devrait rapporter environ 8 millions d'euros par an...

Je n'ai pas la moindre idée d'où je vais.

— Ta mission est facturée au forfait, donc ça ne change rien au tarif de ta prestation.

Ses mots à lui sont abrupts et ciselés, vont droit au but.

— C'est vrai... mais... ça présente une meilleure image du cabinet, ça génère de la valeur perçue.

— Auprès de qui, Bompard ? Tu crois vraiment qu'il *perçoit* ce genre de choses ?

Je ris nerveusement. Jacques Bompard, n° 2 du Crédit Général à cinquante-huit ans, transfuge de Sciences Po, HEC et l'Ena, ne comprend rien aux nouvelles technologies. Sans doute se paie-t-il un coaching hebdomadaire lui passant le vernis nécessaire pour afficher autant de convictions sur ce sujet que sur tous les autres. Mais dès que la discussion s'éloigne des clichés auxquels il s'était préparé, on le voit s'adosser à son siège, poser les mains sur le rebond de son ventre et hocher la tête avec un regard vide. Parfois, il s'aventure dans une formule stérile et périlleuse, visant moins à démontrer qu'il a compris qu'à se persuader lui-même que personne ne s'est rendu compte du contraire.

— Non, c'est vrai.

L'atmosphère se détend, enfin je crois.

— Je ne te reproche pas d'être performant, Victor, bien au contraire. Tu finis ta mission en avance, parfait. Encore faut-il rentabiliser cette avance, qu'elle profite à ton équipe et à B&G. Sinon, quel est notre intérêt dans l'histoire ? Aucun.

Il accuse réception de nos deux cocktails, avant d'ajouter :

— En l'occurrence, on a l'impression qu'elle te permet surtout de regarder tout le monde de haut en partant à 19 heures.

Son visage a toujours la même expression, rien dans sa posture ne laisserait penser qu'il m'engueule et pourtant, c'est bel et bien ce qu'il est en train de faire. Je comprends soudain le choix des mots d'Igor : je me fais « recadrer doucement ». Il continue :

— Qu'est-ce que tu penses d'Aude ?

Facile : c'est une personne sans talent particulier, qui n'a pas la moindre idée de la façon dont un algorithme fonctionne. Sa stratégie pour réussir consiste à arriver tôt, partir tard, avoir l'air toujours débordée mais prendre de longues pauses-café dans le bureau de Bompard qui, par conséquent, charrie toujours avec lui des effluves de Shalimar ou de Coco Mademoiselle.

— Rien de spécial. C'est une bonne manager.

— Tu prends sans doute ses conseils à la légère, car tu es un expert dans ton domaine. Mais figure-toi qu'il y a d'autres experts chez B&G Disrupt. Pourtant, tu es le seul à faire des horaires de fonctionnaire. Tu crois que ça va marcher longtemps ?

Comme toutes ses questions, celle-ci n'attend d'autre réponse que la sienne :

— Non, c'est voué à l'échec.

Sur cette sentence, il se lève de table et me laisse « y réfléchir un peu ». Je reste hébété longuement après son départ, sonné, dans les cordes. C'est que l'enchaînement des mots-clés – expert, fonctionnaire, échec – commence à faire lourd : il est compliqué de ne pas penser à mon père. Lui aussi s'était sans doute vu affubler de cette étiquette, celle que tous les Dorsay du monde collent aux ingénieurs comme nous, inadaptés au monde des affaires. Expert. Ce seul statut suffit à délimiter notre horizon. On se spécialise dans une technologie à la mode qui nous permet de tangenter la réussite quelques années sans jamais l'atteindre, jusqu'à ce que l'époque change et qu'on se ringardise sans même s'en rendre compte. Un jour, un jeune ambitieux nous annonce en réunion qu'on n'est plus dans le coup. *Game over*.

Le cocktail que j'ai commandé s'appelle Forêt Noire. Un breuvage obscur et dense à base de whisky, de café, d'orange amère et de liqueur de chocolat. Je ne suis pas loin de recracher ma première gorgée, dégoûté par la tourbe et l'amertume. Le soin avec lequel cette eau noire et visqueuse est présentée, dans un verre précieux en cristal gravé, donne l'impression qu'on m'a servi vingt centilitres de pétrole brut.

Ça y est, je fais officiellement une crise de panique.

Il me semble évident que Dorsay a fait exprès de m'amener dans ce bar trop luxueux pour décupler mon humiliation et me faire mesurer quel fossé me sépare des gens comme lui, donc d'Anna Fourcade. Ici, mon *PageRank* se calcule à l'envers : chaque regard sur moi me dévalorise un peu plus et fait chuter mon score ;

je dois en être à – 12, j'ai arrêté de compter. Plus j'observe les tables environnantes, plus je me sens dissemblable. Je ne vois personne de mon espèce, celle de mon père, d'Igor et des *experts* comme nous. Les gens d'ici donnent l'impression d'avoir été forgés dans un autre moule. Leur supériorité tacite ne tient pas qu'au prix de leur montre ou à la marque de leurs chaussures, ils se reconnaissent entre eux par d'autres moyens, d'autres distinctions que je ne sais pas voir. Ils ont dû mettre au point tout un langage de signes, de codes et de symboles, indéchiffrable à qui n'appartient pas à l'espèce dominante.

Submergé par cette vague de fatalisme, je suis néanmoins secouru par le regard d'une jolie brune à peau mate, à une table lointaine. Son sourire m'offre un sursis, l'impression d'être à ma place pendant une fraction de seconde. Face à elle, un quinquagénaire ventripotent, aux traits sans élégance, pérore avec une ostensible indifférence aux vingt-cinq ans qui les séparent. Ses mains adipeuses cherchent à la toucher au moindre prétexte – un bras, un genou, tout ce qu'il peut atteindre sans se lever de son siège – tandis que sa proie repousse aimablement ses tentatives, comme un jeu dont elle a pris l'habitude. Il accueille ces refus par toute une panoplie de grimaces ambivalentes, à mi-chemin entre le sourire et l'intimidation. Avec son charisme de sénateur empâté, la coupe trop large et le tissu lustré de sa veste, il ressemble à un parrain des films de Scorcese ou Coppola.

À nouveau, la nausée se répand en moi comme une eau sale.

Pour vulgaire qu'il soit, cet homme est ici chez lui. L'imposteur, c'est moi. Cette pensée me révolte, je me demande à quoi ça rime... Quel est mon plan, au juste ? Tout encaisser sans rien dire ? Et pour quoi faire ? Pour pouvoir un jour ressembler à *ça* ? Il doit bien exister une solution plus directe, moins dégradante. Après tout, je suis assis face à l'ennemi, c'est peut-être ma chance. Je pourrais attendre son retour et lui planter son stylo Montblanc dans la gorge, tout simplement. Ou l'assommer avec le magnum Ruinart de la table voisine…

Je mets d'urgence un terme à mes élucubrations quand je le vois ressortir du hall de l'hôtel. Il n'y aurait aucune justice à sacrifier ma vie, aller en prison pour accomplir ma vengeance. Même mort, il aurait encore gagné. Patience, Victor. Tandis qu'il marche vers notre table, en dix secondes à peine, je m'efforce de remplacer mes idées démentielles par des pensées raisonnables et de me refocaliser sur ma stratégie.

Dorsay, lui, à peine rassis me remet d'emblée sous pression :

— Quel est ton objectif à trois ans, Victor ?

Facile. Remettre les compteurs à zéro. Te confisquer tout le bénéfice que tu as pu tirer de la destruction de mon père. Ta réussite, ta valeur, mais aussi tes relations, tes certitudes, ta joie de vivre… Le summum, l'idéal, serait que tu te suicides à ton tour.

— Dans trois ans, je veux être au moins consultant senior.

Il sourit, comme attendri par l'audace de ma réponse, qui ne le détourne pas pour autant de son propos initial.

— Alors n'oublie jamais que tu joues à un jeu créé par des humains, joué par des humains et arbitré par des humains. À ce jeu-là, mieux vaut avoir du réseau que du talent. Le seul moyen d'avancer, c'est que d'autres joueurs aient envie de te faire avancer.

Je hoche la tête, comme un enfant à qui on fait la leçon. Nouvelle règle : *le talent vaut moins que l'entregent.* Sauvegardée. Au loin, Marlon Brando s'absente de table et je surveille ma jolie brune en espérant un regard, un sourire. J'aurais bien besoin qu'elle m'offre un nouveau sursis.

— Et pour ça, il faut les convaincre qu'en te faisant avancer, ils servent leurs propres intérêts. Par exemple, si Aude comprenait mieux la valeur de tes algorithmes, elle en vendrait par dizaines à Bompard.

Ça y est, elle m'a regardé ! C'était fugace, mais suffisant pour que je reprenne un peu confiance. J'essaie de sourire à Dorsay, qui attend ma réponse. Je ne me démonte pas :

— Et pourquoi ne pas m'adresser directement à Bompard ? Après tout, qui peut lui expliquer mieux que moi ce que je suis capable de faire ?

C'est dit. Je refuse d'être catalogué comme mon père, comme Igor. Je refuse qu'on me disqualifie pour ma posture ou mon savoir-être. Si je suis face à lui, c'est pour faire partie du même monde. J'ai seulement besoin de comprendre les règles, de trouver le bon modèle.

— Tu t'en crois capable ?

Nouvelle règle : *toujours répondre avec certitude.*

— Je m'en *sais* capable.

Dorsay m'adresse alors un sourire indéchiffrable. Je crois que mon culot ne lui déplaît pas mais qu'à ses yeux, je suis juste bon à manipuler des machines, pas des humains. Il sirote son cocktail, sans cesser de me fixer du regard. Je le soutiens une ou deux secondes à peine, avant de baisser les yeux. Alors il me lance :

— OK, je te propose un défi.

Il me désigne ma brune à peau mate au loin, affairée sur son écran de téléphone.

— Tu as l'air de bien aimer cette fille, là-bas. Alors ta mission, c'est d'aller obtenir son numéro de téléphone.

Je crois d'abord à une plaisanterie. Mais il persiste :

— C'est le jeu humain par excellence. Sauf que tu commences petit, par un objectif raisonnable. Avant d'aller convaincre un vieil énarque aigri, avec qui tout Paris veut prendre rendez-vous, de te consacrer une heure et 300 000 euros, tu dois persuader une jeune inconnue, qui n'a rien d'autre à faire, de t'accorder une minute et son numéro.

Je n'arrive pas à croire ce qu'il me demande de faire. Je fixe son stylo, toujours sur la table... Pour un peu, mes idées noires me paraissaient plus raisonnables.

— Tu peux lui dire ce que tu veux : tu la trouves jolie, tu as un job à lui proposer, ta copine vend une robe qui lui irait bien... Tu pourrais même ne donner aucune raison. Regarde cet endroit. Elle ne peut pas refuser, tu es peut-être quelqu'un d'important.

Sur ces dernières paroles, il cache mal son arrogance. Je *ne* suis *pas* quelqu'un d'important, voilà ce qu'il faut entendre. Et ce « défi » a pour seul but de me le démontrer par l'expérience. Si je réussis, c'est grâce au prestige de l'endroit. Si j'échoue, je perds le peu de contenance qui me reste. Je fais semblant d'hésiter, juste assez longtemps pour bien formuler mon refus :

— Je ne prétends pas savoir tout faire, mais je veux apprendre. Comme mes algorithmes, je peux très vite progresser si on me montre la marche à suivre.

Il me fait un large sourire. Quand je comprends ce qu'il s'apprête à faire, il s'est déjà levé de table. Marchant d'un pas décidé, il s'approche de ma brune à peau mate et lui dit quelque chose en me désignant. Ils éclatent de rire tous les deux, puis elle regarde dans ma direction. Honteux, je ne trouve rien de mieux à faire que de regarder l'écran de mon téléphone. Je me dis : *Tout de même, quel parfait connard !* C'est presque réjouissant qu'il se montre à ce point digne de tout ce que j'ai projeté sur lui, depuis six ans.

Quand j'ose les regarder à nouveau, ils semblent s'être désintéressés de moi, s'échangent de courtes phrases avec un sourire complice, et je découvre à distance une version radicalement différente de Stanislas Dorsay, capable d'exprimer une vaste palette d'émotions. En matière de séduction, sa stratégie est à l'opposé de celle du Parrain IV : quand l'autre fonçait pour agripper tout ce qu'il pouvait, lui se place légèrement en biais par rapport à elle, l'incitant à tourner tout le haut de son corps dans sa direction.

À force, on pourrait croire qu'il ne faisait que passer, et que c'est elle qui cherche à le retenir.

La scène dure encore une minute ou deux, puis elle lui tend une carte de visite, dont il s'empare avant de prendre congé. De retour à notre table il me la donne, d'un air triomphal :

— Tiens, c'est pour toi.

Je lis *Leila Belkacem, Senior Analyst, Goldman Stanley*. Elle doit être en train de nous regarder, je ne sais pas comment réagir. Dans le doute, je rougis.

— Comment tu as fait ?

— Je lui ai dit : « Mon jeune collègue a quelque chose d'exceptionnel à vous proposer, mais il n'ose pas venir vous parler, alors le mieux c'est qu'il vous rappelle. »

Son visage affiche une fierté primitive et je me rappelle un extrait de *L'Art de la guerre*, quelque chose comme : « *Si l'ennemi est plus puissant que vous, exagérez votre infériorité pour flatter son orgueil.* »

— Bien joué, franchement. C'est très impressionnant.

— Il a tout de même fallu la convaincre un peu, se rengorge-t-il. Mais tu sais, Bompard ne te filera pas son argent du premier coup non plus.

Très satisfait de lui-même, il se rassoit, termine son verre de Forêt Noire, s'empare du formulaire et débouche son stylo pour y apposer son verdict. J'obtiens un B. Je fais tout pour avoir l'air déçu. Mais quel soulagement ! Dans la rubrique « Commentaires de l'évaluateur », Dorsay écrit : « *Victor n'a pas (encore ?) démontré qu'il avait les moyens de ses ambitions.* » Après quoi, il demande l'addition. Mon angoisse s'évanouit lentement. Au loin, Marlon Brando revient à sa table et s'affale lourdement sur son siège. Leila Belkacem lui sourit, comme si rien ne s'était passé.

III

Janvier 2018

Apprentissage supervisé

8

J'ouvre la fenêtre de ma chambre pour chasser les odeurs de la nuit. Le soleil, comme moi, peine à se lever. Un froid sibérien me saisit la peau, encore endormie. Pourtant je reste là quelques secondes encore à me geler sur place, afin d'arracher mon corps aux sensations laissées par mon cauchemar. Pour me dégourdir l'esprit, je fixe la bouche de métro, seule source de lumière à cette heure, observe le ballet des lève-tôt qui se précipitent sous terre ou en surgissent avec le même entrain. Je me projette dans une heure, quand je rejoindrai cette chorégraphie réglée, machinale, rassurante.

Mon nouvel appartement donne directement sur la place de la Bourse. Parmi les résolutions que j'ai prises à la rentrée, la plus urgente était de quitter mon studio, lequel baignait dans une atmosphère incompatible avec la réalisation de mes objectifs. Trop de souvenirs menaçaient d'en rejaillir à tout instant. Et puis, les taux d'intérêt n'avaient jamais été si bas, c'était le bon moment pour acheter. L'enthousiasme avide des banquiers et des agents immobiliers, dès que je leur présentais ma situation, m'exaspérait mais j'ai pris sur moi. Mon conseiller bancaire m'a même rendu hommage : « Si tous mes clients étaient comme vous, j'aurais des journées plus reposantes. » Il arrive que le système vous félicite comme ça, par la voix de ses serviteurs, d'avoir choisi le bon modèle, celui qu'il encourage à suivre. Ainsi, début septembre, j'ai visité quatre appartements. Deux semaines plus tard, je signais le compromis. Début novembre, j'emménageais.

Exposé plein sud, mon deux-pièces jouit d'une grande luminosité, dont je ne profite que le week-end. Ce n'était pas un critère a priori, mais le vendeur m'a certifié que c'en était un pour la plupart des gens, donc un argument fort à la revente. Il m'a également dit que beaucoup d'acheteurs étaient sensibles aux toilettes suspendues. Décidément, cet appartement cochait toutes les cases. N'ayant pas le temps d'en faire la décoration, j'ai fait appel à un prestataire, qui a opté pour un mélange de blanc laqué moderne et de surfaces en verre pour trancher avec les moulures et le parquet d'époque haussmannienne. Surtout, il a voulu truffer le plafond de gadgets high-tech – enceintes connectées, lumières intelligentes, capteurs en tous genres – assortis au décor jusqu'à devenir insoupçonnables. Il m'a expliqué qu'il s'agissait d'une grande tendance du design d'intérieur : tout le monde veut profiter des dernières innovations technologiques, mais sans les voir. Le travail d'architecte d'intérieur est alors comparable à celui d'un illusionniste. Il faut cacher les fils, pour que ça paraisse magique.

En caressant un écran tactile au mur, je fais apparaître un rétroprojecteur, sortant du plafond comme de nulle part. Il est 7 h 08 et je commence mon rituel matinal, avec huit minutes de retard. D'abord, je lance une vidéo de HIIT – *High Intensity Interval Training*. Le principe est simple : vous enchaînez les exercices sportifs à haute intensité, séparés par des phases de récupération très courtes, pour pousser le corps dans ses retranchements et l'inciter à brûler un maximum de graisses. Le format est idéalement court – entre un quart d'heure et vingt minutes – et accélère votre métabolisme. Même au repos, vous continuez de dépenser des calories. Plus rentable, ça n'existe pas. Mais il faut jouer le jeu : si vous n'êtes pas lessivé à la fin de la séance, les jambes tremblantes et le cœur dans les tempes, c'est que vous n'y êtes pas allé assez fort.

Ce matin, j'ajoute une série pour me faire pardonner mon retard. Je suis aussitôt récompensé par une décharge de dopamine. Pour avoir une chance de me rapprocher de l'ennemi, je dois offrir une image parfaitement lisse, irréprochable, comme tous ceux qui gravitent autour de lui. Me donner *les moyens de mes ambitions*. De l'intérêt d'un rituel matinal – recommandé par tous les blogs de développement personnel : en vous astreignant à une même routine jour après jour, vous optimisez vos performances et maximisez l'atteinte de vos objectifs. Un processus d'amélioration continue se met en œuvre, vous *gagnez en momentum*.

À condition de bien gérer votre temps. En parallélisant les tâches, vous en accomplissez davantage. Pendant ma douche, une application me condense l'actualité du jour en six minutes : une revue de presse audio, lue par une voix humanoïde, monocorde et sans émotion. Sur mon corps d'abord, j'applique un gel revitalisant au ginseng. Les inondations se poursuivent en France : des centaines de foyers sont coupés du monde et sans électricité. Puis un shampooing à la quinine, pour prévenir la chute des cheveux. Le GIEC tire la sonnette d'alarme : même en cas d'augmentation modérée de la température terrestre, la montée des eaux devrait s'avérer plus importante que prévu. Pour le visage, un gommage exfoliant d'une marque importée du Japon, sur les conseils d'un influenceur Instagram. Le milliardaire Chris Murray déplore « le manque de stratégie commune des grandes puissances » en matière écologique. La bouteille de shampooing me tombe sur le pied. Quel con m'a installé une étagère de douche aussi glissante ? Interview de François Bernard, patron de LMVB, leader mondial du luxe : « Le désir est l'énergie renouvelable par excellence. Notre mission, c'est de puiser dans cette énergie : vendre du rêve et créer du désir. » Une minute d'eau froide, pour resserrer les pores.

En sortant de la douche, un frisson me parcourt le dos. Encore une réminiscence de mon cauchemar : une horde de jeunes hommes d'affaires, féroces et cravatés, se bousculant dans un escalier sombre pour échapper aux vagues, toujours plus hautes. Et moi, prenant du retard et manquant de chuter à tout instant, les jambes engourdies par la peur.

D'un geste machinal, j'essuie la buée sur le miroir. Le reflet de l'horloge indique 7 h 42 : il faut que je me bouge. Désormais, mes journées commencent à 8 h 30 et se terminent régulièrement après 22 heures car, au-delà de cet horaire, B&G vous offre un service de taxi premium et le dîner dans un restaurant gastronomique. Ça n'a pas été facile, bien sûr, d'abandonner ma glorieuse nonchalance et ma quête du moindre effort. C'était comme renoncer à une partie de mon identité. Mais j'ai pris sur moi. Aujourd'hui, j'arrive à me remémorer mes matinées d'étudiant sans nostalgie. Mon rituel consistait alors à engloutir un bol de café instantané, sauter dans le premier jean et renifler mes T-shirts pour enfiler le moins sale. En termes de développement personnel, c'était le Moyen Âge. Tous les matins à présent, j'organise ma renaissance. Je suis tourné vers l'avenir, ma cible toujours en vue.

Devant la glace, j'applique un masque à l'argile et une crème matifiante. Pour ne pas avoir l'air d'un geek, le teint est un enjeu primordial – c'est d'abord à notre visage pâle qu'on nous reconnaît. Couche après couche, je gomme les aspérités du personnage brouillon, mal dégrossi que Dorsay a recadré l'été dernier. Costume Kenzo, chemise Dior, cravate Gucci, chaussures Boss, les marchands de rêve et industriels du désir ont envahi mes placards. Qu'il me ramène au Peninsula, pour voir ! En dernier, j'applique un sérum anticernes, par petites touches – je ne tiens pas à donner l'impression de trop bien dormir. Dans le miroir de l'entrée, j'ai franchement fière allure. Si je me croisais dans un couloir, je me trouverais une vraie tête de connard. C'est bon signe.

Je passe à la cuisine. Sur mon enceinte Bluetooth, je lance une playlist recommandée par les algorithmes de Spotify : *dynamic morning*. De la pop légère, énergique, facile à digérer. Au petit déjeuner, j'avale dix blancs d'œufs sans les jaunes, pour les protéines et l'albumine, favorables au développement musculaire. Ça se prépare vite, en cinq minutes à peine. Dans mon frigo, pas d'acides gras saturés ni de sucres raffinés. L'avenir appartient à ceux qui se retiennent de manger le premier marshmallow. J'avale un cachet de vitamine C, puis une tasse d'expresso qui agira dans trente minutes, quand j'arriverai chez mon client. Une chaleur remplit mes bras, mes cuisses, un monde sous ma peau semble résonner d'une vibration sourde : la machine se met en route. J'imagine mon corps dans sa version idéale, deux kilos de graisse en moins et de muscle en plus. Je ne suis plus très loin du but.

9

Chez Alliance Hotels, chaque salle de réunion porte le nom d'une destination touristique. La Seychelles peut accueillir jusqu'à six personnes. Au mur une photo de plage paradisiaque, lagon turquoise et sable blanc, nargue tous ceux qui viennent s'y asseoir. À travers la baie vitrée, je contemple notre open space encore désert. Le chariot de la femme de ménage – on préférera dire *agent d'entretien* – est encore là : j'ai réussi à compenser mon retard, en courant dans les tunnels du métro. J'ai même cinq minutes d'avance sur Constance, si j'en crois son SMS.

Sa présence dans l'équipe a été la bonne surprise de cette nouvelle mission. Au matin du premier jour – le 6 novembre, je m'en souviens –, on s'est retrouvés dans le même ascenseur. Il m'a fallu quelques secondes pour rassembler tous mes souvenirs : le Pré Catelan, nos vouvoiements, sa bretelle de soutien-gorge un peu lâche, son abandon sur la piste de danse... Je l'ai saluée timidement puis, très vite, ses joues ont pris une autre couleur. J'ai découvert que son visage pouvait ainsi changer subitement de teinte, pour diverses raisons : quand elle parle d'un sujet qui la passionne, quand on la fixe avec insistance ou quand la parole lui est laissée trop longtemps. Ce bug adorable de sa peau me permet aussi de croire – enfin, de postuler – que je lui plais toujours.

En attendant son arrivée, je réponds aux messages sur Tinder, dernière étape de mon rituel matinal. J'y suis inscrit depuis trois mois, moins pour trouver l'amour que pour m'entraîner à capter l'attention, séduire et sortir de ma zone de confort. J'avais besoin d'une bonne remise à niveau dans tous ces domaines. Ainsi, chaque jour, derrière l'écran, je m'exerce à me mettre en valeur, à faire ma propre publicité, à me différencier tout en étant conforme. Une version 2.0 de la séduction dans laquelle chacun peut, en fonction de sa valeur sur le marché, fixer les termes, conditions et contreparties de son consentement à devenir l'objet du désir de l'autre. Méthodique, je rejoue la même séquence avec des dizaines, des centaines de filles différentes et ajuste ma stratégie après chaque échec. Il existe une formule, un mode opératoire pour tout, même pour plaire.

La première étape consiste à maximiser ses *matchs*. Au début, mon score était négligeable, à peine 1 % de mes *likes*. Pour y remédier, j'ai fait évaluer mes photos par des inconnues sur un site spécialisé, anonymement et sur plusieurs critères : charisme, attractivité, intelligence, confiance en soi... Cette étude m'a permis d'observer que la version optimale de moi souriait à peine, déboutonnait le col de sa chemise et ne regardait pas l'objectif de l'appareil. Désormais, mon taux de *matchs* dépasse les 3 %. C'est mieux, mais sans doute encore loin des champions du *PageRank*.

Justement, les voilà. À travers la baie vitrée, je vois arriver Dorsay d'un pas nonchalant, suivi de Jules Duphot, paré pour l'occasion de son plus beau costume trois pièces. Dès que l'ennemi fait une apparition dans nos bureaux, son disciple lui emboîte le pas sans jamais quitter son sillage, avec un mimétisme dévoué. Le prince, en contrepartie, le trimballe partout comme un attaché-case et lui accorde une attention qu'il ne concède à personne d'autre. Résultat, Jules est notre interface officielle. Toutes les informations transitent par lui, sans qu'il soit jamais possible de s'adresser au patron directement, sinon pour le saluer au détour d'un couloir. C'est simple, depuis le Peninsula, nous n'avons pas échangé plus de trois mots. Je ne conserve plus de notre entretien qu'un souvenir éthéré, comme une parenthèse irréelle et miraculeusement sans conséquence. Mon insignifiance à ses yeux m'avait permis d'en sortir indemne, à présent elle creuse chaque jour un fossé plus vaste entre nous.

Mis à l'écart, je reprends l'histoire de mon père là où il l'avait laissée. Sauf que pour moi, elle ne fait que commencer. Ma stratégie est claire. 1) Identifier les alliés de l'ennemi, ses cercles d'influence, triés par proximité. 2) Cartographier tous les chemins possibles entre nous, les coalitions à former, les territoires à conquérir. 3) Par networking, planter mon drapeau partout autour de lui, méthodiquement, jusqu'à l'encercler.

Ça prendra le temps qu'il faudra.

Pour l'heure, l'ennemi et son disciple vont s'enfermer en salle Maldives, voisine de la mienne. Ils ont prévu d'y préparer le séminaire à Val d'Isère, qui réunira les directions de toutes les *business units* du groupe Alliance Hotels – environ deux cents personnes. Au programme : ski, raclette, *team building*, beaucoup d'alcool et quelques ateliers de travail. Au prétexte d'une conférence de vingt minutes sur le futur de l'hôtellerie, ils ont tous deux gagné le droit de participer à l'intégralité du séjour. Jules ne méritait pas plus d'en être qu'Igor, Constance ou moi-même, qui avons rédigé les trois quarts de leur présentation PowerPoint. Mais *le succès ne répond pas au mérite* – je le sais – et *le talent vaut moins que l'entregent* – je vais bien finir par retenir la leçon.

Au fond, Jules ne fait qu'appliquer une recette ancestrale. Même en cours de stratégie, on apprend qu'il est plus simple de réussir par l'imitation que par l'innovation. Les grands vainqueurs de la mondialisation, par exemple, ont simplement été les plus rapides à répliquer sur d'autres continents ce qui fonctionnait déjà en Occident. À l'identique, notre collègue s'échine à devenir une copie conforme de son modèle, bien au-delà du *dress code* et de l'uniformisation du langage, éradiquant de son comportement tout ce qui pourrait encore l'en distinguer. Il entend ainsi récolter une portion de sa valeur, par ruissellement, sans avoir à passer par l'étape fastidieuse de devenir quelqu'un par lui-même.

C'est le modèle économique de la contrefaçon : Jules est comme un faux sac Chanel, cherchant à s'attirer le crédit de l'original à moindre coût. Peu importe si l'illusion qu'il propose est grossière et ne dure pas plus d'un quart d'heure, l'essentiel est dans la première impression.

La première chose qui m'indique l'arrivée de Constance en Seychelles, c'est son parfum. Elle a remis ce matin celui qu'elle portait au Pré Catelan. Parce qu'on avait réunion ? Parce qu'elle a fini son autre flacon ? Tandis qu'elle me tourne le dos pour accrocher sa veste au porte-manteau, je profite clandestinement du spectacle. De hauts talons accentuent la finesse de ses jambes et la cambrure de ses reins. Sous ses airs d'adulte, on devine un corps jeune et gracile. Sur sa peau, un léger hâle entretient le souvenir de ses dernières vacances.

Tandis qu'elle me fait la bise, je me dis que tout compte fait, ça aurait pu être pire. Ils auraient pu emmener Constance à Val d'Isère. Jules aurait certainement apprécié car, non content d'accaparer toute l'attention du prince, je le soupçonne d'avoir des vues sur elle. Parfois même il arrive à la faire rougir et moi, j'enrage en silence.

— Alors dis-moi, Victor. Tu fais quoi dans la vie ?

Je souris, amusé par sa formule et ravi qu'elle choisisse de s'asseoir non pas face à moi mais plus près, perpendiculairement à la table. Elle croise les jambes et allume son MacBook en attendant ma réponse.

Sur Tinder, la question revient systématiquement. Au départ, naïvement, je répondais quelque chose comme : « Consultant en stratégie chez B&G, et toi ? » Les réactions n'étaient jamais emballées. Depuis, j'ai lu sur un blog qu'il valait mieux éviter le premier degré et privilégier des réponses qui attisent la curiosité sans trop en dire. Ces temps-ci, j'envoie « Je décide du prix de tes prochaines vacances », en ponctuant d'un clin d'œil. Avec de bien meilleurs résultats.

— Je développe un algorithme de *yield management*. Tu connais ?

Bon, évidemment, il est plus facile d'être audacieux derrière un écran que face à une jolie collègue, en chair et en os. Ici, contrairement au virtuel, l'échec ne pardonne pas : un geste ou un mot de travers et c'est *game over*. Constance peut me disqualifier aussi vite qu'Anna Fourcade, sans seconde chance. J'avance donc mes pions avec une extrême prudence.

— Un peu, oui. Mais je veux que tu m'expliques avec tes mots.

— Le meilleur exemple, ce sont les billets d'avion. Quand tu cherches un vol, le prix varie en fonction de l'offre et de la demande. Si tout le monde veut partir au même endroit que toi à la même date, tu vas payer plus cher. Au contraire, si un vol est peu rempli, la compagnie va réduire ses tarifs pour attirer plus de clients.

Je lui récite d'autres exemples : billets de train, places de spectacle ou de parking, location de véhicules...

— Et donc moi, j'utilise les mêmes techniques, mais pour déterminer le prix des chambres dans tous les hôtels du groupe. Sauf qu'en plus, j'ajoute une couche d'intelligence artificielle.

Constance prend des notes. Son talent à elle, c'est de trouver les mots justes. Vous lui donnez des explications savantes, elle vous les résume en deux ou trois formules simples, exprimant l'essentiel. Comme sa timidité l'incite à utiliser un minimum de mots pour dire un maximum de choses, elle en a fait son art. Le vocabulaire ne lui manque pas, elle qui prétend lire un livre par semaine depuis ses douze ans – j'ai calculé, ça en fait 634 à ce jour. C'est la raison pour laquelle Jules a planifié cette réunion : je lui explique mes algorithmes, elle en déduit quelques slides épurées pour le séminaire.

— Quel genre d'intelligence artificielle ?

— Eh bien…

Jusqu'ici, elle comme moi n'avons jamais eu assez d'audace ou d'alcool dans le sang pour reparler de la soirée annuelle, ni pour retrouver l'aisance avec laquelle nous y avions fait connaissance.

— Imagine, tu veux connaître le prix d'une chambre d'hôtel. Mais moi, avant de te répondre, j'ai accès à certaines informations sur toi : ta géolocalisation, ton historique de navigation, la marque de ton ordinateur ou téléphone, une partie de ton profil Facebook…

D'ailleurs, si on s'en tenait aux mots, on pourrait croire que nos échanges sont désespérément professionnels, voire ennuyeux. Mais avec Constance, l'essentiel est dans le non-dit.

— Grâce à toutes ces données, je peux deviner qui tu es, pourquoi tu veux réserver chez moi. Si c'est un voyage d'affaires, je t'affiche une réduction de 20 % sur le spa de l'hôtel, massage relaxant inclus.

Des messages cryptés transitent par d'autres fréquences, à l'abri du langage, dans nos regards ou nos silences. C'est pourquoi nos réunions débordent souvent d'un quart d'heure, sans qu'on ait grand-chose à se dire.

— Si c'est un week-end en amoureux, j'essaie de te vendre une chambre supérieure, avec baignoire et petit déjeuner tardif inclus.

Son visage s'applique à ne rien suggérer mais je décèle un spasme furtif à la base de son cou. J'y distingue les grains de beauté dont j'étais si proche il y a six mois, désormais éloignés par un océan de pudeurs.

— Si tu es une entrepreneuse multimillionnaire, la femme d'un émir ou d'un oligarque russe, je gonfle tous mes tarifs, puisque ton principal critère est précisément de t'offrir ce qu'il y a de plus cher.

Tandis que ses doigts fins courent sur le clavier, je jette de discrets coups d'œil en direction de ses jambes, qu'elle balance délicatement sous sa jupe, sa cheville dessinant de petits cercles indécis. Le frottement de ses collants produit un chuchotement ouaté qui me fait l'effet d'une caresse.

— Bref, je cherche à deviner qui tu es, prédire ce qui peut te plaire, pour maximiser mes chances de viser juste.

Mon père écrivait qu'il n'y a plus rien à conquérir mais c'est faux : il reste l'esprit des autres. Celui des clients d'Alliance Hotels. Celui des inconnues sur Tinder. Celui de Constance...

— Deviner qui je suis, sourit-elle, vaste programme ! Moi-même, je ne suis pas sûre de pouvoir le dire.

De l'intérêt de mettre l'intelligence artificielle au service de l'économie de l'attention : le grand jeu de notre époque. Un marché colossal. Pas une seconde ne s'écoule, sur nos écrans, sans que quelqu'un cherche à nous convaincre d'acheter son produit, de s'intéresser à lui, de nous joindre à sa cause, de voter pour lui, d'écouter ses problèmes, de *liker* ses photos, sa dernière vidéo, de faire connaissance... Il en résulte une pénurie globale d'attention disponible. Plus aucun cerveau n'a le temps de faire le tri entre l'essentiel et l'insignifiant ni d'arbitrer ce qui mérite son intérêt. Alors on fait appel à des algorithmes, pour trier les sollicitations à notre place, filtrer les contenus qui nous indiffèrent et promouvoir ceux qu'on désire – parfois sans le savoir. Avec le temps, ces guides apprennent à nous connaître et détectent des parts insoupçonnées de nous, dont nous n'avions même pas conscience. C'est logique, ils ont été entraînés pour ça.

— En tout cas merci Victor, j'ai tout ce qu'il me faut.

— Si tu as besoin de quoi que ce soit d'autre...

La principale difficulté, c'est le peu de données dont on dispose parfois. Pour les clients d'Alliance Hotels qui refusent les cookies : seulement une marque de téléphone et une géolocalisation. Pour certains profils Tinder mal renseignés : trois photos sans aucune description. Pour Constance : un ou deux regards fugaces et d'infimes traces d'émotion. Avec ça, et rien d'autre, vous devez prédire les attentes de votre cible, sa vision de la chambre parfaite ou de l'homme idéal.

Pour l'heure, mon algorithme interne est sur pause. Je préfère imprégner mon attention de sa présence, apprécier son odeur de vanille et de fleurs exotiques, me laisser bercer par le va-et-vient de ses jambes, sourire de cette mèche qu'elle recoiffe derrière son oreille toutes les quinze secondes environ. Le tout me plonge dans un délicieux état d'hypnose qui suspend le temps et mes pensées rationnelles.

Celles-ci ne reprennent leur cours qu'à 9 h 07, quand Maurice arrive dans l'open space. À travers la baie vitrée, je vois aussitôt Jules sortir en trombe de la salle Maldives pour accueillir le retardataire et le réprimander pour ces sept minutes impardonnables. Le cadre vieillissant d'Alliance Hotels encaisse les coups, présente mécaniquement ses excuses, puis s'installe à la pire place possible, devant la porte d'entrée. Il débarque ainsi tous les matins, bien après nous, le teint presque égal à sa barbe éternellement mal rasée, couleur cendrier. Il marmonne un bonjour et s'empresse de se réfugier derrière son ordinateur. Là, il commence à purger sa peine, sans autre ambition que de compter les minutes jusqu'à 17 h 07 en jurant qu'un despote invisible a encore ralenti leur cadence. La configuration de son bureau rend son écran visible à tous les consultants, ultime humiliation. Mais il a renoncé depuis longtemps à faire semblant de bosser – il n'ouvre même plus Excel pour donner le change. Toute la journée, je le vois surfer sur Facebook, Instagram ou YouTube, se gaver jusqu'à la nausée d'images d'autres vies que la sienne : de plages ensoleillées là encore, mais aussi de familles heureuses, de voitures de sport et d'inspirations bricolage, comme une perfusion de rêves à poursuivre et d'espoirs à nourrir. Son soin palliatif à lui, dont l'avenir est derrière. Parfois, sa lassitude et son obsolescence programmée me font penser aux carnets de mon père.

En novembre, ils étaient deux : Maurice et Fred, un peu plus jeune. Jules leur a présenté nos objectifs de mission qui impliquaient, forcément, un affaiblissement de leur rôle au sein du groupe. Mais ils avaient le choix dans la manière. Fred a choisi de collaborer : il dispose aujourd'hui d'un bureau personnel et, en dépit d'un allègement constant de sa fiche de poste, on lui fout relativement la paix. Maurice, lui, a tenté de faire naître une grogne et a fait circuler une pétition : le voilà désormais dans le même bureau que nous, en garderie comme un enfant, attendant sagement que le couperet tombe. Je comprends intimement son malaise et certains jours, il me suffit de l'observer quelques secondes pour avoir tout à la fois envie de vomir, hurler, pleurer, bref tout expulser de moi. Mais je me contrôle, bien sûr. Chacun sa guerre.

Reste que nos problèmes actuels portent un même nom : Jules Duphot. Pour venir à bout de cet obstacle, c'est clair, les données sont le nerf de la guerre. « *Connais ton ennemi comme tu te connais, et en cent combats tu ne seras jamais défait* », écrivait Sun Tzu.

Par chance, à notre époque, chacun peut en toute occasion faire savoir au monde ce qu'il vit dans les moindres détails. Contrairement à Dorsay, dont les publications sur les réseaux sociaux sont rares et sibyllines, Jules a le bon goût de laisser chaque jour une trace numérique indélébile, toujours plus extensive, de son passage sur terre. Avec ce petit appareil qu'il sort de sa poche au moindre prétexte, il réalise un travail colossal d'enquête et de profilage, mieux que mille détectives lui collant aux fesses en toutes circonstances. Jules part au boulot. Jules sort du boulot.

Jules à la salle de sport. Jules au restaurant. Jules en boîte de nuit. Jules prend l'avion. Jules à la plage. Sans autre contrepartie que la promesse d'attirer sur lui quelques secondes d'attention, il alimente ainsi gratuitement une base de données encyclopédique à son sujet – un puits sans fond d'envies, d'humeurs et d'opinions gravées pour l'éternité. De l'or noir pour mes algorithmes. Je l'avais pourtant prévenu, lors de mon entretien d'embauche – mais il était trop affairé sur son téléphone pour m'écouter.

Le défi, c'est d'en extraire la substantifique moelle, l'infime part de connaissance utile noyée dans cette masse bruyante. Comme un orpailleur filtrant le sable à la recherche de poussières d'or, faire le tri entre l'essentiel et l'insignifiant, entre ce qu'il aimerait faire paraître et ce qu'il préférerait cacher. Agréger peu à peu les poussières en pépites, puis en lingots. Dresser l'inventaire de ses ressorts psychologiques, de ses désirs, de ses peurs, de ses failles... Jour après jour, faire apparaître des brèches, comme par magie sur l'écran. Observer les fondations de son personnage, si sûr de lui, se fissurer par endroits. Et dès lors, attendre que l'une d'entre elles s'ouvre, pour s'y engouffrer.

Il y a de quoi trouver l'ironie savoureuse : Internet et les réseaux mobiles avaient précipité l'effondrement de mon père, ils seront les fondements de ma victoire.

— J'ai fini. Tu veux relire avant que j'envoie le PowerPoint à Jules ?

Tournant son écran vers moi, Constance me montre une slide épurée, la photo d'une réceptionniste tendant une clé de chambre à un couple au bord de l'extase, assortie de ce commentaire : « *Parce que nous savons que la valeur d'une chambre est subjective, Alliance Hotels promet à chacun de ses clients une expérience et un tarif personnalisés, selon son profil.* »

— C'est parfait.

Sur la slide suivante, un visage de jeune femme indécise, au-dessus duquel flotte un nuage de bande dessinée figurant toutes ses envies du moment : fitness, lecture sur la plage, bronzette en bord de piscine ou massage relaxant. Et ce commentaire : « *Du parfum d'intérieur au type de chocolat déposé sur son oreiller, Alliance Hotels anticipe les attentes et désirs de chaque client, sans même qu'il ait à les formuler.* »

— C'est exactement ça.

Les deux autres slides sont du même acabit, propres, droit au but. Je suis pris d'une frayeur. Dorsay pourrait trouver la présentation si soignée que Jules finirait par sortir de Maldives pour annoncer à Constance : « Tu viens à Val d'Isère avec nous ! » Je ne m'en remettrais pas.

En plus, je sais qu'elle le suit sur Instagram. Ce matin, elle a même *liké* sa photo, prise depuis la fenêtre de sa chambre, au dernier étage, avec vue sur le Sacré-Cœur. L'enfoiré. L'agent immobilier m'avait pourtant certifié que ces appartements-là étaient inaccessibles, même pour un consultant en stratégie, la faute aux émirs du Golfe et aux oligarques russes, « prêts à payer une fortune pour une vue sur les toits de Paris ».

Cinq minutes plus tard, ça ne manque pas, Jules vient nous voir. Son parfum Tom Ford, agressif et prétentieux, se mêle à celui de Constance. Sans gêne il pose les mains sur ses épaules pour la féliciter devant moi :

— Stan a beaucoup aimé tes slides.

Ce sont techniquement *nos* slides, mais il y a plus grave : je m'attends à ce que mon cauchemar se réalise, d'une seconde à l'autre. Le volume de sa voix paraît étudié pour que tout l'étage l'entende. Pourtant l'essentiel est dans le non-dit, là encore, dans sa posture à la fois invasive et fuyante, comme si c'était elle qui réclamait son attention plutôt que l'inverse – je revois Dorsay face à Leila Belkacem. En bon imitateur, Jules semble connaître l'exact bon dosage des choses, savoir être tactile sans en avoir l'air, séducteur sans qu'on puisse en être sûr. Je rêverais qu'elle le repousse mais ça n'arrivera pas, elle rougit même un peu. Ulcéré mais digne, je scrute mon adversaire, avec un mélange d'impatience – quand va-t-il lui foutre la paix ? – et de curiosité – comment fait-il ?

10

Sur un ton solennel, le serveur annonce un tartare de langoustines, assorti d'épices et de condiments asiatiques. Pendant sa récitation, le sommelier remplit nos verres de meursault premier cru. Derrière la verrière, le jardin d'hiver du Baudelaire – le restaurant étoilé choisi par Igor, vers Madeleine – subit une nouvelle averse de pluie glacée. Nous baignons à trois dans un luxe discret, jamais ostentatoire. Les lumières d'ambiance, les senteurs de bois d'oud et la musique classique ne s'imposent jamais à nos sens : elles restent à l'arrière-plan, comme nos serveurs, à distance mais toujours disponibles. Il n'y a pas foule pour un jeudi soir. Constance, selon ses propres dires, est un peu pompette :

— Victor, ton benchmark des process collaboratifs d'open innovation pointe un certain nombre de gaps et de synergies win-win à adresser de manière transverse, en bottom-up.

Exceptionnellement, nous avons quitté le bureau vers 19 heures. Puisque Jules et Dorsay se pavanent au ski depuis trois jours – sans Constance, quel soulagement –, nous avions bien le droit, nous aussi, à notre petit séminaire. C'est au Harry's Bar, vers le troisième cocktail, que ce jeu a commencé. Igor s'est mis à singer le vocabulaire des consultants et, très vite, ça a viré au concours d'imitation. D'ailleurs, c'est mon tour :

— Oui mais, la sérendipité du wording et de la méthodologie mise en œuvre aurait besoin d'être challengée. En next step, je calerais bien un stand-up meeting pour brainstormer avec tous les team leaders.

Les éclats de rire se succèdent, un peu forts pour l'endroit. C'est la première fois que je retrouve Constance dans cet état, à peu près aussi éméchée qu'au Pré Catelan. Jusqu'ici pourtant, elle ne m'envoie pas plus de signaux que d'habitude. Et si j'avais tout imaginé – ses rougissements, nos messages cachés sous les tables de réunion ?

De nous trois, c'est encore Igor qui les imite le mieux :

— Attention, on parle d'un pivot stratégique, il faut d'abord drafter le MVP et acculturer les parties prenantes pour tester leur appétence et collecter leur feedback. Sinon j'ai peur que le branding soit trop confusant.

Parler consultant, c'est tout un art. Chez B&G, notre jargon s'enrichit chaque jour de nouveaux anglicismes fumeux, pour donner l'impression d'une innovation conceptuelle et d'une émulation permanentes – ou peut-être pour s'assurer que personne ne puisse nous comprendre. Il faut croire que rien n'a changé, depuis l'aube de l'humanité. Toute tribu, pour se forger un sentiment d'appartenance, doit inventer son propre langage. Pour notre trio, tourner en dérision cette novlangue, c'est un peu déjà s'échapper de la horde, entrer en dissidence.

Constance, justement, porte un toast :

— Aux *misfits* !

— À nous.

— Aux *misfits*.

L'identité de notre petit groupe s'est ainsi définie ce soir, par opposition : le terme *misfit* – inadapté, inadéquat – signifie que nous ne sommes pas des consultants modèles et qu'aucun de nous n'entre dans le moule. De ce handicap, nous avons fait notre connivence. Chacun de nous, à sa manière, est une anomalie du processus de standardisation. Les émotions à fleur de peau de Constance lui défendent de prendre une autre posture que la sienne. Les monologues sans filtre d'Igor l'empêchent d'être pris au sérieux en tant que manager potentiel. Quant à moi, en dépit d'indéniables progrès, améliorer mon savoir-être est encore un combat quotidien contre ma propre nature.

La richesse des saveurs et la tendreté des langoustines font naturellement baisser le volume et retomber l'euphorie, pour quelque chose de plus feutré. Je cherche à me rassurer : c'est par timidité, plutôt que par manque d'intérêt, que Constance ne me lance aucune perche. Elle se fait d'ailleurs peut-être la même remarque à mon sujet.

Tandis que le serveur débarrasse son assiette, elle plonge ses yeux verts dans les miens. Je me dis que ça y est, que l'heure est venue, qu'elle s'élance enfin... mais pas du tout.

— Tu crois que Brisson va s'en sortir ?

Sa question efface ce qui restait de sourires autour de la table. L'affaire est sérieuse, peut-être même grave. Avant de partir pour Val d'Isère, Jules a convaincu le N +2 de Maurice Brisson de lui coller un avertissement, pour retards répétés. D'une bassesse légendaire, le disciple avait relevé tous ses horaires de départ et d'arrivée depuis décembre. Résultat, Maurice est en arrêt maladie. On ne l'a plus revu depuis deux jours.

Igor répond à ma place :

— C'est dur à dire, mais c'était prévisible. On nage en plein dilemme du prisonnier.

Constance fronce les sourcils, ils ne devaient pas enseigner la théorie des jeux, dans son école de commerce. Qu'à cela ne tienne, Igor se lance déjà.

— Imagine, tu viens de braquer une banque avec Victor. Un inspecteur de police vous interroge dans deux salles séparées. Il te propose de dénoncer ton complice : lui écopera de cinq ans de prison tandis que toi, tu seras immédiatement libérée. Sauf si Victor te dénonce, lui aussi : vous prendrez alors deux ans chacun.

— Et si personne ne dénonce personne ?

— Dans ce cas, on vous relâche tous les deux dans une quinzaine de jours, faute de preuves.

Constance me sourit, amusée par ce cas de figure. J'aurais préféré le lui expliquer moi-même : j'aime sentir son attention sur moi quand je lui parle de mes « trucs de geek », comme elle dit.

— Et l'inspecteur propose la même chose à Victor ?

— Exactement. Lui aussi doit choisir.

Elle réfléchit quelques secondes à sa décision. Mais la puissance du dilemme du prisonnier, c'est qu'il oblige à penser d'une certaine manière. S'ils pouvaient se mettre d'accord, les deux braqueurs en arriveraient vite à la conclusion qu'il vaut mieux ne pas se dénoncer l'un l'autre. Mais, mis en compétition, tous deux tâchent d'anticiper le choix de leur complice et de prendre l'option la plus rationnelle. *S'il me dénonce, mieux vaut que je le dénonce aussi : je ferai deux ans de prison plutôt que cinq. Et s'il ne me dénonce pas... Mieux vaut que je le dénonce quand même : je serai libre immédiatement plutôt que dans quinze jours.*

— Bon, désolée Victor, mais j'ai décidé de te balancer.

— Je te rassure, moi aussi.

On échange encore un sourire, nos regards s'attardant un instant l'un sur l'autre. Le mien se détourne en premier. Igor jubile.

— Tu vois l'idée ? C'est toujours l'inspecteur qui gagne. Vous finissez par faire ce qu'il espérait alors que vous n'y aviez aucun intérêt ! Vous auriez pu faire quinze jours de prison, vous allez en prendre pour deux ans, tu te rends compte ?

— Soit, mais quel rapport avec Maurice ?

— Eh bien, au début de la mission, Jules avait besoin que l'un des deux coopère : soit Fred, soit Maurice. Alors, il les a mis en compétition. Ils auraient eu intérêt à rester solidaires et laisser Jules se débrouiller seul – il se serait retrouvé coincé. Mais Fred a dû soupçonner que Maurice le lâcherait tôt ou tard, alors il est allé se coucher en premier. Résultat, Fred est libre et Maurice prend cher.

Je reconnais bien là les tactiques décrites dans les carnets de mon père. Mettre ceux qui pourraient vous faire obstacle en concurrence, les couper de leurs alliés. Les pousser à s'isoler, s'ostraciser puis disparaître, en silence.

— C'est assez dégueulasse.

Constance n'a pas tort. Il y aurait même beaucoup d'autres choses à dire, mais je me contente d'acquiescer. Je ne veux pas fragiliser ma couverture.

Le serveur nous apporte un filet de sole avec des légumes d'hiver décorés par cinq traits de sauces multicolores. L'assiette ressemble à une toile d'art contemporain. Autour de la table, je sens comme une hésitation. On pourrait profiter de cette interruption pour revenir à des choses plus légères, et finir notre repas dans l'euphorie où nous l'avions commencé. Ou rester sur ce début d'indignation de Constance, pour l'approfondir. Je ne sais pas, moi. On pourrait se dire ouvertement ce qu'on pense des ordures pour lesquelles on bosse, à commencer par Dorsay. Se mettre à parler franchement des raisons pour lesquelles un pur homme d'affaires comme lui, qui n'a jamais écrit une ligne de code de sa vie, a monté B&G Disrupt, de son exploitation méthodique de nos expertises et des profits qu'elles génèrent... Des différences injustes de traitement entre un col blanc comme Jules – qui passera immanquablement manager en juin – et un geek comme Igor – qui se fera probablement recaler une fois encore... De leur façon convenue d'accaparer nos thèses et nos mérites, au seul prétexte qu'on n'a pas leur posture et leurs codes, ceux de l'espèce dominante... Et si la parole se libérait ainsi, quelle serait alors la marche à suivre ? Devrais-je aller dans le sens du vent, ou garder ma précieuse réserve ? C'est que la discussion pourrait déraper, tourner à la mutinerie, à la révolte des *misfits*. On pourrait décider collectivement de ne mener la mission Alliance Hotels à son terme qu'une fois nos revendications entendues. 1) Laisser Maurice tranquille, lui allouer un bureau décent. 2) Promouvoir Igor au rang de manager. 3) Nous inviter au prochain séminaire, à Val d'Isère ou ailleurs. Dès lors, je pourrais dire adieu à ma couverture.

Le silence s'éternise, à peine troublé par le bruit des fourchettes. Le plat nous offre une impressionnante variété de textures et de saveurs. Ça mérite vraiment de se taire et tant mieux, car c'est objectivement la meilleure chose à faire. En entreprise, c'est bien connu, il y a deux thèmes sous autocensure implicite : la politique et la religion. J'ai déjà entendu des consultants parler de sexe, de drague, d'infidélité, d'alcool, de cocaïne ou de MDMA sans que ça choque personne. Mais étaler ses convictions sur la justice ou la morale peut vite passer pour obscène. On considère que ces choses-là sont du ressort de l'intimité. Vous pouvez croire en ce que vous voulez, en l'égalité des chances ou à la Vierge Marie, à condition de le garder pour vous. De même, si vous commentez un fait d'actualité, assurez-vous que l'eau soit bien tiède : une opinion mal tempérée pourrait aussitôt vous faire cataloguer comme extrémiste. À l'approche de ces thèmes, la tactique la plus répandue, c'est encore d'attendre qu'un autre prenne la parole. En l'occurrence, Igor :

— De toute façon, il n'y a rien qu'on puisse faire. Ces types-là font le jeu du système, ils sont intouchables.

Ma mâchoire se contracte. Bien que sincère, sa résignation fait offense à tout ce qui m'anime. Si c'est le cas, si tous les Jules et les Dorsay du monde ont gagné d'avance, alors à quoi bon se lever le matin pour aller travailler, perpétuer un modèle qui les avantagera toujours ? À quoi bon croire au mérite, à la justice, au progrès, à l'avenir ? Si Igor a raison, alors mon père aussi, quand il écrivait avant sa mort : « *On nous a fait croire qu'il y avait un nouveau monde à bâtir, d'autres Terres à découvrir et plein de places à conquérir. On nous a dit que c'est en participant à cette marche universelle qu'on deviendrait quelqu'un. Mais la course était jouée d'avance, toutes les places étaient déjà prises. Et maintenant que tout est découvert, que notre monde n'est plus infini, on nous dit de rentrer chez nous. L'Histoire est terminée, il n'y a plus rien à conquérir.* »

Mais Igor et mon père se trompent, tous les deux :

— Personne n'est intouchable.

La sentence est partie malgré moi. Constance et Igor me dévisagent fixement, attendant la suite de mon argumentation. Merde, quelle idée d'avoir dit une chose pareille à voix haute ! Je dois noyer le poisson. Ne pas changer de sujet trop abruptement – ce serait suspect – mais l'attiédir au plus vite. Quitte à me faire l'avocat du diable :

— Et puis le problème n'est pas là. Je suis sûr qu'au fond, Jules ne s'en rend même pas compte. Il fait ça parce que c'est le mode opératoire, le cahier des charges.

— Ah mais là-dessus on est d'accord. D'ailleurs...

Sauvé : la discussion change d'aiguillage. Igor postule qu'environ 80 % de ceux qu'on désigne comme des consultants modèles ne sont en fait que des bons élèves, qui se contentent d'imiter leurs managers et de suivre leur exemple à la lettre. Je hoche la tête, Constance termine sa sole. La sortie de route est évitée.

Quand on retire nos assiettes, déjà, un nouveau jeu s'est mis en place, consistant à classer les consultants B&G en trois catégories : les *modèles* qui établissent le standard à suivre, les *bons élèves* qui cherchent simplement à leur ressembler et les *misfits* qui ne veulent pas – ou n'arrivent pas à – entrer dans le moule.

Jules Duphot, bon élève. Aude Barthélemy, bonne élève. Amélie Gibert, *misfit* « en passe de devenir bonne élève », commente Igor avec une pointe d'amertume. Stanislas Dorsay, modèle, évidemment. Et Anna Fourcade ? Nos yeux se tournent vers Constance, qui a la chance de l'avoir pour manager – à en juger par son statut de *fast-track*, je dirais qu'elles sont en bons termes.

— Aujourd'hui modèle, clairement. Mais ancienne *misfit*.

Elle nous fait alors le récit de la formidable ascension de cette jeune femme timide et solitaire, au parcours remarquable – Sciences Po puis Harvard –, qui a su vaincre sa peur des autres pour devenir une manager charismatique et inspirante. Une hagiographie qu'Igor tient à relativiser :

— Avec un visage comme le sien, c'est tout de même plus facile.

Je me tais, encore un sujet glissant. Pour moi c'est clair, il y a trois thèmes à proscrire : la religion, la politique et Anna Fourcade. Moins je me prononce sur la question, mieux je me porte. De toute façon, c'est une affaire classée. Je me suis ridiculisé face à elle, il n'y a plus rien d'autre à penser ni à dire.

— Détrompe-toi, elle n'a pas toujours été comme ça ! À la base, c'était plutôt quelqu'un comme nous. Tiens, regarde...

Sur ces mots, Constance sort et tapote son iPhone – gracieusement offert à tous les consultants B&G, au prix d'être joignables à toute heure – pour trouver une publication d'Anna sur Instagram. Igor n'en croit pas ses yeux.

— Merde, c'est dingue !

— C'est une photo d'elle il y a dix ans, à Sciences Po, qu'elle a repostée récemment.

Igor me montre l'écran. Je dois m'emparer du téléphone et plisser les yeux pour reconnaître le visage de ma blonde solaire. C'est pourtant bien elle, mais tellement sage et tristement ordinaire, sans aura ni caractère. J'essaie de m'expliquer l'ampleur du contraste mais, à part une coupe de cheveux plus classique et des sourcils moins soigneusement dessinés, je ne trouve aucune différence notable. Quelques changements imperceptibles ont fait disparaître sa beauté, comme mon algorithme avait supprimé l'amour du visage de Marion. Je me demande : *Si je publiais une photo de moi datant du lycée, les gens verraient-ils une aussi grande différence ?*

— C'est très stimulant je trouve, une telle métamorphose. D'ailleurs, elle me donne plein d'astuces et de conseils pour progresser, vaincre ma timidité, gagner en prestance...

Constance poursuit son éloge avec un aplomb confinant à la ferveur. C'est tout de même un peu paradoxal : derrière son apparente fierté d'être hors du moule, elle fait tout pour gommer ses inadéquations, en suivant le modèle d'Anna. D'ailleurs il en va de même pour Igor, qui ne peut jamais tenir une conversation sans évoquer son mentor :

— Anna t'a déjà parlé de Dorsay ?

— Non, répond-elle, enfin seulement sur un registre professionnel.

Manifestement chacun d'eux, tout en se disant *misfit*, rêve secrètement de se conformer au modèle. Moi aussi, certes, mais ça n'a rien à voir : je suis en guerre.

— Tu m'étonnes. Ça ne doit pas être facile pour elle.

— Comment ça ?

— Je ne sais pas... Ça doit être frustrant, comme relation. Faire comme si personne n'était au courant alors que tout B&G le sait. Et voir son mec fricoter avec toutes les consultantes aux yeux de tous...

Contrairement à la plupart des activités humaines, la relation entre Anna et Dorsay ne laisse aucune trace visible sur les réseaux sociaux. De fait, son récit repose exclusivement sur un support oral, intangible : la rumeur. Je n'ai jamais rien voulu savoir car très vite, ma curiosité aurait été mal interprétée. Cela dit, maintenant que le sujet est sur la table, autant tendre l'oreille. Pour faire diversion, je fais défiler d'autres photos sur Instagram.

— Et qu'est-ce qui te fait croire qu'Anna ne fait pas la même chose ?

— Euh, je ne sais pas. Le récit dominant, c'est plutôt que Dorsay se fout un peu d'elle.

Je reste à l'écart de la discussion, sans en perdre une miette. Pendant ce temps, Anna Fourcade apparaît à l'écran sous tous les angles, inaccessible et rayonnante à nouveau. Anna en vacances au Cap-Ferret. Anna boit une coupe de champagne. Anna sur un voilier. Anna mange des fruits de mer.

— Parce que c'est forcément l'homme qui s'amuse, n'est-ce pas ? Et la femme qui attend désespérément qu'il la rejoigne dans son lit triste et froid ? Et si elle était juste plus discrète que lui, tu y as pensé ?

Une notification de SMS jaillit soudain du haut de l'écran. Expéditeur : Jules Duphot. « *De retour de Val d'Isère, il faut que je te raconte ! On se prend un verre à Grands-Boulevards ?* » Il est 22 h 10, mon cœur s'arrête.

— On est au XXIe siècle, Igor. Les femmes aussi sont libres de suivre leurs désirs. Et je ne suis pas sûr qu'à ce jeu-là, Dorsay fasse mieux qu'elle.

Constance ne parle plus avec ferveur, cette fois, mais en connaissance de cause. Je la découvre sous un nouveau jour, soudain plus mondaine, moins innocente... et plus attirante encore.

Le serveur apporte le dessert : ganache aux trois chocolats, crème glacée au yuzu. Igor a fini par se taire, parce qu'on en arrivait au sujet qu'il maîtrise le moins. J'ai rendu son téléphone à Constance, qui l'a rangé sans consulter ses messages. Depuis, mon cerveau cherche à estimer la probabilité qu'il soit trop tard, que Jules l'ait déjà séduite et qu'elle soit passée à l'ennemi sans nous prévenir. Une haute trahison à laquelle je refuse encore de croire, même si à bien y réfléchir Constance n'est pas exactement comme nous. Elle est issue d'école de commerce, sa peau reste bronzée même en hiver, et elle n'avait jamais vu un script python avant de me rencontrer.

Pas question cependant de m'avouer vaincu. Jules est certes un séducteur plus expérimenté, mais je suis meilleur stratège. La stratégie, c'est une invention des inadaptés pour vaincre les forts, une arme taillée par le cerveau de nos ancêtres pour compenser l'infériorité de leurs corps, lents et vulnérables, sans crocs ni griffes, face aux prédateurs plus chevronnés. C'est par la ruse qu'aux yeux de l'évolution, l'Homme est passé de *misfit* à *modèle* indétrônable. Depuis, ce combat se perpétue à travers les siècles, contre les héritiers d'une injuste position dominante.

Je lève mon verre « à la liberté ». Constance, agréablement surprise, me lance un joli regard, que je lui rends plus appuyé, plus pénétrant que d'habitude. Le maître d'hôtel apporte l'addition. C'est là, devant un menu dégustation à cent soixante euros par tête, que je passe officiellement à l'offensive.

11

Dehors, une pluie violente s'abat sur Paris. À l'arrivée du taxi, le chauffeur sort néanmoins de sa voiture, pour ouvrir la portière à Constance. J'annonce ma destination : Bourse.

— Et ensuite, métro Grands-Boulevards, c'est ça ?

Constance acquiesce timidement, elle n'est pas sûre. Il faut dire que depuis qu'elle a reçu ce SMS, je joue une partition sans fausse note, alternant entre regards complices et subtiles allusions à la soirée du Pré Catelan. J'ai même commandé trois digestifs en douce, pour gagner un quart d'heure avec elle. J'essaie de toujours faire en sorte que ses joues soient à la bonne couleur : mes regards restent appuyés jusqu'à les faire rosir à point, sans aller jusqu'au rouge vif. C'est interactif, comme un jeu vidéo. Ainsi, quand elle a finalement lu le message de Jules, j'avais déjà rattrapé une partie de mon retard. À ma connaissance, elle n'y a pas encore répondu. Tout reste jouable.

Dans la berline chahutée par d'imprévisibles rafales, nous échangeons des commentaires anodins sur le dîner, énumérant toutes nos raisons d'en garder un souvenir agréable. Elle complimente mon choix de vin, judicieux selon elle. Depuis mon déménagement, j'ai commencé à me constituer une cave, en lisant les conseils d'un blogueur spécialisé. Je lui liste mes bouteilles.

Elle se réjouit que je possède un pommard, exagérant sa fierté régionale – elle a grandi près de Dijon. Les choses se mettent en place, presque à notre insu. À aucun moment, me semble-t-il, je ne propose qu'elle monte chez moi. Je lui dis simplement que le caviste m'a conseillé de l'ouvrir rapidement.

Dans l'ascenseur, son visage exprime un calme imperturbable, qui tend à démontrer qu'on ne fait rien d'anormal ou d'important. Peut-être qu'elle ne passe véritablement chez moi que le temps d'un *petit verre*, comme elle l'a dit au bas de mon immeuble, et que dans un quart d'heure elle partira rejoindre Jules. En un coup d'œil, le miroir me renvoie tous les défauts qui pourraient expliquer qu'elle soit plus attirée par lui que par moi. Mon épi récalcitrant, les imperfections de ma peau, ma veste un peu trop ajustée, mon pantalon trop large en comparaison… Les industriels du désir vous font croire qu'en portant ce costume et cette chemise vous serez comme l'homme sur l'affiche, pour qui la réussite n'a plus aucun secret. Mais une fois votre achat consenti, mille autres détails apparaissent qui vous en distinguent encore. Avec mon rituel matinal, je suis certes sur la bonne voie, mais toujours loin du compte.

Constance est la deuxième personne – après ma mère – que j'aie invitée à franchir le seuil de cet appartement. Elle complimente mes choix de décoration, estimant que j'ai « beaucoup de goût ». Tout cet argent n'aura pas été englouti pour rien, mon intérieur fait une aimable publicité de moi. Un reflet du nouveau Victor, au design moderne, épuré. Elle s'étonne de la vitesse à laquelle j'ai déménagé. Il faut dire que j'ai tout laissé dans mon studio, meubles, objets et souvenirs. Hors de question de rapporter la moindre trace des années que j'ai passées là-bas, ni des eaux usées qui y croupissent encore – mélange de solitude, d'angoisse et de mélancolie. Il faut peu de ces saletés pour qu'elles prolifèrent à nouveau, encrassent les murs et contaminent chaque recoin du décor.

Cet appartement-ci n'a aucun passé, il est tourné vers l'avenir.

Constance en visite chaque pièce avec intérêt. Son regard plissé cherche des indices sur moi, comme s'il essayait de percer un brouillard. Dans ma chambre, elle s'attarde sur l'étagère où sont entreposés les carnets de mon père et d'autres ouvrages, comme *Stratégie Océan Bleu*, *The Lean Startup*, *Getting Things Done* ou *L'Art de la guerre*. Je mesure alors le danger que présente cette invitation chez moi. En gardant mes distances, je me donnais déjà tant de mal pour préserver ma couverture… Que va-t-il en être en la laissant entrer dans mon intimité, sans aucune préparation ? Que va-t-elle découvrir à mon insu ?

Pour l'heure, elle se contente de caresser précautionneusement la tranche des moleskines, comme dans une bibliothèque, sans s'enquérir de leur contenu. Même sa voix semble vouloir respecter la discrétion paisible des livres.

— Et cette cave, alors ?

La timidité change de camp. Je la guide vers ma cuisine en pesant chaque mot, chaque geste, comme si je savais ce que je faisais. Avec une application démesurée, je remplis deux grands verres à pied qui n'ont jamais servi. Constance lève le sien, les paupières à moitié closes et, dans un murmure, propose de trinquer « à cette soirée ».

Automatiquement, comme s'il s'agissait du mot de passe débloquant l'accès à un dossier protégé de ma mémoire, ses paroles déclenchent le souvenir de ma dernière soirée avec Marion, il y a cinq ans. Ce soir-là, on célébrait nos premiers partiels – elle en fac de lettres, moi en fac d'histoire. Lucas, un ami du lycée qui m'avait suivi à la Sorbonne, nous accompagnait sans que ça me paraisse étrange. Le champagne était mauvais, le bar prétentieux, la réalité hostile. Ensemble, on avait – ils avaient – trinqué « à cette soirée », la dernière.

Des sensations enfouies remontent à la surface. L'attente d'un sourire ou d'un regard de Marion, qui ne vient pas. L'impression d'être de trop, comme si c'était moi, bizarrement, qui tenais la chandelle. Nous passons dans un nouveau monde, celui des cours facultatifs, des soirées étudiantes et des gueules de bois en amphi. Quelle idée, aussi, de perdre mon père à ce moment-là ! Ils me conseillent de me réjouir un peu. Et moi, tel un autiste, je fais le pendule sur ma chaise, en avant pour remplir mon verre, en arrière pour le vider. C'est l'époque où je me noie. Pendant ce temps-là, eux badinent dans une tendre insouciance, comparant leurs souvenirs du lycée, cette période naïve et révolue où tout avait semblé se jouer alors que la vraie vie ne commençait qu'ensuite. Leurs regards fixés l'un sur l'autre, ils parlent avec détachement de ces profs qu'on n'entendra plus, de ces potes qu'on reverra de moins en moins, de tous ces gens qui avaient paru compter mais étaient déjà relégués à l'état de souvenirs. Plus tard, dans la pénombre, je m'endors avec Marion pour la dernière fois, dans sa chambre d'adolescente. En rentrant, nous n'avons pas échangé un seul mot. Moi, parce que je fais mine de n'avoir rien remarqué. Elle, parce qu'elle me quittera demain matin. Comme si de rien n'était, elle colle ses fesses à mon bassin tout en fermant les yeux. Je me demande à quoi, à qui elle pense, sans vouloir connaître la réponse.

Le lendemain, c'était sa fameuse phrase : « Si je reste, j'ai peur de sombrer avec toi. » À partir de là, j'ai été refoulé vers l'arrière-cour de sa mémoire, verrouillée à double tour, errant comme un fantôme entre le souvenir et l'oubli. C'est là, face à l'implacable résolution qu'elle avait prise en secret, que ma révolte a définitivement pris l'ascendant sur le reste. J'ai rompu avec mes émotions encombrantes et mes bons sentiments, en usant d'arguments similaires à ceux de Marion : *Désolé mais vous m'empêchez d'avancer, je n'ai pas d'autre choix*. La seule chose dont je n'ai pas su me défaire, c'est la solitude.

Depuis cette soirée, je n'ai plus passé la nuit avec une autre fille. Plus de cinq ans. Si Constance restait dormir, ce serait bien sûr un symbole appréciable, qui entérinerait ma renaissance. Forcément, le fait que Jules la convoite me la rend d'autant plus attirante. Il faut croire que ces choses-là fonctionnent un peu comme le *yield management* : si vous êtes plusieurs à vouloir séduire une même fille au même moment, son prix augmente – il faut faire plus d'efforts pour mériter ses faveurs.

Seulement voilà, depuis qu'elle a passé le seuil de ma porte, je n'ai plus la moindre idée de ce que je dois faire. J'ai oublié le mode opératoire. Pour une raison qui m'échappe, elle ne s'en est pas encore rendu compte. Elle continue d'assumer le jeu de séduction que j'ai moi-même instauré – sans doute à cause de mon costume, de ma déco ou du semblant d'audace dont j'ai fait preuve au restaurant – mais ça ne durera pas. Ce n'est pas moi qui lui plais, c'est mon personnage. Comment ne pas me trahir alors que son regard est braqué sur moi ?

Je l'invite à me suivre en direction de deux fauteuils, placés face à face contre la baie vitrée d'où on peut admirer les lumières de la ville dans une ambiance romantique, avec une table tout juste assez grande pour deux verres – agencement conçu pour ce genre de circonstances, je le comprends ce soir. C'est elle qui parle, pour l'essentiel. Tout en regardant par la fenêtre, elle encense Paris pour son architecture, moins pour ses habitants, qui s'appliquent tous à paraître plus importants qu'ils ne le sont. Tu parles. Pour l'heure, j'essaie surtout d'avoir l'air détendu. Elle raconte comment elle a quitté sa Bourgogne après le bac, pour faire une prépa littéraire puis intégrer Sciences Po pour deux ans, avant de bifurquer vers une école de commerce, deux ans là encore. Il semblerait que cette durée soit une constante, le temps exact qu'il lui faut pour se lasser d'un domaine et s'éprendre d'un autre.

— Rappelle-moi : tu es chez B&G depuis quand ?

— Moins d'un an, ça va. Ça nous laisse un peu de temps.

Son regard me fixe, plus longuement que d'habitude. Le mien se détourne rapidement. Puisque je ne sais pas quoi faire de mes mains, je saisis mon verre, mes yeux comme happés par l'extérieur.

Ainsi, pendant une éternité, un quart d'heure, une demi-heure peut-être, je me contente de jouer en fond de court : écouter, relancer, écouter, relancer, le dos solidement ancré dans mon fauteuil, les bras tendus sur les accoudoirs. À chaque réponse toutefois, je gagne un soupçon d'assurance. Peu à peu, j'ose des petites choses, je penche mon corps d'un centimètre ou deux vers elle… À force, au deuxième verre, un rapprochement s'opère. Elle parle un peu moins et je me tais un peu mieux. Je deviens capable de soutenir son regard plus d'une seconde. J'arrive même à la faire rougir à nouveau.

Je commence à penser qu'elle ne va pas repartir. En définitive, peut-être que je lui plais vraiment, qu'elle n'attend qu'un geste de ma part pour me le montrer. Cette perspective ravive de vieux réflexes enfouis. Une audace soudaine chasse mes appréhensions. En faisant toujours mine d'admirer la vue par la fenêtre, j'imagine trente-six façons de m'approcher d'elle pour l'embrasser. Mon cœur s'emballe à l'idée de chaque scénario, comme si ma vie dépendait de sa réaction. Dehors, une nouvelle averse éclate tout à coup. Des litres d'eau se déversent du ciel. Impressionnée, Constance regarde le spectacle à son tour et je profite de cette diversion pour franchir l'espace qui nous sépare.

À l'instant où nos lèvres se touchent, elle sourit d'abord, surprise par cet élan saugrenu, avant d'expirer une grande quantité d'air par le nez, comme si elle avait retenu sa respiration jusque-là. Le premier contact est d'une douceur extrême, presque excessive, comme si nous tentions d'allumer un feu en frottant deux brindilles trop fragiles. Mais elle continue de m'embrasser, avec une insistance encourageante.

J'ai de lointaines notions de la suite logique des événements. Après une phase d'acclimatation, la température devrait monter progressivement, nos peaux s'apprivoiser à leur tour, nos mains se lancer dans diverses explorations dont l'aboutissement serait de se retirer nos vêtements, avec langueur ou impatience, puis redoubler d'ardeur au contact et à la vue de nos torses nus l'un contre l'autre... Mais au lieu d'attiser mon appétit, ce scénario me décourage d'emblée : mes muscles sont plongés dans une torpeur tiède et paresseuse, peu propice aux grandes conquêtes.

Tout en la serrant contre moi, je m'efforce de retrouver le mot de passe, la commande qui ordonnerait à mon corps de se mettre en marche. Peut-être l'ai-je tant surveillé qu'il redoute, à présent, de me trahir en révélant quelque chose à ma place. Les yeux clos, je visualise un défilé d'images censées m'exciter, mais ce sont autant de coups de starter sur un moteur froid. Nos baisers s'allongent mais la température reste stationnaire. Je pressens la déception de Constance à son souffle et à l'impatience frustrée de ses gestes. Maintenant qu'il ne s'agit plus de guerre mais d'amour, pourrait-elle penser, il n'y a plus personne.

Je me rappelle à quel point j'étais ivre de désir pour Marion, et ce contraste est une énigme. Constance n'a pourtant rien à lui envier. C'est peut-être l'imminence de sa disparition qui me faisait tant d'effet, le fait de sentir que mes attentes étaient plus grandes que les siennes, qu'il me fallait toujours un peu la convaincre... Il se peut que je sois paramétré pour désirer davantage ce qui m'est inaccessible ou, du moins, ce qui menace de m'échapper. Chez Alliance Hotels, il arrive que mon algorithme gonfle artificiellement le prix d'une chambre d'hôtel pour laisser planer la crainte qu'elle devienne hors de prix, si le client n'achète pas rapidement. Sans doute faudrait-il que Constance me repousse pour que mon corps, enfin, m'obéisse...

Faute de mieux, la conversation repart, entrecoupée de caresses. Nos gestes restent dans le registre de la tendresse et de l'affection, territoire déjà vaste et toujours agréable à parcourir. D'une voix plus intime, elle me parle assez librement de son passé, sa famille, ses projets... Et il arrive naturellement qu'elle m'interroge en retour sur ces mêmes sujets. J'esquive alors les pièges, comme un politicien, n'offrant à chaque fois qu'une réponse courte et lisse qui n'engage pas à poursuivre : ma mère travaille pour un assureur, mon père dans les télécoms, on s'entend bien, oui, une famille normale. Pour fuir ces thèmes, je propose de jouer à *je n'ai jamais* : à tour de rôle, chacun dit une chose qu'il n'a jamais faite, et l'autre boit une gorgée de vin s'il est dans la situation contraire. Par exemple, quand je dis à Constance que *je n'ai jamais* embrassé personne de chez B&G avant ce soir, je suis infiniment soulagé qu'elle ne boive pas – j'ai donc bel et bien un coup d'avance sur Jules.

J'ai lu sur un blog qu'il s'agissait d'un jeu idéal pour un premier rencard. Il permet de connaître votre cible sous l'angle des transgressions dont elle est capable. Par exemple, au bout d'un quart d'heure, Constance me raconte ces dimanches où elle part seule en forêt, bouquiner sous un arbre en fumant « deux ou trois joints ». Je me rappelle alors cette petite boîte en métal laissée chez moi par Marion, seul objet – avec les carnets de mon père – que j'ai rapporté de mon studio. À l'intérieur, un morceau de shit enrubanné de cellophane, que j'envisageais de fumer le jour où j'aurais atteint mon but, pour fêter mon retour à l'insouciance. Mais ce soir, pour la première fois, j'imagine un autre symbole : je pourrais consumer ce dernier vestige de Marion avec celle qui lui succédera la première. Qui sait, cela pourrait faciliter mon lâcher-prise, éveiller toutes ces forces vives qui sommeillent en moi.

Après un aller-retour dans ma chambre, je tamise toutes les lumières. L'odeur de résine et la sensation collante sur mes doigts réveillent des souvenirs engloutis. Je n'ai plus fait ça depuis la rupture – j'ignore d'ailleurs si, après tant d'années, le THC agit encore. Cette substance était indissociable de Marion, nous avions notre rituel. Nous discutions d'abord beaucoup, de sujets très abstraits, puis nous nous taisions sans prévenir et nos consciences faisaient ensemble un voyage silencieux, partageant des rêveries dont nous faisions quelques récits lapidaires. Après avoir ainsi mêlé nos imaginaires, nos corps fusionnaient à leur tour. Au son des gouttes de pluie sur la fenêtre, je me diluais en elle comme un biscuit dans un bol de lait chaud. Et quand nous revenions à la réalité, imbibés l'un de l'autre, je nous croyais connectés chaque fois plus en profondeur, par des millions de fibres invisibles.

Un jour, quelques semaines avant sa mort, mon père en rentrant du travail nous a surpris dans ma chambre enlacés, un peu raides. L'odeur ne laissait planer aucun doute mais il a refermé la porte sans rien dire. Une fois Marion partie, au dîner, il m'a calmement expliqué ce qui le contrariait :

— Ta copine a tout le loisir de gâcher ses journées, faire des études de lettres et fumer des joints... Quand on naît dans une famille comme la sienne, l'échec n'existe pas. Si elle rate son diplôme, son père lui paiera d'autres études, lui ouvrira peut-être une librairie dans Paris, ou une galerie d'art... Mais chez nous, les règles sont différentes. La réussite ne se transmet pas par héritage, il faut la mériter.

C'est sans doute une des dernières conversations que nous avons eues. Je ne l'ai pas assez prise au sérieux, comme d'habitude. J'ai hoché la tête en fixant mon assiette, sans chercher à comprendre. Aujourd'hui, je sais qu'il avait raison. Pour nous, le succès se mérite.

Constance se lève et je pars me poster derrière elle, devant ma baie vitrée, pour lui tendre le joint. Sentant le rebond de ses fesses contre mon bassin, je m'en écarte un peu, pour qu'elle ne soit pas déçue de ne sentir aucune réaction. Dehors, le déluge est à son paroxysme. Le palais Brongniart, enneigé ce matin, baigne à présent dans un pédiluve d'eau sale à hauteur de chevilles. Les chemins tracés par l'homme ont disparu : avenues, trottoirs, voies de bus et passages piétons sont devenus rivières et torrents s'adaptant aux reliefs de la chaussée. Les marches descendant vers le métro s'apparentent à une chute d'eau tropicale. Derrière le double vitrage, le chaos n'est qu'une image, dont le spectacle se marie parfaitement avec la playlist *romantic lounge* qui s'échappe de mes enceintes invisibles. Constance dit qu'elle n'a jamais vu un tel désordre, et sa bouche en parlant diffuse une fumée blanche. Pour une raison qui m'échappe, j'ai davantage envie d'elle depuis qu'elle regarde ailleurs.

Je lui réponds que le désordre n'est qu'une apparence, un ordre qu'on ne comprend pas. Derrière chaque phénomène, torrent, courant, spirale devant nos yeux, il y a une équation mathématique, un ensemble de règles programmées à l'avance que cette chorégraphie est obligée de suivre.

Elle tend son bras en arrière, pour me caresser la nuque.

Derrière la forme des nuages, le sens et la force du vent, le mouvement des bancs de poissons, celui des ondes à la surface des mers, se trouve un seul code, logique, élégant, qui gouverne tout ce qu'on voit.

Les battements sous sa poitrine s'accélèrent à mesure que mes mains s'en approchent.

Notre mission sur terre consiste à déchiffrer cet algorithme invisible qui façonne le monde : la suite de Fibonacci, le nombre d'or, la structure de l'ADN ou les modèles de Turing sur l'émergence des formes naturelles en sont de précieux extraits.

Elle se retourne subitement vers moi, m'embaumant de son souffle et de ses phéromones. Son haleine m'est étrangement familière.

Face à un tel déluge, nos ancêtres ne voyaient eux aussi qu'un désordre incompréhensible, qu'ils attribuaient à des forces arbitraires – esprits ou divinités. Mais siècle après siècle notre modèle s'est affiné pour expliquer le jour et la nuit, le vent et la pluie, les tempêtes et les incendies...

Ses doigts fins étudient le mécanisme de ma ceinture et parviennent à la défaire.

Aujourd'hui, on sait analyser tout ce qui se passe à l'extérieur de nous. Mais c'est à l'intérieur que subsiste le désordre : la dernière limite de notre modèle, l'ultime territoire à conquérir.

J'ouvre son chemisier, découvre une infime trace de bronzage à la lisière de son soutien-gorge.

On peut faire voler un avion de cinq cents tonnes, envoyer des sondes au-delà du Système solaire, casser le noyau d'un atome, séquencer le génome entier d'un individu... mais il reste excessivement compliqué de piloter nos désirs et nos pulsions, nos rêves et nos cauchemars, nos souvenirs et nos angoisses.

Nos sous-vêtements gisent sur mon parquet verni.

Toutes ces forces intimes et ces territoires confinés sont régis par d'autres lois que le vent et la pluie, que la forme des nuages. Ils forment de petits mondes clos et délirants qui divaguent et se déforment au mépris de toute logique. Un univers de symboles, où nous passons le plus clair de notre temps.

Mes doigts reviennent trempés, victorieux d'entre ses cuisses. J'entends un hymne à mon triomphe et à la joie.

Nous avons un pouvoir divin sur ce qui nous entoure, mais nos décisions restent le jouet d'autres forces qui nous habitent, d'autres formes de vie qui grouillent, invisibles, dans le berceau liquide de notre corps.

Je m'assois sur le fauteuil, elle s'assoit sur moi.

Le chaos que nous appelions Dieu n'est plus à l'extérieur, mais dans cet océan primitif qui s'agite et n'attend qu'une chose : jaillir hors de nous, pour se déverser sur le monde.

12

Le Prescription Club est un *speakeasy*, le genre d'endroit idéal pour en finir avec sa timidité : un bar à cocktails sans devanture – comme ceux qui florissaient aux États-Unis pendant la Prohibition – à l'intérieur pelotonné, trop exigu pour la foule qui s'y amasse, ce qui incite naturellement à discuter avec son voisin, ne serait-ce que pour s'excuser de lui marcher sur le pied. Je retrouve Constance à une petite table en fond de salle. Tout de suite, elle veut savoir :

— Alors, tu en as combien ?

Nous nous sommes lancé le défi d'obtenir un maximum de cartes de visite en une demi-heure, l'objectif étant de sortir de notre zone de confort, de faire le premier pas. Rien de très original dans une soirée de *networking*, mais un effort déjà colossal pour des introvertis comme nous. J'ai tenté d'appliquer au mieux les conseils de l'article lu cet après-midi, « 10 astuces pour booster votre réseau ». Avec un résultat mitigé :

— Une seule, un type au comptoir, responsable commercial chez Microsoft, qui m'a parlé de cloud computing pendant vingt bonnes minutes avant qu'on échange enfin nos cartes. D'ailleurs, je l'ai senti très déçu de lire « consultant junior ».

La plupart des invités ont une trentaine d'années et affichent un niveau de réussite insolent, d'où le nom de ces soirées bimensuelles :

« les 30 glorieuses ». Constance et moi sommes incontestablement les plus jeunes et les moins haut placés. C'est moi qui ai insisté pour qu'elle persuade Anna Fourcade de m'inviter. Son groupe privé sur Facebook compte 261 membres de tous horizons : managers de cabinets de conseil, jeunes cadres supérieurs du CAC 40, valeurs montantes de la politique ou du sport business, avocats d'affaires ou ex-étudiants de Harvard ayant élu résidence à Paris… Ce n'est pas encore le gratin, mais la couche de crème juste en dessous. Ici, chaque participant orbite autour d'un patron célèbre, d'un millionnaire, de quelqu'un d'important… Et la plupart des conversations sont un prétexte à le rappeler.

— Et toi, combien ?

Loin de partir favorite, Constance a tout de même récupéré trois cartes de visite. Une victoire écrasante, qu'elle relativise aussitôt :

— J'ai eu de la chance. Je discutais avec une avocate et Anna est venue me présenter deux journalistes, qui ont fait Sciences Po comme nous.

Elle a su développer avec sa manager un niveau de complicité qui me paraît inconcevable avec Dorsay – quand on s'est croisés tout à l'heure, ce dernier n'a même pas fait mine de me reconnaître. En comparaison, à notre arrivée, Anna a fait la bise à Constance, lui a offert un pochon rempli de jetons de poker qu'elle avait mis de côté pour elle – une table a été dressée à l'étage, pour rester dans le thème de la clandestinité – en lui précisant qu'avec cette quantité, elle pouvait facilement s'offrir deux cocktails au bar. Puis elles ont échangé des messes basses et je me suis dit qu'elles parlaient de nous.

Depuis notre première nuit, Constance est revenue trois fois chez moi. Nos soirées suivent une même séquence, commençant par une bouteille de vin pour se terminer dans ma chambre. Nos ébats me font chaque fois un meilleur effet. Mon désir se nourrit du sien, parfaitement lisible… À l'opposé de Marion, dont la passion s'exprimait toujours par des voies ambiguës, son plaisir à elle est sans énigme, explicite, prévisible, et cette certitude de lui en procurer conforte mon appétit. Pour le moment, on se garde bien de définir ce qu'est cette relation – principalement une agréable parenthèse. Mais dimanche dernier, quand ma mère m'a posé sa question rituelle, je n'ai pas pu résister à l'idée de lui répondre pour une fois que oui, j'avais *quelqu'un en ce moment*. Elle était aux anges, presque émue, *depuis le temps*, ça m'a fait sourire.

D'un commun accord, pour éviter les rumeurs et complications, nous avons décidé de n'en parler à personne chez B&G, suivant ainsi le modèle de nos deux managers. C'est d'ailleurs la première fois que je revois Anna et Dorsay ensemble depuis la soirée annuelle – l'occasion de leur montrer que j'ai appris à me tenir. Mieux entraîné que l'été dernier, mon regard perçoit à présent mille indices attestant leur liaison, mais aussi quelques failles, subtiles et prometteuses. Par exemple, lui qui se comporte toujours en prince indifférent, considérant chaque femme comme conquise d'avance – ce qu'aucune ne s'empresse de démentir –, présente avec elle quelques signes de fébrilité. Ce n'est pas grand-chose, un soupçon d'inquiétude, un germe d'impuissance à obtenir d'elle toute l'attention qu'il voudrait, un ou deux regards en trop comme si elle risquait de le fuir. Mais une fois qu'on s'en rend compte, on ne voit plus que ça. Je me félicite : mon aptitude à détecter les signaux faibles s'améliore chaque jour.

Cinq minutes plus tard, alors que Constance et moi discutons à l'écart, Jules surgit, une coupe de champagne à la main.

— Vous networkez trop, vous deux ! Vous devriez faire une pause.

En intégrant le groupe, je n'ai pas été surpris de découvrir qu'il en était déjà membre – coopté par Dorsay, je présume. Comme d'habitude, il prend les airs de son modèle, en dépit d'un timbre de voix plus nasillard :

— J'ai échangé avec un mec super intéressant, qui vient de créer son propre fonds d'investissement. Il m'a montré sa villa sur la Côte d'Azur, je peux vous dire que c'est du très, très lourd.

Aussitôt, il s'assoit à côté de moi, sans pour autant parler moins fort. On reconnaît aisément l'un des leurs au fait qu'il ne doute jamais de l'intérêt que vous portez à ce qu'il vous raconte, partant du principe que tout ce qu'il pense est à dire et digne d'être écouté. Ainsi, ses pensées, sans temps ni silence, ne peuvent jamais mûrir, et arrivent à vos oreilles encore fades et stériles, sans aucun intérêt ni valeur nutritive. Face au vide, vous ne pouvez lui opposer qu'une gêne discrète et bien élevée, qui ne le dissuade jamais de poursuivre.

— Piscine à débordement, face à la mer. Des colonnes et du marbre partout. Une Ferrari, deux Jaguar. Et tu verrais sa femme, un bijou.

Cette ultime remarque m'était tout spécialement adressée – sa voix s'est atténuée d'un coup. Mise à l'écart, Constance observe la foule en sirotant son cocktail. Si j'osais, j'ignorerais Jules à mon tour pour ne parler qu'à elle.

— Et le pire, c'est qu'en discutant, on se rend compte qu'il bosse avec un ami de mon père, un mec qui m'adore. Du coup, il va nous inviter chez lui un week-end. Je te raconterai.

Le père de Jules siège dans plusieurs conseils d'administration du secteur bancaire, ce que son fils se plaît à signaler à la moindre occasion. Depuis son plus jeune âge, il a reçu la réussite en modèle et en héritage.

— D'où le champagne ?

Il ne saisit rien de mon sarcasme, qui doit apparaître dans son angle mort, ainsi que tout ce qui pourrait contrevenir à l'histoire flatteuse qu'il se raconte de lui. Affichant toujours son sourire satisfait, il répond :

— Ah non, ça c'est parce qu'on a quelque chose à fêter, Stan et moi. Une histoire de liste, c'est tout ce que je peux te dire.

Je voudrais comprendre, trouver un complément d'information derrière ses pupilles dilatées. Mais son regard doute si peu qu'il en est illisible. Tout à coup, il s'approche de moi comme pour me faire une confidence.

— Bon, et je voulais te remercier de t'être dévoué, pour Constance. Tu m'as sauvé d'une situation embarrassante.

J'ai beau savoir confusément où il veut en venir, je fronce les sourcils. Exactement ce qu'il espérait :

— Bah, tu sais, elle avait l'air vraiment très en demande, ces derniers temps. Elle me faisait plein d'appels du pied, à toi aussi j'imagine. J'ai même failli craquer un soir, et prendre un verre avec elle... Mais franchement, je ne le sentais pas, c'est le genre de fille à vite s'attacher, à tomber amoureuse, non merci quoi. Donc c'est cool de ta part, d'avoir pris les devants.

Il dit tout ça d'un air complice, confraternel. Rien dans son attitude ne laisse croire à un quelconque ressentiment.

— Et puis ça va, elle doit avoir un cul sympa quand même.

Piégé, acculé, je me résigne à hocher la tête en souriant, le regard vague. Pas encore rassasié, il me désigne Anna :

— Par contre, un conseil : tu devrais te faire plus discret quand tu la mates... On voit ta mâchoire qui tombe.

Il me tapote le dos comme si j'allais rire avec lui. Et j'obéis encore, par aveu de faiblesse. Son ascendant est total.

— D'autant que tu rêves un peu, là. Anna, c'est autre chose que Constance. Elle aime les vrais mecs, elle.

Après cette ultime remarque, il semble enfin repu, se relève et s'étire les muscles des bras. Enfin, je sors de ma réserve :

— Tu joues au poker ?

Un peu surpris, il accepte toutefois de faire une partie, plus tard dans la soirée. Une brèche s'ouvre. Bien à l'abri derrière son personnage, Jules ne perçoit de la réalité que ce qui renforce sa confiance aveugle et ses certitudes. C'est sa force, mais aussi sa plus grandc faille.

Une fois l'intrus parti, je demande à Constance sur un ton léger, comme si ça n'avait aucun rapport :

— Je t'ai déjà raconté la première victoire d'une intelligence artificielle aux échecs ?

J'avais trois ans quand a eu lieu ce match légendaire entre Deep Blue – programme conçu par IBM – et le champion du monde Garry Kasparov. Mais cette histoire a baigné mon enfance, mon père la ressortant à peu près une fois par an.

— Après avoir vaincu l'algorithme en 1996, le Russe avait donné une interview triomphale : la machine possédait certes une puissance de calcul inégalable et une mémoire illimitée, lui permettant d'anticiper une infinité de combinaisons puis de les comparer à des millions de parties passées... Mais il lui manquait une qualité primordiale, selon Kasparov : elle ne savait pas faire preuve de *stratégie*. L'homme, lui, pouvait duper son adversaire en lui offrant une position apparemment dominante, pour le piéger sur le long terme : Deep Blue s'était ainsi jeté sur plusieurs offrandes empoisonnées qui avaient causé sa perte.

Au bar, derrière Constance, Jules tend une coupe de champagne à Anna, une autre à Dorsay. Il lève la sienne, sans doute à cette fameuse liste, et je sens gonfler ma détermination. Par mes observations sur Instagram, je sais 1) qu'il joue régulièrement au poker chez Pierre Marcin, un manager, 2) qu'il ne gagne pas souvent, à en croire les commentaires et 3) que Dorsay lui-même participe régulièrement à ces soirées. Curieux, je me suis inscrit sur une application de poker en ligne, pour apprendre. J'ai lu quelques tutoriels et rapidement, j'ai développé une intelligence artificielle pour m'assister, en m'inspirant des nombreux algorithmes disponibles en *open source*. Très vite, j'ai réalisé que le principe du poker était le même qu'aux échecs : pour gagner, il faut *entrer dans la tête* de l'adversaire.

— L'année suivante, Kasparov affronte une nouvelle version de Deep Blue, optimisée par IBM. Très tôt, l'algorithme joue un coup étrange, sans intérêt visible ni explication rationnelle. Un coup *humain*, pense le Russe qui, dès lors, se met à douter : la machine est-elle devenue *stratège*, a-t-elle appris à duper son adversaire ? Se persuadant que l'intelligence artificielle est *entrée dans sa tête* et l'a piégé dans une série de coups qu'elle seule peut prédire, le champion déclare forfait par erreur – un match nul était encore possible. Kasparov s'en rendra compte mais trop tard, le mal est fait : Deep Blue a pris l'ascendant et l'homme ne parviendra plus jamais à le battre.

Ce qui vaut pour les échecs vaut pour le poker, comme pour tous les jeux de pouvoir. *Partout où il existe une compétition, avec des règles claires et définies à l'avance, il existe un algorithme capable de gagner à coup sûr.*

— Mais le pire, c'est qu'un peu plus tard, IBM expliquera que ce coup *humain* a été causé par un bug. Deep Blue étant incapable de prendre une décision dans le temps imparti, il a simplement suivi la procédure en jouant un coup aléatoire. Un coup sans intérêt ni explication rationnelle, fruit du hasard, a terrassé les certitudes de l'homme et retourné sa confiance contre lui.

Au sourire que m'adresse Constance, je jurerais qu'elle comprend où je veux en venir. Au bar, Jules a déjà vidé sa coupe aux deux tiers. Bientôt je monte au premier étage, en m'assurant qu'il le remarque. À la table de poker, il reste trois places. Je m'installe en attendant qu'il me rejoigne, idéalement avec Dorsay.

Ce soir, Deep Blue, c'est moi.

À la base, le poker est une affaire de calcul probabiliste. En fonction des deux cartes de votre main et des autres cartes découvertes, vous pouvez estimer votre probabilité de gagner. Ensuite, en fonction du pot – la somme des jetons déjà misée sur la table –, vous pouvez déduire votre *espérance de gain* : si vous avez une chance sur trois de gagner un pot d'une valeur de 300, votre espérance de gain est de 100. La moyenne de vos mises doit ainsi toujours rester inférieure à celle de vos espérances de gains. Sinon, sur la durée, vous perdez votre argent – c'est mathématique.

Jules arrive dix minutes plus tard :

— Tu as préféré t'entraîner un peu avant que j'arrive ? dit-il bien fort pour que toute la salle entende.

Ce genre d'intimidation fait sans doute partie de sa conception du bluff. Je suis déçu que Dorsay ne soit pas avec lui, mais j'avais prévu cette éventualité.

Comme tout jeu de stratégie, le poker est également une affaire d'asymétrie d'information : chacun des joueurs connaît une partie seulement des cartes et doit dès lors élaborer des hypothèses à propos de la main de ses adversaires. En ligne, mon algorithme m'aide à prédire les mains probables de chaque joueur, en fonction de son comportement – comparé à l'historique de ses mises, de ses temps de réaction, des cartes qu'il a dû dévoiler. À force de l'utiliser, j'ai moi-même appris à voir le jeu différemment.

Il y a trois catégories de personnes à une table de poker. Les bons joueurs, qui savent calculer leurs espérances de gains et miser en conséquence, mais dont le jeu peut s'avérer trop machinal et prédictible. Les très bons joueurs, qui savent en plus duper leurs adversaires en distillant des bugs dans leur jeu : des choix irrationnels, sans logique apparente, qui les rend illisibles. Et les mauvais joueurs, persuadés que le poker est un jeu de bluff et d'instinct, qui misent au gré de leurs humeurs et de leurs émotions. Gagner au poker consiste en grande partie à localiser ces derniers, à les appâter puis à n'en faire qu'une bouchée – raison pour laquelle les initiés leur donnent le nom de *fish*.

Jules appartient sans doute à cette dernière catégorie – il en a le profil – mais, pour l'instant, il est plutôt en veine. Au bout de vingt minutes de jeu, c'est même lui qui possède le plus de jetons. Par un rictus, il tente de cacher à quel point il est satisfait de lui-même, mais je vois qu'il jubile et ce n'est pas une mauvaise nouvelle : c'est quand ils sont au sommet de leurs certitudes que ces joueurs-là sont vulnérables.

Il faut en moyenne une demi-heure à mon algorithme pour détecter ses premières « bulles » – c'est le terme que j'emploie lorsqu'un joueur développe une confiance excessive dans son jeu, situation comparable à une bulle financière, où le marché surestime des actifs par rapport à leur valeur véritable. Jules, par exemple, est convaincu d'avoir compris mon jeu. À chaque duel, il me toise avec le même sourire en coin, pensant m'intimider. Je le conforte dans cette idée, en agissant avec une remarquable frilosité. Je contrôle ainsi l'histoire qu'il se raconte sur moi : mon jeu me ressemble, se dit-il, ennuyeux, rationnel et sans risque. Pendant ce temps, j'observe et localise ses angles morts, comme sa tendance à miser bien au-delà de son espérance de gain lorsqu'il touche une paire au *flop* – la troisième carte dévoilée par le donneur.

Après trois quarts d'heure, Dorsay nous rejoint. Le moment est venu de commencer à lâcher mes coups. Dans les minutes qui suivent, je récupère déjà le tiers des jetons de Jules, sur une double paire de 3 et de 5 qu'il ne soupçonnait pas, à cause de sa paire de rois qu'il voyait trop belle. J'ai d'abord misé tout doucement pour appâter le *fish*, avant de le saigner à la *rivière* – la quatrième carte dévoilée par le donneur. En encaissant la mise, je pense à ce qu'écrivait mon père : « *Le monde se divise entre ceux qui réussissent grâce aux cartes qu'on leur donne et ceux qui réussissent malgré elles.* »

À partir de là, je grignote la réserve de Jules en jouant agressivement dès que j'en ai l'occasion. Je suis dans sa tête. Il n'y a aucune continuité, donc aucune lisibilité dans mon jeu : il est en disruption permanente. À chaque nouvelle donne, mon petit poisson fronce les sourcils en cherchant à comprendre le coup d'avant. Je pense à la citation d'un *life coach* que je suis sur LinkedIn : « *Dans la vie comme en affaires, il faut toujours avoir un coup d'avance, ne jamais ressasser le coup d'avant.* »

Jules se met à miser de façon déraisonnable et colérique, fonçant sur tout ce qui bouge comme un taureau vexé. Pour le provoquer, je multiplie les duels. Au cinquième d'affilée, je lui annonce qu'en cas de victoire, je ne lui donnerai plus d'explication sur mes algorithmes pendant un mois – il devra les présenter avec ses propres mots. Ma réplique amuse tellement Dorsay que Jules est à deux doigts de perdre la face :

— Fais attention Laplace, je pourrais m'énerver.

Sur quoi son mentor en personne le recadre doucement :

— Détends-toi, Jules, c'est juste un jeu.

C'est finalement lui, comme un symbole, qui inflige le coup de grâce à son jeune disciple, profitant de son usure nerveuse pour le dépouiller des jetons qui lui restent. Le perdant se lève de table avec un sourire idiot, censé masquer son agacement. Pendant quelques secondes, il réussit même à faire croire qu'il relativise. Mais il ne résiste pas à lâcher, avant de partir :

— Tu as une chance de cocu, Laplace.

Je savoure son amertume, ultime pierre à l'édifice de ma victoire. Après son départ, Dorsay se tourne vers moi :

— Toi, on peut dire que tu caches bien ton jeu.

Je souris en pensant qu'Igor m'avait dit la même chose, après l'incident du Pré Catelan. Cette fois, la phrase sonne comme un compliment. Il me demande si je joue souvent au poker. Je lui parle de mon algorithme et, à ma grande surprise, ça l'intéresse. Il me relance, me pose des questions sur son fonctionnement. Grisé, je lui récite tout mon refrain : détecter les bulles de confiance artificielle, calculer l'écart entre la perception des autres et la réalité, localiser le *fish*... Je sens qu'une fenêtre s'ouvre, c'est bien la première fois qu'il me témoigne un tel intérêt. Il finit même par proposer :

— Avec tous les jetons que tu as gagnés, tu m'offres un whisky ?

Pas question de laisser passer une telle opportunité. Ma victoire de ce soir n'est qu'un avant-goût, un entraînement à battre un adversaire ayant de meilleures cartes que moi.

Un jour, ce sera son tour.

Pour l'heure, je trinque donc au bar avec l'ennemi, qui me demande si j'ai réfléchi à d'autres cas d'usage que le poker :

— Détecter les bulles de confiance, dit-il d'un air songeur, ça peut être utile à beaucoup de choses.

Anna vient spontanément se joindre à nous, comme pour ajouter à mon triomphe, et m'écoute parler de mon algorithme avec une douce attention. Contrairement à ce que j'aurais pu craindre, elle se comporte avec moi de façon parfaitement légère, anodine, comme si le Pré Catelan n'avait jamais existé. Je m'exhorte à ne pas la trouver trop belle, ce qui n'est pas simple. Elle s'est maquillée cette fois, et de façon spectaculaire : ses yeux étirés au crayon noir, ses paupières teintées d'encre aux reflets bleus, sa peau rosie comme sous l'emprise d'une émotion permanente la font ressembler à ces publicités que les industriels du désir collent aux arrêts de bus, pour vendre bijoux et parfums. Difficile de croire qu'elle ait été quelqu'un comme nous. De temps à autre, je me demande si elle me voit comme un *vrai mec*... Puis je passe à autre chose.

Bientôt Constance rejoint notre groupe à son tour, tandis que Jules multiplie les coups d'œil envieux dans notre direction. Je m'amuse de ce que nos deux couples secrets se retrouvent face à face, temporairement au sommet du *PageRank* : *misfits* d'un côté, modèles de l'autre. Sans rien dire de particulier, j'en profite pour rendre visible à Dorsay ma transformation depuis le Peninsula. Désormais, je peux discuter business autour d'un single malt, obtenir la carte de visite d'un inconnu, garder mes distances avec Anna Fourcade, humilier un supérieur hiérarchique au poker, séduire une consultante, avoir une liaison secrète avec elle…

Certes, un monde nous sépare encore, mais il se rétracte à vue d'œil.

IV

Septembre 2018

Affinage des variables

13

8 heures. À cette heure-ci dans le métro, on ne croise que des gens comme moi : des jeunes *proactifs* en nuances de gris, reconnaissables à leur pas nerveux, leur regard impassible et leur esprit déjà au travail. Ma nouvelle tribu. Ce qui nous lie, c'est cette volonté quotidienne de démarrer la compétition avant les autres, d'arriver les premiers au bureau et cocher quelques items de notre *to-do list* avant d'être rejoints par le reste de la horde. Certains vont jusqu'à sortir leur ordinateur portable dans la rame, grappillant encore de précieuses minutes.

C'est en prépa qu'on nous a inculqué à tous cette habitude d'aller chercher le temps là où il se cache – aux heures de repas, au lever du jour ou tard dans la nuit – pour avoir toujours un coup d'avance. J'ai longtemps critiqué cette méthode mais il faut admettre qu'elle porte ses fruits. En juin, j'ai été promu consultant confirmé dès ma première évaluation, au cours de laquelle Dorsay m'a officiellement affublé de l'étiquette *fast-track*.

8 h 07. À la station Concorde, je change de ligne en moins d'une minute. La foule qui se presse dans les couloirs présente de troublantes similitudes avec mon dernier cauchemar : encore un escalier à gravir, de toute urgence pour échapper à la montée des

eaux, et une armée de clones en costume-cravate jouant des coudes pour atteindre le sommet avant moi. Je pourrais ressentir la même angoisse, à voir cette cohue de corps se compactant sur l'escalator, allant dans une seule et même direction.

Heureusement, pas besoin de lever les yeux de mon téléphone, je connais le chemin par cœur. Sur mon écran, j'accède à une réalité réconfortante et lointaine, filtrée selon mes préférences. Tandis que la voix robotique me résume l'actualité du jour – attentat terroriste à Londres, records de fonte battus cet été par la banquise, sortie du nouvel iPhone – je fais défiler les 49 commentaires au message qu'Anna Fourcade a posté sur LinkedIn, annonçant son départ de B&G : elle déménagera en Californie dès la fin du mois, pour intégrer la maison mère de Facebook. Comme aux Oscars, elle tient à remercier tous ceux qui ont participé à faire d'elle ce qu'elle est devenue. Dorsay a beau être gratifié du paragraphe le plus élogieux, ce départ soulève bon nombre de questions. Était-il au courant ? Et quand bien même, était-il d'accord ? Si oui, a-t-il prévu de la rejoindre ? À ce sujet, la rumeur se déchaîne.

— *Sorry*.

— Pardon.

Je dois revenir partiellement à la réalité, pour éviter un con de touriste qui n'a pas compris le sens giratoire. Je ne lui décoche pas un regard. Sans lever les yeux non plus, je laisse une pièce à l'homme qui fait la manche à l'entrée du quai, direction La Défense. Lui fait l'expérience directe de ce monde souterrain, sans écran ni filtre. Même si nous, proactifs, feignons d'ignorer sa présence, son odeur âcre nous confronte chaque jour à la vérité de nos corps, à ce qu'ils seraient sans tous ces produits dont les publicités ornent le mur d'en face – gel douche au guarana, déodorant longue tenue, parfum Dior Homme Intense. Comme un rappel à l'ordre quotidien : voilà ce qui vous arrive quand la horde vous distance.

9 h 30. Réunion d'équipe à propos du Sonar – le nom que j'ai donné à mon algorithme, en clin d'œil à la technologie qu'utilisent les bateaux de pêche pour détecter les bancs de poissons. En mars, Dorsay a recruté deux développeurs pour m'aider à décliner mon logiciel à destination des banques. Au poker et sur les marchés financiers, dans les paris sportifs ou l'immobilier, le jeu consiste toujours à localiser le *fish*, à profiter de ce que vos adversaires estiment moins bien que vous la valeur des choses. Le Sonar aide les investisseurs à détecter les bulles aux premiers signaux faibles et à prédire leur éclatement quand les marchés sont encore euphoriques.

Mes développeurs, Steph et Nico, ont le profil idéal selon Dorsay : des types très intelligents mais peu sûrs d'eux qui vont s'obliger à surperformer pour se sentir à la hauteur. J'imagine qu'il me percevait ainsi, avant ma victoire contre Jules. Comme moi, mes deux geeks auraient sans doute eu le niveau pour rejoindre Google ou Amazon, mais il a réussi à les convaincre de préférer bosser pour nous. Leur allure de *misfits* est rafraîchissante au milieu des clones costumés de l'avenue Marceau. Ils utilisent un jargon technique que je suis à peu près le seul à comprendre, formidablement éloigné de la novlangue du conseil. À côté d'eux, je passerais presque pour un consultant modèle.

Pour les motiver, dans une salle de réunion du troisième, je leur serine que *le time-to-market est le nerf de la guerre* et qu'il faut *arriver les premiers sur le marché*, se dépêcher de croître pour *décourager d'emblée toute concurrence*. En guise de réactions, Steph réprime un bâillement et Nico boit une gorgée de son macchiato. Jusqu'à il y a peu, j'aurais accueilli ce genre de discours avec la même indifférence. Ces types n'ont pas besoin qu'on les stimule : ce sont des machines, des intelligences à l'état brut, consommant en entrée du café pour produire des lignes de code en sortie. Grâce à leur aide, le Sonar détecte une nouvelle bulle toutes les huit secondes en moyenne.

12 heures. Je déjeune avec Igor sur l'avenue Hoche. D'emblée, il me confie qu'il a posé sa démission ce matin. Je ne suis pas étonné, son départ était annoncé depuis les évaluations annuelles, Dorsay ayant une nouvelle fois refusé de le faire passer manager. L'échec de trop. Toute la digue d'admiration qu'il avait pour l'ennemi s'est effondrée d'un coup, sous le poids de la colère et du dépit.

Je le félicite pour son passage à l'acte. Avec son CV, toutes les portes vont s'ouvrir à lui. Mais il a du mal à se réjouir, son visage est marqué. La fatigue et l'excès de caféine font trembler ses mains et des tics nerveux lui agitent la nuque. Son corps est comme criblé de bugs, à deux doigts de planter. Pour faire bonne figure, il se lance dans de fréquents réquisitoires à l'encontre du monde de l'entreprise. Par exemple, il fulmine à propos de la prolifération des e-mails :

— À l'époque, on a promis aux gens qu'ils gagneraient un temps fou. Écrire, lire, envoyer un message, tout irait beaucoup plus vite. De toutes ces heures libérées, on allait pouvoir faire tant de choses ! Ah ça, la concurrence n'avait qu'à bien se tenir ! Sauf que tout le monde s'est mis à l'e-mail alors bien sûr, personne n'a gagné la moindre seconde par rapport à ses concurrents. Et si aujourd'hui tu demandes aux gens, dans tous les bureaux du monde, ce qui leur prend le plus de temps dans leur journée, tous te répondent sans hésiter : répondre à leurs e-mails.

Igor n'a pas tort. On jurerait même pour beaucoup que c'est devenu leur métier, leur compétence la plus indispensable. Pour information, annule et remplace, rappel, je m'étonne, confidentiel, urgent, ci-joint, dans l'attente d'un retour, cordialement, signature. Ils se renvoient la balle comme ça, du matin au soir, catapultant des formules creuses d'un étage à l'autre, sans bouger de leur siège. Un progrès troublant, quand on y pense.

— Bah, le conseil, c'est exactement ça. Transposer la même technologie, le même modèle d'une boîte à l'autre, jusqu'à ce qu'elles aient toutes mordu à l'hameçon. Si l'une d'elles refuse, elle est aussitôt distancée par ses concurrentes. Si toutes acceptent, personne n'y gagne, à part les consultants. Puis on trouve une nouvelle innovation à vendre, et le dilemme du prisonnier se perpétue.

Je pense à ces phrases que Dorsay serine en toute occasion : « La plupart des entreprises échouent parce qu'elles ratent le futur », « Être le meilleur, c'est savoir lire l'avenir », « Nos clients nous achètent des certitudes »... Et je comprends mieux, en effet, la véritable mission d'un cabinet comme B&G : vendre à toutes les entreprises un récit de l'avenir qui lui profite. Mais je ne tiens pas à parler de politique.

— Franchement Victor, tu es un type honnête, lucide, tu as la tête sur les épaules... Je n'arrive pas à m'expliquer ce que tu fais encore ici.

Je comprends qu'il veut dire « chez B&G ». La réponse est facile :

— J'attends le deuxième marshmallow.

Il sourit une seconde ou deux, mais son sérieux l'emporte assez vite. Il tient à me prévenir : les dés sont pipés, un plafond de verre empêchera toujours les geeks comme nous de réussir. Puis il insiste pour régler l'addition, avec son American Express professionnelle, comme si chaque euro de frais dépensé lui rendait un peu justice.

Je me dis qu'Igor est passé de trop crédule à trop fataliste. En définitive, son problème est qu'il se laisse gouverner par ses émotions. Dans la vie comme au poker, c'est une mauvaise option. Il se forme ainsi des bulles tous les jours, dans tous les domaines. Les gens se mettent à trop croire en quelque chose – un patron, un modèle, un homme politique ou une histoire d'amour – et en surestiment la valeur. Le jeu consiste à être moins naïf que les autres, et anticiper leur éclatement.

13 h 58. J'arpente les couloirs du dernier étage, celui des directeurs. Aux fenêtres un ciel sans nuage, jusqu'à l'horizon. Pour mon premier passage en CoDir, devant un parterre de VIP du cabinet,

j'ai raccourci mes cheveux et me suis laissé pousser la barbe à même longueur. Le soleil de Sardaigne a foncé ma peau d'une teinte ou deux. Mon buste et mes épaules sculptent ma chemise dans des proportions idéales. Une manager me salue par mon prénom, alors que je ne me souviens plus du sien. Je lui demande comment ça va d'une voix tranchante et sans attendre de réponse, menton fier, nœud de cravate impeccable. Je m'amuse de ce nouveau personnage : *on* pourrait penser que je suis un bon élève, un clone de plus. *On* verra bien.

14 h 35. Mon tour de parole est arrivé. Je présente au CoDir les idées de formules marketing trouvées avec l'aide de Constance. Ce n'est pas le tout d'avoir conçu le Sonar, la seule façon d'exister aux yeux de l'ennemi, c'est de le *vendre*. Or, très vite, Dorsay douche mon enthousiasme : il s'occupera seul des rendez-vous commerciaux.

— Il faut cinq ou six réunions minimum pour réussir à signer une vente, avec chaque banque. C'est beaucoup de temps perdu, et j'ai besoin de toi pour piloter l'équipe de développement.

Je suis déçu, mais pas surpris. S'il me prend davantage en considération depuis le Prescription, un fossé nous sépare encore, qu'il entretient par ce genre de décisions. Parfois un consultant, me croyant proche de lui, me demande mon avis d'initié sur les rumeurs du moment. C'est vrai qu'Anna Fourcade l'a plaqué ? C'est vrai que son oncle est patron d'une entreprise du CAC 40 ? C'est vrai qu'il tient secrètement une « liste blanche » des consultants avec lesquels il dirigera B&G, quand il en prendra la tête ? Je réponds toujours en fonction des rumeurs que j'ai moi-même entendues car, en vérité, je ne sais rien sur rien. Même en ligne, aucune information digne de ce nom ne filtre jusqu'à moi. Sa discrétion de longue date à propos d'Anna prouve avec quelle étanchéité il compartimente ses publications. Jules et lui ne cessent d'ailleurs de s'inscrire à des groupes privés aux descriptions sibyllines auxquels l'accès, bien sûr, ne m'est jamais proposé. Le mur qui me sépare de son cercle proche est ainsi parfaitement opaque et insonorisé. J'en cherche encore la porte d'entrée.

14 h 50. Une de mes slides déclenche un débat : « *À chaque seconde, sur les réseaux sociaux, nous quantifions la désirabilité de chaque marque, produit, destination touristique, chef d'entreprise ou d'État, pour détecter la formation et l'éclatement de bulles avant tout le monde.* » Un directeur grisonnant propose de remplacer le terme *désirabilité* par *valeur perçue*, jugé plus professionnel. Dorsay n'est pas du tout d'accord :

— Au contraire ! On sait tous que plus une chose est désirée, plus elle vaut cher, et inversement. La désirabilité d'une marque influe sur ses ventes. La désirabilité d'une destination touristique influe sur son économie. Les décisions d'un chef d'État rendent son pays plus ou moins désirable aux yeux des investisseurs... Je trouve ça très clair.

Il poursuit en faisant une analogie entre le Sonar et la théorie du chaos : un frémissement du désir en Asie peut faire exploser les valeurs boursières à l'autre bout du monde.

— C'est un fait : le marché fonctionne au désir, et le désir est un marché.

Gagner plus d'argent, devenir plus enviable, c'est un seul et même *game*, fondé sur l'offre et la demande.

Dorsay utilise souvent ce terme, qui regroupe toutes les facettes du *jeu humain par excellence* dont il me parlait au Peninsula. Séduire les grands patrons et les jolies filles – obtenir l'argent de Bompard et le numéro de Leila Belkacem –, booster sa carrière, doper ses ventes, muscler son réseau, cultiver sa valeur dans le regard des autres... Parfois, je l'entends ainsi dire qu'untel « n'a rien compris au *game* » ou qu'un autre au contraire « pèse dans le *game*». C'est assez grossier mais en même temps, ce concept renforce une intuition de longue date…

— Aux States, on assume parfaitement ces mécanismes. Plus tu es riche, plus tu es désirable. Et plus tu es désirable, plus tu t'enrichis. C'est logique, ça ne choque personne.

L'intuition que tout est lié : le poker et la finance, la vente et la séduction, l'art de la guerre, le développement personnel, *PageRank*, le *networking*… Il existe probablement un modèle universel caché, un ensemble de lois programmées qui gouvernent la réussite de chacun sur terre. Le succès ne répond certes plus au mérite ou à l'intelligence, mais à d'autres règles qu'on peut analyser, déchiffrer, traduire en équations.

15 h 55. Au café, je suis le seul consultant dans une forêt de directeurs. En dépit des rires et du ton bravache, c'est bel et bien une cour où chacun se bat pour capter l'attention du prince et gagner ses faveurs. Dorsay opère sur tous un magnétisme hors du commun, qui rappelle cette « *révérence exaltée* » qu'évoquait mon père. Comment l'expliquer ?

Ça ne vient pas de ses capacités cognitives : jamais il ne m'a bluffé par la finesse d'une observation, comme Igor, par la justesse de ses formules, comme Constance, ou par sa puissance de calcul, comme Steph et Nico. Ça ne vient pas non plus de son diplôme : l'école de commerce dont il est issu n'est classée que niveau 2 sur les grilles de salaire du cabinet. Ça n'est pas non plus une affaire de compétences : de son propre aveu, quand il a fondé B&G Disrupt, il ne comprenait pas grand-chose à ces technologies dont il chantait les louanges – big data, intelligence artificielle, IoT, blockchain… Non, la seule explication plausible, c'est que sa force d'attraction ne repose pas sur ses qualités mais sur une méthode, un art dont il est passé maître. S'il existe un jeu de la réussite universel, mon adversaire en connaît les règles mieux que personne. Comme s'il les avait lui-même écrites.

16h30. Il me raccompagne en personne aux ascenseurs. Le temps est venu de retrouver mon étage et mes semblables. Au prochain CoDir – dans un mois, soit une éternité – l'ennemi aura eu le temps de vendre mon Sonar à toutes les banques de Paris, de prendre la tête de B&G France, voire de partir aux « States » pour rejoindre Anna Fourcade... Et moi, je n'aurai pu qu'attendre, impuissant, de l'autre côté du mur.

Avant de le quitter, je tente une nouvelle approche :

— Si j'ai besoin de conseils d'ici la prochaine fois, pour le calcul de la désirabilité... je peux te solliciter ?

Je voudrais qu'il me prenne sous son aile, qu'il m'enseigne les rudiments de son *game*, qu'il m'apprenne à maîtriser ces lois cachées dont il tire toute sa puissance, pour pouvoir un jour les retourner contre lui. Il presse le bouton indiquant une flèche descendante, plusieurs fois pour être sûr.

— Sincèrement, je crois que certaines choses ne s'apprennent que par la pratique. Je pourrais t'assommer de concepts, ça ne te servirait à rien tant que tu n'en as pas fait l'expérience par toi-même.

— Mais dans ce cas, comment je peux m'exercer ? Si je participais à la vente du Sonar, par exemple...

Il coupe court et m'indique l'ascenseur dont la porte vient de s'ouvrir :

— Oh, je ne me fais pas de souci pour toi. Tu as de l'ambition, tu es un bon stratège... Je suis sûr que tu vas trouver un moyen.

21 heures. De retour chez moi, je me sers un verre de bourgogne en attendant Constance. Le soir, il me faut toujours un certain temps pour réinitialiser mon regard, que les heures passées sur le Sonar ont rendu dangereusement quantitatif. Sans ce rituel,

je risquerais de m'endormir avec cette idée que les gens comme les choses ont un prix, fixé par des algorithmes en fonction de l'offre et de la demande, à partir de téraoctets de données. Le vin m'aide également à retrouver la juste sensation de mon corps. Parfois, je ressens encore ce désir viscéral, brutal, de tout expulser de moi. Mais après deux ou trois gorgées, le malaise s'évanouit doucement.

21 h 30. Constance a rapporté du champagne rosé. Depuis la Sardaigne, nous célébrons ainsi toutes nos retrouvailles, en lune de miel permanente. Pour un œil extérieur, notre idylle est parfaite, avec toute sa panoplie de petits bonheurs : dîners romantiques en terrasse, couchers de soleil aux Buttes-Chaumont, débats passionnés suivis d'ébats enivrés, coïts répétés, discussions profondes sur l'oreiller... En d'autres circonstances, je rêverais que cette vie-là s'éternise. Mais je suis en guerre, et tout sentiment trop prononcé l'un pour l'autre entraînerait d'évidentes désillusions.

En juin, détectant des signaux faibles d'attachement de sa part, j'ai voulu la quitter pour lui éviter de souffrir. C'est con mais j'ai tapé sur Google : « *comment rompre en douceur* ». Je lui ai dit que je ne me sentais pas en mesure de vivre une relation durable et qu'elle méritait quelqu'un qui soit capable de s'engager avec elle. De mon côté, j'avais des choses importantes à régler avant de pouvoir aimer en toute insouciance. Ça m'emmerdait profondément de la perdre, mais c'était mieux comme ça. Après une minute sur ce thème, elle s'est mise à rire : je me prenais trop la tête, on n'était pas mariés, il fallait se détendre. Elle m'assurait vivre cette relation au jour le jour, sans en attendre monts et merveilles. On ne se devait rien, ce qui lui allait très bien.

Sa réaction m'a d'abord pris de court, et presque vexé. Mais j'ai préféré me réjouir, on avait encore quelques beaux jours devant nous.

22 heures. Elle me raconte le roman qu'elle vient de terminer, comme elle le fait chaque semaine – j'ignore où elle trouve tout ce temps pour lire. Cette fois, c'est un classique de Balzac, *Illusions perdues*. Constance a le don de trouver l'angle qui va m'intéresser à chaque histoire. Ce soir encore, elle arrive à me passionner pour l'ascension de ce personnage et son infiltration dans l'élite parisienne, comme si elle parlait de ma propre vie. Quand elle m'embarque ainsi dans ses récits, mes pensées se retrouvent si loin d'où elles ont stagné toute la journée que je pourrais en avoir le vertige. Parfois, sa voix réhabilite en moi des régions dont j'avais oublié l'existence, des zones entières laissées à l'abandon depuis le départ de Marion, qui reprennent vie tout à coup, comme habitées à nouveau. Je suppose qu'on pourrait dire que je l'ai dans la peau.

23 h 10. La bouteille de champagne est vide et celle de bourgogne ne va pas tarder. On a oublié de manger. Constance a une autre idée d'activité. Ses caresses se font plus marquées, plus suggestives. Je ne suis pas très chaud, mais elle a pris l'habitude d'aimer ça. Quand j'ai du mal à décoller, elle prend un malin plaisir à me convaincre, abandonnant d'un coup sa réserve et sa timidité, retirant lentement ses vêtements avec un air de défi, puis frottant son bassin nu contre mon pantalon, dans un parfum de jasmin, en murmurant des choses que je n'aurais jamais crues d'elle.

Selon Constance, mon cerveau est une machine un peu folle, qui s'emballe et tourne en boucle au moindre prétexte. Elle a donc appris à le dompter et à forcer sa mise en veille, quand l'instant l'exige. Dans ce domaine, elle est encore plus efficace que l'alcool, même si leurs effets se conjuguent le plus souvent. Bientôt, fière de sentir grandir sa victoire, elle s'allonge sur le canapé, offerte et souriante. Je m'installe entre ses jambes et mon corps assène brusquement au sien tout ce qu'il ne peut exprimer au-dehors. Nos abdomens s'entrechoquent avec une fougue empressée, au son de ses plaintes. On jouit tous les deux d'un coup, très vite et très fort. Une fenêtre s'ouvre, quelques secondes pour tout lâcher, crier mon amour et mon abandon, ma rage et ma mélancolie. Les joues rouges et la peau moite, elle se félicite de m'avoir encore fait *buguer*. Je reste allongé sur elle, ivre et repu, étonné par l'ampleur du poids dont j'ai l'impression de m'être soulagé. Merde, je pleure ? J'essuie ma joue mais trop tard, elle s'en est rendu compte.

— Ce que j'aime chez toi, c'est que derrière ta manie de tout analyser, tu es un grand sensible. Je dirais même un idéaliste.

Ainsi, tandis qu'elle me caresse les cheveux, je dresse le bilan de ma journée. Si autrefois j'étais anecdotique, désormais chacun a sa légende à coller sur moi. Je suis un grand sensible ambitieux, un stratège honnête, un idéaliste ayant la tête sur les épaules… Je suis une histoire qu'on raconte, sans cohérence. Au moins, ma stratégie fonctionne : je deviens parfaitement illisible.

À sa manière de m'embrasser, je la soupçonne encore d'espérer secrètement qu'un jour, on s'appartiendra pour de bon. Mais je m'en tiens à notre discussion de juin. De toute façon, je ne peux appartenir qu'à ma cause. Entre Constance et ma vengeance, le choix serait vite fait. C'est tout l'intérêt de se fixer un objectif, votre cap ne varie plus en fonction des humeurs et des contingences. Vous n'êtes plus gouverné par vos émotions.

14

C'est ce soir-là que je commence à me prendre au jeu…

En arrivant au Miss Ko, sur l'avenue George-V, je suis ballotté par tout un flot d'angoisses et d'inquiétudes. Peur que Leila Belkacem démasque d'emblée mon imposture. Peur qu'elle reconnaisse le garçon timide du Peninsula que Dorsay lui désignait au loin. Que mon visage ne lui dise rien, au contraire, qu'elle m'accuse d'avoir menti. Peur toute simple de ne pas lui plaire, de trop sourire ou de ne pas suffisamment regarder ailleurs. D'échouer à tenir mon personnage sur la durée. Peur de trahir Constance, aussi, et d'enfreindre une règle qu'on n'a pourtant jamais fixée.

Il reste trois tables de libre en terrasse du restaurant. Par habitude, je m'installe à la plus discrète, la plus excentrée, mais je me ravise aussitôt : Victor Newman s'assied au centre, pas en périphérie. Ce n'est pas moi que Leila Belkacem vient rencontrer, mais ce personnage dominateur et sûr de lui auquel les circonstances m'ont fait trouver un nom.

Ça a démarré il y a quelques semaines. J'ai découvert qu'un algorithme de Tinder évaluait mes amis Facebook, afin de me présenter des profils de même *valeur*. Il fallait ainsi justifier d'un réseau désirable pour l'être soi-même. Ce qui m'a tout de suite choqué dans cette approche, c'est son déterminisme. Votre score à un instant *t* décide des filles que vous pouvez rencontrer, donc de vos relations futures, donc de votre score à venir. Vous êtes à jamais prisonnier de votre condition de départ. Pour contourner ce filtre injuste, je me suis alors créé un nouveau compte Facebook : Victor Newman. Un nom générique et répandu, douze mille homonymes environ, dont un personnage des *Feux de l'amour*, cynique et milliardaire – l'avatar idéal. Victor Newman aime Hugo Boss, l'Institut Montaigne, Courchevel et la *Harvard Business Review*. Sa photo de profil montre une jolie terrasse d'appartement donnant sur la tour Eiffel.

Avec ce nouveau profil, j'ai pu tisser des relations virtuelles d'un tout autre calibre. J'ai d'abord posté des photos de moi dans des lieux enviables et raffinés, uniquement visibles par mes « amis ». Puis j'ai *liké* des bars et clubs parisiens prisés des VIP, me laissant ensuite guider par les recommandations de Facebook, m'inscrivant à des groupes privés et des événements huppés sans m'y rendre… En à peine deux semaines, je m'étais déjà construit un réseau d'amis haut de gamme auxquels j'avais à peine adressé la parole, d'une valeur autrement plus élevée que celui de Victor Laplace. Quelques jolies prises – une directrice marketing chez L'Oréal, une avocate d'affaires et une jolie chroniqueuse sur BFM Business – m'ont définitivement ouvert l'accès à la crème des profils Tinder. Fort de toutes ces optimisations, mon alter ego jouissait dès lors d'un taux de conversion très honorable : environ 12 *matchs* pour 100 *likes*.

Dans le *networking* comme au poker, la réussite est autocumulative.

N'empêche, Leila a déjà cinq minutes de retard… Peut-être qu'elle m'a vu sur la terrasse et qu'elle a préféré partir, ne me trouvant pas à son goût. Non, Victor Newman ne peut décemment pas concevoir ce genre de scénario. C'est en dehors de sa réalité.

Jusque tout récemment, je ne voyais pas trop l'intérêt de rencontrer mes *matchs* en personne. J'avais du reste essayé cet été, quand j'envisagcais de rompre avec Constance : deux rencards, deux fiascos. J'étais timide, hésitant, complètement incohérent avec le personnage interprété derrière l'écran. La première est partie après une heure chrono, en me souhaitant « bonne continuation ». La seconde n'a cessé de me parler du type dont elle était amoureuse mais qui se foutait d'elle, et a fini par m'ajouter en ami Facebook – « J'aime bien parler avec toi » –, l'humiliation totale. Après ça, j'ai décidé d'arrêter les frais, pour sauvegarder le peu d'estime de moi qui me restait.

Mais ces derniers jours, j'ai beaucoup réfléchi à ce *game* dont Dorsay parle sans cesse, aux provocations de Jules à propos de Constance, à ses tentatives pour la conquérir avant moi... Il est clair qu'aux yeux de l'espèce dominante, les femmes sont un domaine à part entière de la compétition, aussi décisif que les affaires. En restant à l'écart du jeu de séduction, je risque de me disqualifier pour le reste. Plaire derrière un écran ne peut plus suffire. Je dois passer à l'étape supérieure.

Leila Belkacem surgit enfin, peau mate et longs cheveux noirs. La même qu'au Peninsula. Sa robe satinée, élégante et sérieuse à première vue, accentue malicieusement le plat de son ventre et la courbure de ses hanches. Le serveur me désigne, elle m'aperçoit. Ses yeux sombres et son regard cerné de noir contrastent avec ses lèvres pourpres et brillantes, aux allures de friandise acidulée. Elle me fait la bise et m'enveloppe d'un parfum sucré, classique mais efficace. De fines paillettes lui font comme des étoiles autour des yeux. Si elle voulait en mettre plein la vue, c'est réussi. Un instant même, je crains de viser trop haut. Dès qu'elle s'installe en face de moi, le voisin se met à jeter de furtifs coups d'œil envieux dans notre direction. Pas qu'elle soit plus jolie que sa *date* à lui

– question de goût –, mais elle est de ces filles qui aimantent les regards. Sur leur passage, tous les hommes se retournent machinalement sans trop savoir ce qui les distingue : leur rouge à lèvres, leurs talons hauts, tous ces poisons délicats dont elles enduisent leur peau… ou quelque proportion mystérieuse, cousine du nombre d'or. Elles semblent en tout cas répondre à une sorte de cahier des charges, aux règles de l'art de la féminité moderne. Qui les a écrites, je l'ignore, mais mon œil y souscrit.

Probablement au fait de tout cela, Leila sourit, l'air espiègle :

— Non, décidément c'est drôle, je n'arrive toujours pas à me rappeler…

Elle semble parfaitement à l'aise – au bout de combien de rencards a-t-on l'air aussi naturel ? Le teint de sa peau est remarquablement uniforme. Chacune de ses mèches dessine une courbe parfaitement maîtrisée. Rien dans son visage n'est laissé au hasard, rien n'est involontaire. Comme une photo retouchée, sur Instagram.

L'histoire de nos retrouvailles est une véritable romance 2.0. Après le Peninsula, j'avais conservé sa carte de visite dans une poche de costume, sans projet précis. Deux mois plus tard, B&G m'offrait un iPhone et, déçu d'avoir si peu de contacts à renseigner dans mon répertoire, j'y ajoutais son numéro pour faire le nombre. Bien plus tard, pendant l'hiver, un algorithme de Facebook trouvait sa trace dans mon téléphone et me suggérait naturellement de l'ajouter en tant qu'amie. Recommandation que j'ai toujours ignorée, jusqu'à cet été. Le profil de Leila Belkacem est alors réapparu dans l'encart *Vous connaissez peut-être*, mais de Victor Newman cette fois. Décidément, une sorte de destin digital avait choisi de nous unir. Elle a accepté ma demande sans m'envoyer de message, comme dans 80 % des cas. Et quand j'ai publié, la semaine dernière, une nouvelle photo de moi pour Tinder – face à la mer, sans sourire et le regard vers l'horizon –, elle l'a *likée* puis m'a écrit en privé :

— Coucou Victor, tu me dis quelque chose (promis) mais je n'arrive pas à me rappeler où on s'est rencontrés. Et comme monsieur ne renseigne aucun champ sur son profil… ça n'aide pas. Tu bosses chez Goldman ?

L'opportunité d'apprentissage était trop belle, je pouvais m'exercer à séduire celle dont l'ennemi s'était servi pour me descendre. J'ai révisé tout ce que je pouvais : articles de blogs, vidéos sur YouTube, et même de vieux cours de marketing. Mon prof disait toujours que le client se contrefout des caractéristiques détaillées du produit, « *ce qu'il veut, c'est qu'on lui raconte une histoire* ». Il expliquait ainsi que la plupart des vérités sont ennuyeuses et demandent à être embellies, présentées sous un certain angle pour devenir intéressantes. « *Ce qui rend votre récit séduisant, c'est ce qu'il oublie de dire.* » Après une heure de réflexion, j'ai répondu :

— Salut Leila, alors comme ça, on *like* des « inconnus » sur Facebook ? Je te donne un indice : je ne bosse pas chez Goldman, bien qu'on me l'ait déjà proposé (mais c'était après trois verres, pas sûr que ça tienne encore).

Vingt minutes plus tard, je recevais une réponse enthousiaste de sa part. Elle souhaitait savoir si on s'était rencontrés en soirée, citait le Raspoutine, le Baron, et d'autres boîtes de nuit des Champs-Élysées où je ne pourrais jamais entrer. Mais voilà, Victor Newman ne retient pas le nom des lieux qu'il fréquente : c'était vers Étoile, voilà tout ce qu'il pouvait dire.

— Et on s'était dit quoi ? Des choses essentielles, j'imagine ?

Elle a ponctué sa question d'un clin d'œil, assumant un peu plus le rapport de séduction qui s'instaurait. J'imaginais ce que Jules ou Dorsay pourraient répondre, mon jeu devenait plus fluide.

— C'est probable, je dis beaucoup de choses essentielles. Le seul problème, c'est qu'après j'oublie vite.

Notre petite comédie s'est ainsi prolongée, au rythme d'un message tous les quarts d'heure. Elle s'est dite catastrophée d'avoir oublié une rencontre aussi capitale, ajoutant qu'elle ne voyait qu'une solution : « *se revoir et espérer que la mémoire nous revienne* ».

Et me voici donc face à elle, dans le bar que j'ai moi-même choisi, chic mais accessible. Soulagé qu'elle ne se rappelle pas de moi. Le jeu de rôles peut se poursuivre.

— Écoute, dit-elle, on n'a qu'à refaire connaissance, pour nous mettre sur la piste. Tu fais quoi dans la vie ?

Le plus dur commence : incarner Victor Newman dans la vie réelle, et non plus derrière l'écran.

— Je traque les gens qui ont trop confiance en eux.

Plus question de réfléchir entre deux réponses, tout doit avoir l'air fluide et spontané, comme si séduire était ma seconde nature. Il faut cacher les fils, pour que ça paraisse magique. Je lui parle du Sonar, en reprenant la métaphore du poker. À chacune de ses réponses, mon cerveau tourne à plein régime à l'affût d'un mot, d'un bout de phrase à tourner en dérision. Ainsi, quand elle prononce le terme *quick wins* :

— Oh non Leila, ne me dis pas que tu es ce genre de fille…

J'applique les conseils d'un coach en séduction sur YouTube, selon lequel un rencard est une bataille de récits : chacun des deux protagonistes doit se persuader qu'il a plus de valeur que l'autre, se présenter comme hors de prix – jusqu'à preuve du contraire. À la fin de la soirée, tous deux doivent avoir l'impression qu'ils ont conquis leur adversaire et mérité son intérêt, en dépit de ses hautes exigences. Une histoire plaisante à croire, dont il est plus facile de se convaincre pour une fille comme Leila que pour un débutant comme moi.

Mais il existe une recette pour tout, même pour siphonner la désirabilité de l'autre. Il faut vous montrer relativement insensible à son physique et plus ou moins indifférent à l'idée de lui plaire. En maîtrisant vos émotions, en théorie, vous inversez le récit : vous ne recherchez plus sa validation – c'est elle qui, surprise de vous faire moins d'effet qu'aux autres, recherche la vôtre. Vous la séduisez en l'amenant à vous séduire.

Pour l'instant, le subterfuge semble fonctionner. Je m'obstine à brocarder ses anglicismes et son jargon d'entreprise. Ainsi, quand elle prononce un mot comme *process* ou *deadline* :

— Bon, Leila, je crois que c'est mieux si on reste amis.

La disqualifier pour rire, mais la disqualifier quand même, avec une espèce d'arrogance complice. Se comporter comme un connard, mais de façon ludique. Visiblement, j'ai bien appris ma leçon. Leila reçoit chacune de mes piques avec le sourire. D'autant que ma présentation du Sonar a fait mouche et laisse planer l'idée que je pourrais être *quelqu'un d'important*, un de ces petits génies qui font fortune dans les données – ça aide. Tandis que le serveur apporte son Bellini, elle me dit que son patron pourrait être intéressé.

— Ton patron ?

— Oui, Marc Tranchard, le VP de ma branche.

Elle me montre le profil LinkedIn du vice-président en question. Je reconnais immédiatement Marlon Brando, le vieil ogre adipeux qui la tripotait au Peninsula.

— Lui aussi, tu *likes* ses photos de profil ?

— Non, mais l'inverse arrive souvent !

Amusée, elle me dresse le portrait de « Tranchard », un vieux coureur libidineux sans tact ni pudeur qui s'empâte à vue d'œil mais continue de draguer toutes les jeunes analystes de la banque, qu'il recrute par douzaines. Leila considère que ce comportement fait partie de la panoplie des hommes de son âge, quand ils atteignent ce niveau de pouvoir.

— Mais il n'est pas méchant, ce sont juste des allusions, des compliments un peu lourds quand on met une jolie robe… Il faut savoir le gérer, c'est comme un jeu. Je suis celle qui le rembarre le plus et pourtant il m'adore, je suis même sa préférée.

Elle me raconte l'histoire d'une de ses collègues qui, prenant les choses un peu plus à cœur, s'est plainte pour harcèlement sexuel, avant de partir avec un beau chèque. Étrangement, dans cette affaire, Leila prend plutôt le parti de Tranchard, qu'elle dépeint en personnage de *cartoon*, pénible mais attachant. Elle se figure les choses comme un vaudeville, une comédie sans conséquences où rien n'est grave ou sérieux. Elle dit ne pas comprendre pourquoi tant de gens tiennent à se poser en victimes. Je pense à mon père, sans répondre. Pour rire, elle m'accuse de l'avoir ajoutée sur Facebook juste pour lui soutirer un rendez-vous avec son patron. Pour rire, je ne démens pas totalement.

Peu à peu, la terrasse se remplit de rencards comme le nôtre, entre jeunes cadres dynamiques cherchant à faire grimper leur valeur dans le regard de l'autre. Un marché de la séduction bien tangible avec ses spéculations, ses arnaques et ses bulles potentielles. Chacun fait sa promotion, en fonction de son niveau d'ambition. Il y a les modèles *low cost*, proposant de l'amour à prix cassé, déstockage d'affection massif, une nuit achetée deux offertes. Les modèles *grand public*, packagés dans l'air du temps, disponibles à tous les coins de rue, respectant les normes et standards en vigueur. Les modèles *premium*, en matière noble et quantité limitée, pour célibataires exigeants, un peu chers à l'entretien mais la qualité se paie. Et les modèles *luxe*, désirés par tous mais accessibles à très peu, pièces uniques et promesses d'une expérience inoubliable.

Je me demande à quelle catégorie j'appartiens.

Par défaut, le fait d'être ici, près des Champs-Élysées, me placerait plutôt vers le haut de gamme. En sortant dans ce genre d'endroits, on a tôt fait de se persuader que leur faste rejaillit sur nous, ce que personne sur place ne contredira. Paris fourmille ainsi de ces lieux qui vous donnent l'impression d'être au-dessus du lot. Comme un miroir déformant qui vous rend plus désirable. Après tout, trente millions de touristes s'empressent chaque année de visiter ces édifices et ces rues dans lesquelles on se promène sans y penser, et tous les millionnaires du monde rêvent d'un dernier étage ici, avec vue sur les toits. Ce n'est pas par hasard si les industriels du luxe y ont leurs *flagships*[1] ou si des couples viennent de tous les continents pour accrocher un cadenas sur ses ponts : Paris n'est pas la ville où tout se décide et s'organise, mais c'est la capitale du désir, l'endroit sur terre offrant la plus grande concentration de fantasme. Et chacun, sur cette terrasse, tente de s'en tailler une part.

Scolaire, je tâche de ne jamais complimenter Leila sans contrepartie, de toujours respecter la chorégraphie – deux pas en avant, un pas en arrière – tout en listant intérieurement ce qui me déplaît chez elle. Mais il devient difficile de garder la tête froide. La façon dont elle me regarde, me sourit, se prête au jeu fait exulter mon personnage en silence. J'ai le sentiment grisant d'être quelqu'un d'autre, une version 2.0 de moi-même, disruptive et affranchie de mes échecs passés. Or cet alter ego a très envie de Leila – pas de son corps, mais de ce qu'elle symbolise. Pour les mêmes raisons qui vous poussent à choisir une montre Rolex ou un costume Gucci plutôt qu'une marque moins chère : pas tant par préférence ou par goût, pour la qualité du produit ni ses caractéristiques détaillées, que pour l'histoire qu'il raconte de vous. En l'occurrence, celle d'une fille dont tout homme voudrait et que je suis le seul à pouvoir m'offrir.

C'est absurde comme acheter un appartement avec toilettes suspendues, juste parce qu'on vous dit que le marché valorise ce critère. Mais ce sont les règles du jeu : *PageRank*, offre et demande, économie de l'attention, je commence à comprendre…

---

1. « Vaisseau amiral » : nom donné au magasin emblématique d'une marque dans un pays ou sur un continent.

Je découvre que Leila, comme moi, aime challenger ses propres limites. Elle s'est donné dix ans pour atteindre le sommet de sa branche et prendre la place de Tranchard, ni plus ni moins. Ses lectures, comme les miennes, sont consacrées à la concrétisation de ses objectifs. Elle me cite les livres et blogs qui l'ont aidée à optimiser tous les paramètres de son existence : ses placements financiers, son alimentation, son rapport aux autres et à la morale... Elle suit également un rituel matinal, et entretient son corps avec une grande variété d'exercices. D'ailleurs elle s'enquiert de la bonne tonicité de mes abdos. Je l'autorise à poser sa main sur mon ventre, pour se rassurer. On est à mi-chemin du flirt et du contrôle qualité.

Je pense à Constance, qui ne ressent pas cet appel à devenir davantage et à décupler son potentiel – c'est d'ailleurs une chose que j'apprécie. Elle aspire moins à maximiser sa réussite future qu'à se trouver en accord avec ses actes et ses décisions. Elle s'amuse régulièrement de l'absurdité de nos métiers, disant qu'on « bosse dix heures par jour pour faire varier de 0,5 % un indicateur sur un tableur Excel ». Quant à ses lectures, elles ont le mérite d'enrichir son langage et son imagination, à défaut d'être aussi profitables que les nôtres – si lire des romans favorisait la réussite, il s'en vendrait davantage.

Leila, elle, rend ses intentions de plus en plus claires à mesure que la nuit tombe. Tout en parlant, elle accorde une attention constante à ses cheveux, les fait virevolter d'un coup de nuque, en tire une mèche pour l'enrouler autour de son doigt, ou toute une poignée pour en évaluer la douceur entre ses mains. Ce ballet récurrent m'hypnotise.

— Tu as une copine ?

— Plus ou moins...

Gêné, je pense à Constance, cherche à comparer de toute urgence ce que j'éprouve pour elle et ce sentiment nouveau que

Leila m'inspire. Dans le regard de l'une, je me sens aimé. Dans celui de l'autre, je me sens désirable.

— Et toi ?

— Moi aussi, « plus ou moins ».

— Mieux vaut qu'il ne se passe rien entre nous, alors.

À ces mots, elle fixe mes lèvres comme jamais. Soudain, je ne pense plus à Constance. J'adopte le point de vue de Leila : la vie est une comédie, une succession de scènes sans gravité ni conséquences. En l'embrassant, mon personnage s'incarne pour de bon, crédible et tangible. J'ai l'impression que tout Paris me valide à travers elle. Et sa voix, devenue suave, qui me demande entre deux baisers :

— C'est donc ça, la chose exceptionnelle que tu voulais me proposer l'année dernière ?

Le simple fait qu'elle fasse référence au Peninsula, à ce garçon qui feignait de regarder son téléphone pour ne pas avoir à croiser son regard, devrait me glacer le sang. Mais mon alter ego relativise. Quelle importance qu'elle m'ait reconnu, puisque je suis quelqu'un d'autre ?

— Tu avais les cheveux plus longs, non ?

Elle énumère comme ça d'autres différences : les épaules moins larges, une barbe moins longue, puis elle m'embrasse à nouveau. Victor Newman existe bel et bien dans son regard. Jadis trop timide pour lui parler, désormais sorti de sa zone de confort. Séduisant, conquérant, promis à une belle réussite. Un *vrai mec*. Une histoire plaisante à croire.

15

L'été s'est évaporé cette nuit, comme la météo l'avait prédit. D'épais nuages pâles ont confisqué le bleu du ciel, et la température a chuté si brusquement qu'on se croirait en décembre. Je retrouve Constance en avance, vers midi moins le quart, pour faire ensemble les cent derniers mètres. Elle a verni ses ongles et s'est joliment coiffée – nul doute qu'elle y a passé du temps. On s'enlace comme si ça faisait une éternité – trois jours exactement. Au même instant, le soleil perce comme par erreur, puis se ravise aussitôt. Je crains que mes fringues sentent la clope, mais elle ne fait aucun commentaire, demande plutôt si j'ai bien dormi. Je réponds « Pas assez », sans m'épancher davantage.

Ma mère a revendu l'appartement du 12e arrondissement fin 2015, pour acheter un trois-pièces avec Patrick au Kremlin-Bicêtre, à proximité de leur travail. À l'époque, ça m'a brisé le cœur, alors j'ai pris l'habitude de faire la gueule en arrivant. Pas longtemps, cinq minutes à peine. Je parle du trajet trop long, du sentiment d'abandon qui se dégage de cette ville, de ses façades comme de ses habitants. Puis je passe à autre chose. Mais aujourd'hui, Constance me vole la vedette. Dès notre arrivée, ma mère l'embrasse chaleureusement, elle est aux anges :

— Depuis le temps que Victor me parle de vous.

N'exagérons rien, j'ai dû lui parler d'elle quatre ou cinq fois. Au fond, ça me fait plaisir qu'elles montrent autant d'enthousiasme à se rencontrer. Une fois n'est pas coutume, je fais même la bise à Patrick.

À l'initiative de ce déjeuner, ma mère a dressé une jolie table pour l'occasion, ronds de serviette et flûtes à champagne. Toutes les conditions sont réunies pour donner le spectacle d'une famille heureuse et de la vie reprenant enfin ses droits, sept ans plus tard. Avant de venir, je me suis assuré que personne, par prudence ou par pudeur, n'aborderait de sujet glissant – où mon père travaillait, comment est-il mort... Il faut dire que la présence de Constance déroge au principe de précaution que je m'étais appliqué jusqu'ici. Une partie de moi pense encore que j'ai commis une erreur en l'invitant. Mais comme dirait Patrick, *ce qui est fait est fait.*

Ma mère me caresse la joue :

— En tout cas, ça fait longtemps que je ne t'ai pas vu l'air aussi épanoui.

Ah oui ? Pourtant, une gueule de bois d'anthologie me coupe tout appétit. Pistaches, olives, rien ne me fait envie. Patrick débouche une bouteille de blanc, un sauvignon quelconque. Je vais me sentir obligé d'en boire même si mon corps me supplie du contraire. Constance trempe ses lèvres, fait semblant d'apprécier, enfin je crois – il m'arrive encore de me tromper sur ce qu'elle pense.

Quand je lui ai parlé de Leila, par exemple, sa réaction m'a pris de court à nouveau. Je voulais lui prouver que j'avais pleinement intégré son discours de juin – on n'était pas mariés, on ne se devait rien – mais elle s'est montrée nettement plus contrariée que prévu, m'a demandé si c'était du sérieux – *non* –, si j'y avais pris plus de plaisir qu'avec elle – *pas vraiment* –, si j'allais la revoir – *peu de chances.* Après cet interrogatoire, elle a paru longtemps hésiter sur la marche à suivre, la bonne façon de réagir. Pour moi, c'était à peine plus clair, Leila et elle appartenaient à deux réalités parallèles et bien distinctes. D'un côté la guerre, le jeu, la comédie humaine. De l'autre la vraie vie, sans compétition, stratégie ni rapport de force. Victor Newman et Victor Laplace. Au fond, je n'avais pas réellement couché avec cette fille, c'était mon personnage ! Mais bon, allez lui dire une chose pareille... Fatalement, la soirée fut compliquée, alternance de colères contenues et de tristesse bien visible. Vers minuit pourtant, de guerre lasse, son corps a fini par me pardonner à sa place. C'est là, sur l'oreiller, qu'elle a dit quelque chose d'essentiel : « Je ne sais pas si tu as bien fait de me le dire. » J'ai hoché la tête, j'avais compris. Je me suis rappelé comment Marion niait l'évidence de sa liaison parallèle avec Lucas. Elle avait beau mentir très mal, je faisais tout mon possible pour la croire, gommer ses incohérences et combler ses lacunes.

Personne n'aime la vérité, tout le monde préfère une belle histoire.

En la regardant dormir, j'ai cherché laquelle plairait le plus à Constance. Je me suis souvenu qu'en Sardaigne, face à la Méditerranée, elle avait fait référence à l'*Odyssée* d'Homère – que j'avais lue plus jeune et dont je me souvenais plus ou moins. En y repensant, elle pouvait être ma Pénélope, attendant mon retour à Ithaque après la guerre, victorieux des monstres et des nymphes, enfin libre de l'aimer, l'âme apaisée... Décidément oui, cette histoire-là collait bien.

Il faut voir ça comme un jeu, consistant à maîtriser plusieurs récits en parallèle et à passer de l'un à l'autre en fonction du contexte, comme on change de lunettes. Du lundi au vendredi, incarner Victor Newman, consultant *fast-track* avec son modèle de réussite, ses objectifs stratégiques et son mode opératoire. Le week-end, ranger mon masque au placard, avec mes cravates et mes costumes. Retrouver Constance, mes rêves de candeur et d'insouciance. Garder une frontière bien étanche entre ces deux récits, comme les partitions d'un disque dur, chacune ayant ses propres données et logiciels auxquels l'autre ne peut accéder.

Ce samedi midi c'est bien moi, Victor Laplace, qui lui tiens la main sur le canapé noir Ikea. Ma gueule de bois pour seul vestige de mon autre vie. Patrick lève son verre, nous annonce crânement qu'il vient d'être promu « responsable de la conduite du changement », rien que ça. Félicitations d'usage, puis il raconte à Constance comment il a rencontré ma mère, en intervenant dans son service compta, en 2014. Il animait alors une série de formations à un logiciel de gestion des impayés, suivies d'un test de validation des acquis réputé sans enjeu, mais dont les résultats ont tout de même servi d'alibi, deux ans plus tard, au licenciement des douze plus mauvais élèves à l'échelle nationale – grâce aux gains de productivité permis par le logiciel. Dans ce contexte romantique, non seulement ma mère a obtenu « le meilleur score d'Île-de-France », comme Patrick aime à le rappeler, mais elle a eu l'instinct de survie supplémentaire de taper dans l'œil de son formateur.

Je me demande encore aujourd'hui ce qu'elle a bien pu lui trouver, avec ses pensées plates et ses idées bien rangées. Sans doute une alternative, mais alors tout juste convenable, à la solitude. Mon père écrivait à propos des gens comme lui, «*payés à tout réduire – notre vocabulaire, notre temps libre et notre sentiment d'utilité*», qu'à cause d'eux «*chaque métier devient le rouage d'une mécanique implacable, réduit à une suite de décisions machinales, écrites à l'avance. Ils nous prient de faire comme-c'est-marqué-sur-la-fiche ou comme-c'est-demandé-par-le-logiciel et un beau jour, quand nos tâches sont devenues totalement programmables, ils nous annoncent que tout compte fait, le logiciel les réalisera plus vite*». Si Patrick a pu décrocher une promotion, c'est parce que cette vaste entreprise d'automatisation du monde exige la complicité de compétences humaines. Il a dû faire preuve d'une remarquable aptitude à faire croire aux gens qu'il leur apportait le progrès tandis qu'il précipitait leur obsolescence, à les persuader que le logiciel allait s'adapter à leur métier alors que ce serait tout l'inverse. Et à bien l'écouter, sincèrement fier et convaincu de sa contribution au monde, je me dis que le meilleur moyen de faire croire, c'est de croire soi-même.

Au menu ce midi : un risotto à l'encre de seiche. Une recette succulente, que ma mère réserve aux grandes occasions. Le seul problème, c'est qu'à partir du moment où elle et Patrick ont une assiette pleine en face d'eux, ils se sentent curieusement obligés de commenter l'actualité du jour entre deux coups de fourchette. C'est lui qui ouvre le bal, pour critiquer ce ministre de l'Écologie démissionnaire qui donne « trop de leçons de morale aux Français ». Ma mère prend le relais, plus consensuelle, pour dire tout le mal qu'elle pense des terroristes qui commettent des attentats. Peu à peu, tout y passe : économie, politique, relations internationales... En se resservant du blanc, Patrick nous fait la synthèse des chroniques entendues la veille sur les chaînes d'information continue, régurgitées telles quelles, sans digestion. Il est question de taxes trop élevées, de pauvres trop aidés, de travailleurs trop protégés... Il a comme ça tout un tas d'opinions sur la marche du monde qui ne sont pas les siennes, mais qu'il défendra bec et ongles jusqu'au dessert. Ma mère tombe à chaque fois dans le piège, répond, tempère, nuance, remet une pièce dans le jukebox. Ainsi, chaque repas devient une copie conforme du précédent. Ressasser les mêmes opinions, sur les mêmes thèmes, assis à la même place, en mangeant les mêmes plats... c'est ainsi que la vieillesse opère. Si vous n'y faites pas attention, cette saleté vous fige pour l'éternité dans l'ordinaire, comme une nature morte.

Bien que les reparties et l'esprit de ma mère aient gardé leur finesse, elle se laisse inexorablement aspirer par le récit que Patrick fait du monde, étriqué mais confortable. Reposant, peut-être. Constance s'enlise elle aussi dans la conversation, par politesse.

Quant à moi, mon attention reste focalisée sur mon plat, qu'une nausée persistante m'empêche d'apprécier à sa juste valeur. J'ignore ce qui m'écœure, la sauce trop liquide, l'odeur trop iodée, cette impression de marais salant dans lequel se noierait ma fourchette… Je m'efforce cependant de manger car au moins, la bouche pleine, je suis dispensé de participer aux discussions, libre de quitter mentalement la table pour songer à des images plus stimulantes.

Je repense à ma *date* Tinder d'hier. Céline, jolie blonde piquante, jean taille basse et talons hauts, lèvres corail et net penchant pour le rosé. Commerciale pour une grande marque d'alcool et spiritueux. Désirabilité comparable à celle de Leila, dans un style différent. Rien que d'y songer, j'ai déjà l'impression que la morosité s'éloigne et que l'été revient. La flamme de cette nuit se ravive.

Elle m'a rapidement annoncé qu'elle ne cherchait « rien de sérieux ». À ces mots, j'ai définitivement rompu avec le récit que je me faisais autrefois de l'homme séduisant – gentil, attentionné, prévenant, galant, comme je l'étais avec Marion –, qui se révèle complètement faux. C'est un fait : sur le marché de la séduction, les connards ont infiniment plus de valeur. J'ai donc joué la même partition qu'avec Leila. Céline connaissait la chorégraphie par cœur, ce jeu consistant à faire croire à l'autre qu'il doit nous convaincre alors qu'on veut la même chose. Cette danse n'a pas pour finalité de faire l'amour ni de coucher ensemble, mais de se baiser mutuellement – la même activité sans affection, sans connexion, mais avec l'intense satisfaction d'être arrivés à nos fins, de s'être conquis. Chacun gagne alors un droit temporaire à disposer librement du corps de l'autre, pour y projeter ses fantasmes et tout assouvir, tout expulser du sien. Une démarche gagnant-gagnant.

À ce jeu-là, il est aussi question d'étanchéité. Être un *bon coup* suppose de satisfaire à un certain nombre de normes et de règles

– il existe un cahier des charges pour tout. Ainsi, l'autre jour, Jules disait au café que le pire tue-l'amour pour une Parisienne, ce n'est pas que le mec n'en veuille qu'à son cul mais le contraire, qu'il soit trop fleur bleue, du genre à s'imaginer des choses et s'attacher trop vite. J'ai trouvé ça grotesque et pourtant, la difficulté s'est bel et bien posée chez Céline. J'ignore si c'était l'éclairage orangé, ses bougies parfumées, son grain de beauté au coin des lèvres qui me rappelait Marion... Elle m'a fait écouter ses musiques préférées, de la pop atmosphérique avec de jolies voix éthérées. J'ai eu l'impression d'une parenthèse, d'un instant suspendu, comme si on se dévoilait l'un à l'autre avec une sincérité d'autant plus grande qu'elle était éphémère. Puisqu'on ne cherchait pas à se connaître, on pouvait tout se dire. À mots couverts, je parlais de vengeance ou de justice, puis à son tour elle parlait d'autres choses qui lui tenaient à cœur. On ne s'écoutait pas, non, mais on donnait drôlement l'impression de se comprendre. À force, l'espace d'une seconde, j'ai cru qu'on allait peut-être, éventuellement, tomber un peu amoureux. C'est ridicule, oui. Mais sur le moment, la frontière entre mes deux récits n'était plus étanche. Tout devenait confus, liquide, mélangé. J'agissais comme Victor Newman, mais avec la candeur et l'imagination de Victor Laplace. Il faut dire qu'on n'était plus vraiment vendredi soir, et pas encore samedi matin. Forcément, au bout d'une heure, elle s'est mise à bâiller, à me répéter qu'elle était fatiguée. La fenêtre de tir a bien failli se refermer.

Il a fallu que je me remobilise, que je me rappelle pourquoi j'étais là : valider mon appartenance à l'espèce dominante. Sous l'autorité de cet objectif supérieur, mon conflit interne s'est apaisé. Mon chaos intérieur s'est mis en ordre de bataille. Dix minutes plus tard, je la plaquais contre le mur, son jean aux chevilles et ses talons encore aux pieds. En se cambrant elle m'a demandé si j'aimais son cul, j'ai répondu « Oui ». Et sa chatte ? « Aussi. » « Alors défonce-la, baise-moi bien fort. » Ce soudain changement de registre m'a surpris, mais elle n'avait pas tort : à ce stade avancé du jeu, il ne s'agissait plus d'embellir les choses mais de se les dire telles quelles, brutes et sans détour. Mes actes ont suivi ses paroles.

Pourtant, quand après quelques allers-retours elle m'a dit « Parle-moi », j'ai dû me rendre à l'évidence : Victor Laplace pilotait encore et toujours mes pensées. J'étais là, agrippé fermement à ses hanches, et tout ce qui me venait à l'esprit, c'était à quel point j'aimais la douceur de sa peau, le dessin de ses omoplates ou le reflet des bougies sur ses cheveux... Du coup, j'ai préféré garder le silence.

À table, la grisaille ne s'est toujours pas dissipée. En roue libre, Patrick critique tous ces bobos *qui se disent de gauche alors qu'ils gagnent une fortune*. Je ne suis pas sûr de bien saisir ce qu'il reproche à ces gens – d'être de gauche ou de gagner une fortune – mais il est très remonté contre eux. Et contre les syndicats, aussi, qui font grève à la moindre occasion. Et les fonctionnaires, beaucoup trop nombreux. Je surveille la réaction de ma mère, du coin de l'œil. Je ne voudrais pas lancer de polémique, mais il se trouve que mon père était syndiqué, fonctionnaire et de gauche tout en gagnant un bon salaire... Va-t-elle indéfiniment laisser ce type insulter son défunt mari, devant sa veuve et son fils, dans un appartement dont son héritage a partiellement financé l'achat ? Apparemment oui, elle fixe son assiette en attendant que ça passe – je connais bien la tactique. À ma nausée s'ajoute un profond dépit, quand je pense à ces compromissions qu'on est capable d'accepter, par peur de la solitude.

— Ça fait beaucoup d'ennemis, quand même... Il faudrait faire un choix.

Cette douceur avec laquelle Constance vient de sécher Patrick ! Je lui jette un regard plus amoureux que jamais... L'autre marque un peu le coup mais ne se démonte pas. Et puisqu'il faut choisir, il en revient à son réquisitoire anti-bobos, les accusant de ne jamais avoir un point de vue simple, d'être de tous les camps à la fois. L'époque n'est plus aux paradoxes, à la mesure. Dans l'incertitude ambiante, les opinions nuancées apparaissent comme un manque de courage et non plus un signe d'intelligence. On attend désormais de chacun qu'il soit identifiable, qu'il se prononce clairement sur le camp qu'il veut défendre, de quel côté de la frontière il se trouve – pour ou contre l'ordre des choses. Il y a comme ça deux partitions bien étanches : ceux qui avancent et ceux qui réfléchissent. Réussir ou bien faire, il faut choisir, c'est tout ou rien.

S'il connaissait l'histoire de mon père, Patrick lui donnerait sans doute tort d'avoir voulu jouer sur les deux tableaux, et raison à Dorsay d'avoir agi conformément à ce qu'on pouvait attendre d'un salaud comme lui. Il faut être dans le système ou en dehors. Être modéré, c'est être faible. Être complexe, c'est être lâche.

Son monologue ne se termine qu'à l'arrivée du plateau de fromages, par une opinion de *bon sens* qu'il espère consensuelle :

— Bref, ce qu'il faudrait à ce pays, c'est un chef d'entreprise jugé sur ses performances. Comme mon patron, comme le vôtre.

Avec une ironie que je suis le seul à déceler, Constance me lance :

— C'est une bonne idée ça, tu imagines ? Dorsay à l'Élysée...

Je m'efforce de sourire, ce n'est sans doute pas très convaincant. Dès qu'elle a prononcé ce nom, j'ai senti comme un raidissement chez ma mère, un sursaut presque imperceptible, puis son regard s'est tourné vers moi, une seconde à peine. Que connaît-elle du bourreau de mon père ? Lui en parlait-il à l'époque ? Elle a peut-être lu ses carnets, avant de me les transmettre. J'imagine toutes les questions qui doivent assaillir son esprit, en ce moment même. Je retiens mon souffle. Pourvu qu'elle n'en pose aucune.

— Et toi justement, Constance, comment tu en es venue à ce métier ?

Pour le coup, merci Patrick ! Grâce à lui, la discussion change d'aiguillage. Constance se lance dans le sinueux récit de ses études, ma mère la questionne à son tour, la crise est évitée. Bientôt, une notification me fait vibrer la cuisse, j'espère un message de Céline. J'attends ce qu'il faut, cinq minutes environ, avant de prendre congé pour me réfugier aux toilettes.

Ma nausée fait le voyage avec moi. L'odeur de marécage aussi. Mon iPhone affiche bien un SMS, mais de Leila : « *J'ai parlé de ton logiciel à mon patron, rappelle-moi.* » Le message que j'ai envoyé ce matin à Céline reste toujours sans réponse. J'y entrouvrais quelques portes en vue d'un second rencard. Pas que j'aie spécialement envie de la revoir, mais c'est le jeu. Selon Jules, baiser une Parisienne n'a rien d'une prouesse, de surcroît sur Tinder. Le seul véritable indicateur, pour savoir si on est un *bon coup*, c'est l'impatience de la fille à remettre ça. Un silence prolongé de Céline serait donc synonyme d'échec. Et une réponse pleine d'ardeur entérinerait, au contraire, la crédibilité de mon personnage. Attendre ainsi son verdict est similaire à l'expérience du chat de Schrödinger : dans l'impossibilité de savoir si Victor Newman est mort dans son regard ou toujours en vie, je pars du principe qu'il est simultanément les deux. Sur le marché de la séduction, à cet instant, je vaux tout à la fois cher et presque rien – et du précipice entre ces deux réalités naît un palpitant vertige.

Mon envie de vomir se précise. En m'accroupissant face aux toilettes, je me demande si les héritiers de l'espèce dominante – Dorsay, Jules et tous les autres – ont dû passer par les mêmes épreuves que moi, affronter les mêmes doutes, la même culpabilité, résoudre les mêmes conflits internes, arbitrer entre plusieurs récits d'eux-mêmes… Non, bien sûr, c'est ce qui nous oppose : eux n'ont jamais eu à devenir quelqu'un d'autre.

Je tiens mon visage immobile au-dessus de la cuvette, avec l'impression tenace qu'une eau sale et nauséabonde me parcourt le corps, sans vouloir en sortir. D'ici, par un étonnant phénomène acoustique, j'entends un peu plus nettement ce qui se dit à table. Avec une grande liberté de parole, Constance raconte son acclimatation difficile à Paris quand elle s'y est installée pour ses études. D'après les bouts de phrases que j'arrive à saisir, elle enchaînait alors les déceptions sentimentales. Sa candeur et son innocence attiraient sur elle les pires prédateurs de la jungle urbaine, dont le cynisme et les talents en *storytelling* lui étaient alors insoupçonnables. Connaissant mal la danse, elle se laissait guider, puis complètement balader. Son récit me rend triste et curieusement coupable, aussi, en dépit de l'humour et de l'autodérision dont elle l'enrobe.

La mélancolie chasse le dégoût, ou le recouvre. Je me dis qu'en amour, comme à tous les autres jeux, l'échec est autocumulatif : plus vous en subissez, plus vous les attirez. Chaque déconvenue vous fait perdre un peu plus en estime de vous et, à force, vous diminuez votre prix. Sans le vouloir, à la rencontre suivante, vous faites comprendre à l'autre que votre valeur est en baisse et qu'il faut en profiter. Et l'autre vous croit, bien obligé.

C'est officiel : je ne vomirai pas. Rassuré sur mon étanchéité, je me lève et pars me réfugier dans le bureau d'à côté, mieux insonorisé. Je tâche de me rappeler où ma mère entrepose ses vieilles photos. À en juger par la poussière, personne n'a replongé dans ces souvenirs depuis longtemps. En l'occurrence, l'enveloppe Kodak que je pose sur le bureau n'est qu'un alibi pour justifier que je m'isole ici, au cas où quelqu'un ferait irruption. Leila répond après deux sonneries. Elle va droit au but :

— Tranchard est OK pour te voir. Soit lundi 8 heures, soit vendredi 16 heures.

Nous y voilà ! Le jeu humain par excellence, le chaînon manquant entre la séduction, le networking et les affaires. La fenêtre en train de s'ouvrir est précieuse, déterminante. Je fais mine d'hésiter sur la date, mais je penche pour vendredi : un tel rendez-vous se prépare. Leila me donne quelques conseils, principalement sur la forme à respecter – costume, poignée de main, tutoiement... Pendant ce temps, mon téléphone vibre à nouveau : un SMS de Céline cette fois, je m'en assure aussitôt. Je ressens quelque chose d'inédit, un mélange de vertige et de fierté, de gêne et d'euphorie. L'eau sale qui me parcourt le corps se gorge d'énergie, prête à s'enflammer.

Ça n'arrive pas tous les jours, d'avoir une jolie fille qui vous écrit tandis qu'une autre est à l'autre bout du fil et qu'une troisième vous attend dans la pièce à côté. Vous sentez bien que ça ne fait pas de vous quelqu'un de meilleur et pourtant, sur le papier, votre valeur explose tous les compteurs. Un peu malgré vous, vous voudriez que tout le monde soit au courant. Vous repensez à ces soirées perdues, pleurant le départ de Marion... Et vous vous congratulez pour le chemin parcouru !

Je remercie Leila, plusieurs fois, avant de raccrocher. En ouvrant le SMS, je retiens ma respiration comme si ma vie en dépendait. La première phrase douche en partie mon enthousiasme : « *Salut Victor, un peu fatiguée mais ça va, merci.* » Le ton est neutre et poli, sans émotion. La suite, guère plus encourageante : Céline y fait allusion à cette nuit « *arrosée* », sans le début d'un éloge. Le vertige se dissipe, j'y vois déjà plus clair : un de mes deux récits prend le pas sur l'autre. À la troisième phrase, c'est officiel, le chat de Schrödinger est mort : « *Je pars à Londres demain pour le boulot.* » Pas la moindre invitation, même subtile, à se revoir. Pas même « *À +* » ou « *À bientôt* » – ce qui ne l'engageait à rien –, juste « *Bonne continuation* ». Un désastre. Je suis humilié, sonné, dans les cordes. J'ai beau me répéter que l'avis de cette fille n'a aucune importance, je suis comme en deuil : ci-gît Victor Newman, *vrai mec* et *bon coup*, histoire flatteuse qu'un garçon naïf aimait se raconter.

Voilà, c'est fini. Il faudrait maintenant que je retourne à table, affronter ma gueule de bois, ma culpabilité, le sourire de Constance, le regard de ma mère et les discours de Patrick, sans plus aucune image positive d'hier soir pour compenser…

Découragé d'avance, j'ouvre plutôt l'enveloppe posée devant moi.

Mon père est certainement le dernier homme sur terre à avoir abandonné l'argentique pour le numérique. En février 2010, pour mes seize ans, il faisait encore tirer ses photos sur papier. Pour m'occuper, je fais défiler les souvenirs devant moi.

La table ressemble à celle de ce midi, dans un autre appartement. Marion à la place de Constance, mon père à celle de Patrick, ma mère souriant sans conviction. À cette époque, mes parents se disputaient beaucoup, à propos de tout et de rien, comme s'ils sentaient le couperet sur le point de tomber. Quelques semaines auparavant, Dorsay avait commencé à mettre son plan à exécution, à rameuter des consultants supplémentaires pour prendre le pouvoir. Pourtant ce qui frappe, sur les rares apparitions de mon père, c'est son aplomb, sa confiance : il n'a pas l'air anxieux ni stressé. Sur le papier, tous les signaux semblent au vert.

Des images de cette époque-là me reviennent, quand il rentrait tard le soir, engoncé dans sa cravate, le regard exalté par une ambition confuse. Si ma mère lui faisait remarquer l'heure, il répondait avec un optimisme fébrile, parlait de dernière ligne droite, disait bosser dur pour nous mettre définitivement à l'abri. On n'était plus très loin du but, il y croyait dur comme fer. La même année, c'était Robert Petit, le platane, le *Collabo*.

Si mon père s'est à ce point fait avoir, je ne suis pas à l'abri moi-même. Il m'a forcément transmis une part de sa naïveté, des erreurs de jugement qui l'ont conduit à sa perte. Il suffit d'un rien, d'un angle mort, d'une croyance à laquelle on s'attache sans le savoir, d'une histoire à laquelle on veut un peu trop croire, pour que le regard se déforme et qu'une bulle s'y installe. Un moment d'étourdissement, d'attendrissement et *clac*, la grande famille de l'espèce dominante vous ferme la porte. Une Céline ou un Dorsay vous annoncent alors la nouvelle : vous êtes disqualifié.

— Qu'est-ce que tu fais ?

Constance a ouvert brusquement la porte, sans doute dans l'espoir de me surprendre en flagrant délit… mais de quoi ? M'a-t-elle entendu parler ? Depuis Leila, elle a le soupçon facile. Heureusement, son visage se détend quand elle aperçoit la pile de photos sur le bureau. Elle me sourit d'un air désolé, regrettant sans le dire d'avoir douté de moi. Sans rien dire non plus, je me lève et l'embrasse. Et soudain, par surprise, une masse d'émotions pétrifiée, figée sous ma poitrine, refait surface à son contact. Tout devient à nouveau confus, liquide, mélangé. Pris de court, mon corps se contracte pour retenir le flot des larmes, mais le barrage cède sous la pression. Constance me serre dans ses bras, ce qui n'arrange rien.

— Qu'est-ce qui se passe, Victor ?

Je ne suis pas encore assez étanche, voilà ce qui se passe.

16

Selon Dorsay, votre valeur agit sur les gens comme la masse d'un astre sur l'univers : elle déforme l'espace-temps, détermine la façon dont les corps se comportent et interagissent à proximité de vous. Et je dois dire en effet que, depuis qu'il a pris la parole il y a dix minutes, tout s'est mis à tourner autour de lui, les postures et les attentions se sont figées, comme sous l'emprise d'un champ gravitationnel. Il déroule ainsi son discours devant un auditoire déjà captivé, conquis d'avance :

— Le rôle d'une banque comme Goldman Stanley, c'est de localiser les gisements de valeur futurs avec le plus de certitudes possible. Si vous avez le moindre doute, c'est toute l'économie qui vacille.

Face à nous, David Kahn hoche la tête avec sérieux, heureux qu'on lui reconnaisse ce pouvoir et cette responsabilité démiurgiques. En tant que directeur des opérations de marché de Goldman Stanley pour l'Europe et le Moyen-Orient, lui aussi jouit d'une masse astronomique. Tout comme le soleil, d'innombrables vies dépendent des milliards que ses équipes injectent sur les marchés. Si ses investissements venaient à disparaître, des pans entiers de l'économie s'écrouleraient aussitôt. Ce poids en fait un seigneur très courtisé, auquel le monde et les opportunités viennent sans effort. On dit que son agenda se remplit plus de six mois à l'avance. Chaque jour, des hordes de commerciaux se pressent pour lui vendre une nouvelle technologie révolutionnaire, mais on compte très peu d'élus. Les salles de marché de GS ont la réputation d'être une forteresse imprenable.

Dorsay lui-même échoue régulièrement à y caser ses consultants. Impressionné, il m'a demandé comment j'ai pu ferrer un poisson pareil. J'ai dit la vérité : j'ai convaincu la brune du Peninsula dont il m'avait rapporté la carte de visite, Leila Belkacem, de convaincre son patron, Marc Tranchard, lequel a convaincu David Kahn. Je ne pouvais pas m'empêcher de sourire, j'étais fier de mon petit effet.

— Être le meilleur, c'est prédire l'avenir mieux que les autres, percevoir des opportunités qu'ils ne voient pas. Vos concurrents naviguent à vue dans le brouillard et nous, on vous propose un Sonar.

Sur l'immense écran plat, une slide avec le nom de mon algorithme s'affiche en noir sur fond blanc, comme dans une publicité pour Apple. Le spectacle est bien rodé. Dorsay a voulu que j'insiste auprès de Leila pour que la réunion ait lieu chez nous, avenue Marceau. Il a réservé la salle VIP Lounge au dernier étage, normalement réservée aux seuls directeurs : fauteuils en cuir premium importés d'Italie, réserve de whiskys rares et grands crus, billard américain flambant neuf... Mais c'est surtout la vue panoramique sur les toits de Paris qui impressionne. D'ici, on domine tout l'ouest de la ville, la Défense, l'Arc de triomphe, la tour Eiffel, les Invalides... Pour me fondre au mieux dans ce décor, j'inaugure un costume Dior en laine vierge, 2 500 euros. C'est la première fois que Dorsay me laisse participer à un rendez-vous commercial. Et sans doute la dernière, si je ne saisis pas ma chance.

— Le futur est au *trading* algorithmique : vos gains ne reposent plus sur l'intuition de vos traders, mais sur une détection systématique des bulles avant même qu'elles n'apparaissent.

David Kahn est accompagné d'une jeune matheuse au nom ukrainien, sans doute là pour évaluer la solution technique que je vais présenter. Chacun son geek. Sans moi, Dorsay n'aurait rien à vendre. Sans elle, Kahn ne saurait pas ce qu'il achète. Sur nos deux canapés face à face, nous sommes comme deux automates en miroir de nos patrons respectifs, imitant leurs postures chaque fois qu'ils en changent, épongeant parfois en même temps la moiteur de nos mains sur nos pantalons. Sur le troisième canapé, latéral, Tranchard et Leila observent la chorégraphie, aucun geste ne leur échappe.

Lors du traditionnel échange de cartes de visite, cette dernière a un peu tiqué, en y lisant Laplace et pas Newman. Il m'a fallu beaucoup de calme et d'assurance pour qu'elle finisse par relativiser, se dire qu'après tout, je n'étais pas le premier à utiliser un pseudonyme sur Facebook. Aucun mot, aucun argument n'aurait pu éteindre aussi rapidement ce début d'incendie. Selon tous les coachs en développement personnel, le *body language* est le nerf de la guerre : 55 % de votre communication, au bas mot. Si votre corps vous contredit, c'est toujours lui qu'on croira. Il faut donc constamment garder un œil sur lui, comme du lait sur le feu. Un rien peut vous sauver, ou trahir votre imposture.

Quand Dorsay me passe la parole, je tâche de me rappeler ses conseils. Exceptionnellement, cette semaine, il m'a permis d'assister à sa formation *Vente → La formule du succès*, qu'il dispensait à cinq managers tout juste promus. Trois jours pour devenir marchand de rêve, capable de refourguer à peu près n'importe quoi à n'importe quelle entreprise.

Je démarre d'une voix timide, un peu scolaire :

— Merci Stanislas, alors en effet...

Règle n° 1 : *faire croire au client qu'on a conçu le produit spécifiquement pour lui.* Tout le monde sait que c'est faux, mais ce n'est pas la question : vous devez lui raconter une histoire. Pour savoir laquelle, trouvez le chemin le plus court entre son problème et votre solution. Collectez un maximum de données sur Twitter et LinkedIn, pour prédire ses attentes. Sachez lire à travers son masque. C'est précisément ce que je m'efforce de faire.

David Kahn, quarante-deux ans, était trader à Londres jusqu'à la crise financière de 2008, puis est rentré en France pour grimper les échelons. Son visage reste marqué par ces années de spéculation boursière, cernes creusés par les nuits blanches, rictus maussade et pupilles dilatées dont on jurerait qu'elles sont revenues de tout. Sans doute garde-t-il un souvenir nostalgique de cette époque pas si lointaine où les traders étaient vus comme des bandits géniaux, des *mauvais garçons* de la réussite. Aujourd'hui, sa jeunesse est révolue et les gens comme lui, constamment montrés du doigt, désignés coupables de tous les désordres du monde. Je parie qu'en rencard, il ment parfois sur son métier. Clairement, la meilleure offre à lui faire, ce serait une cure de jouvence, une réminiscence de son statut glorieux d'antan. Le Sonar ne prédit pas seulement l'avenir, il fait accomplir des prodiges, vous transfigure en magicien surdoué – un sorcier du profit.

Marc Tranchard, cinquante-sept ans, correspond à un modèle de réussite plus obsolète encore, d'une autre époque. Ses joues grasses, son début de couperose et son ventre toujours plein rappellent un monde où l'homme d'affaires pouvait jouir et dominer sans complexe, sans devoir se montrer fin ni brillant, ni même avoir à se tenir devant les caméras. Le bon temps. Il aura bien vécu, ça oui, mais les années qui viennent seront plus difficiles. On devine que Kahn, déjà, le méprise un peu. Son capital et son statut parlent encore pour lui mais, progressivement, on l'écoutera de moins en moins. Du reste, il n'a pas dit un seul mot depuis qu'il s'est vautré sur le canapé. Ce qu'il aimerait, lui, c'est avoir l'air encore dans le coup, toujours dans la course – raison pour laquelle il recrute une majorité de jeunes femmes et s'obstine à leur faire des avances. Il n'aura pas eu les faveurs de Leila mais, grâce à elle, on peut encore lui faire crédit d'avoir découvert le Sonar – un précurseur, un visionnaire.

Mon père écrivait qu'il n'y a plus rien à conquérir mais c'est faux : il reste l'esprit des autres. Chacun a ses biais cognitifs, ses portes dérobées, son désir de croire et d'être convaincu. Le jeu consiste à trouver ces failles, comme un hacker s'introduisant dans un système informatique.

Règle n° 2 : *aucun esprit n'est impénétrable.*

— Et donc, euh, comme je disais, le Sonar est un outil fait pour vous, pour trois raisons...

Encore faut-il calmer ses propres mers intérieures. Pour l'instant, l'enjeu fait battre mon cœur à toute vitesse et rend mon élocution laborieuse. J'ai beau appliquer les conseils de Dorsay, je ne captive pas nos invités comme lui. Ça se sent à leurs postures, à leur présence intermittente, leur attention diffuse. On voit qu'ils n'écoutent qu'une phrase sur deux, par politesse, tout en pensant à d'autres choses. J'ai beau avoir conçu ce logiciel de A à Z, dans la vérité du corps, par son envergure et son aplomb, l'ennemi passe pour plus légitime que moi. C'est injuste, mais on n'argumente pas contre la biologie.

Je m'efforce avant tout de soutenir le regard de mes interlocuteurs. Je m'appuie notamment sur Leila qui, parce qu'elle ne tient pas à m'avoir recommandé pour rien, m'encourage en hochant fréquemment la tête. Je marque aussi des points dans les yeux de la matheuse, en faisant référence aux modèles stochastiques et aux chaînes de Markov. Je procède par étapes. Convaincre Leila pour plaire à Tranchard. Convaincre la geek pour plaire à Kahn. Plaire à Kahn pour plaire à Dorsay.

— Ce que l'algorithme vous offre, c'est une meilleure carte du marché, plus fidèle et détaillée que celle de vos concurrents.

J'imite certaines postures de l'ennemi, pour gagner en confiance. Jambes ancrées dans le sol, buste penché vers l'avant, je pèse déjà davantage. Parfois, l'audace de mes gestes me prend même par surprise. Je minimise l'enjeu de ma prise de parole, en me persuadant qu'il s'agit d'une comédie, d'un jeu sans conséquences dont mon corps est l'instrument. Ce n'est plus moi qui fais la démo du Sonar, c'est mon personnage.

Règle n° 3 : *tout est une question de certitude*. Selon Dorsay, la plupart des clients sont incapables de comprendre la valeur d'un produit mais tous, sans exception, savent estimer à quel point le vendeur y croit, en moins d'une seconde. L'incertitude se voit partout : à votre diction, à votre regard... Raison pour laquelle une fois sur scène, tout flottement doit disparaître. Chaque défaut doit devenir votre plus grande fierté – si vous êtes timide, ce sont les extravertis qui ont tort – et chaque doute, une conviction profonde.

Par exemple, quand s'affichent à l'écran les scores du Sonar – #Google 8.71, #Italie 6.93, #Bitcoin 9.39 –, je pourrais penser à toutes nos étapes de calcul, à leurs défaillances possibles, être pris de vertige, me dire que ce n'est pas sérieux, que le monde est plus complexe que cette série de scores absurdes et arbitraires. Mais je sais que le meilleur moyen de faire croire, c'est de croire soi-même. Alors je commente chaque résultat comme s'il était aussi indéniable que la composition d'un atome de carbone.

Le pire, c'est que ça marche : au bout d'un quart d'heure, je sens leurs attentions qui se figent sur moi, mon champ gravitationnel qui se renforce. La matheuse me pose des questions prévisibles auxquelles j'apporte des réponses convenues, que nous sommes les deux seuls à comprendre.

— Sur plusieurs milliers de bulles de *désirabilité* détectées, on obtient cinq jours plus tard en moyenne un coefficient de corrélation de 0,67 avec la valeur des actifs correspondants.

— C'est considérable, admet-elle en se tournant vers David Kahn.

Il n'en faut guère plus à Tranchard, qui sort de sa torpeur et propose de financer un *proof of concept* d'un mois pour tester notre logiciel, avec option d'achat s'il tient ses promesses. Précisément l'objectif qu'avait fixé Dorsay : « L'étape la plus compliquée, professait-il au troisième jour de la formation, c'est d'entrer dans la place, même d'un orteil. L'étape 2, c'est de ne plus jamais en sortir. » J'ai repensé à la mise en garde que les collègues de mon père lui avaient adressée : « *Les consultants c'est comme les cafards, tu as beau en écraser un, le lendemain trois autres débarquent.* » Jamais la comparaison ne m'avait paru si pertinente.

À l'issue du rendez-vous, David Kahn demande à s'entretenir seul avec l'ennemi – je suppose que c'est bon signe. Pendant ce temps, je raccompagne les trois autres, unanimement euphoriques : ça fleure bon les profits record et les primes exceptionnelles. Tranchard dit à propos de Leila – juste à côté de lui – que décidément, cette petite a du flair. Victor Newman a réussi son baptême du feu, c'est indéniable. Quand Dorsay vient me retrouver, un quart d'heure plus tard, il est si content de moi qu'il propose de m'offrir un verre dans le bar de mon choix.

C'est ainsi qu'on se retrouve au Peninsula, vers 17 heures, tandis que tout Paris travaille encore. Un an après mon entretien de mission, l'agencement des tables est toujours le même. J'identifie celle de Leila, où l'ennemi lui avait demandé sa carte de visite. La nôtre, sur laquelle il avait fièrement déposé son butin. Actes grâce auxquels j'y retourne aujourd'hui, avec mon costume et mon *body language* flambant neufs, cette fois pleinement à ma place et légitime. À la serveuse, dont le sourire valide encore un peu plus la crédibilité de mon personnage, je commande un Moscow Mule et il dit « La même chose ». Pour la première fois, j'ai l'impression qu'on joue dans la même cour. À la table voisine, deux filles ressemblant à des couvertures de magazines sourient en se photographiant avec leurs mojitos. Sur le tote bag de la blonde, on peut lire *Too pretty to work*. Les repérant à son tour, Dorsay me dit « C'est la Fashion Week en ce moment », ce qui ne m'évoque pas grand-chose. Je pars explorer les toilettes de l'hôtel, sans me douter de rien. À mon retour, il s'est assis à leur table et me fait signe de les rejoindre.

C'est la première fois que l'ennemi me propose d'être son partenaire de jeu. Malgré l'échec avec Céline, je me rassure, le contexte a changé. Je peux compter sur sa formule du succès – dont lui-même assure qu'elle s'applique aussi bien à la séduction qu'à la vente. Je suis comme mes algorithmes, j'apprends vite, à condition d'avoir le bon modèle.

La brune s'appelle Maud, la blonde Léa. Elles ne se disent pas mannequins mais modèles – le terme est bien choisi tant leur esthétique correspond en tous points aux standards de l'époque. Dorsay me présente comme un petit génie, sans que je parvienne à savoir s'il me flatte ou me dévalorise. Léa demande :

— Tu fais quoi dans la vie ?

— Je crée un modèle de réussite.

Je lui pitche le Sonar. Elle n'y comprend rien mais mon assurance la persuade de faire mine du contraire. Je me présente comme un visionnaire, un magicien surdoué, un sorcier du profit... Forcément, au moindre signe d'intérêt de sa part, mon pouls s'accélère et mon océan primitif s'emballe. À l'enjeu de convaincre Dorsay s'ajoute la force gravitationnelle dont le système dote ce genre de filles : il leur suffit d'un rien, d'un regard à peine appuyé pour faire naître en vous des courants féroces. L'effet de la Lune sur les marées.

Il faut dire que c'est leur métier : créer du désir. Qu'il s'agisse de vendre un parfum, des chaussures, une voiture, des yaourts ou un crédit conso, elles sont toujours là, sur chaque mur et tous nos écrans, admirables et enviables en gros plan, allégories de la réussite, symboles du triomphe ultime. Ce que toute femme doit être, ce que tout homme doit avoir. Sur le marché de la valeur perçue, tant qu'elles ont leur jeunesse et leur beauté, elles sont intouchables. Vous pouvez devenir millionnaire, éradiquer la faim dans le monde ou guérir le cancer, à n'importe quelle soirée VIP, elles entreront malgré tout avant vous. Alors, même sans croire au paradis promis par les publicités, quand vous vous retrouvez face à elles, vous ressentez le poids de l'enjeu, c'est inévitable.

Dorsay, pourtant, n'a pas l'air impressionné du tout. Sans effort visible, il attire déjà toutes les attentions sur lui. Je décrypte son attitude, fasciné par cette nouvelle réalité qui s'offre à mes yeux. Le plus frappant, c'est sa maîtrise des contrastes. Il oscille entre le marivaudage et l'indifférence, entre l'arrogance et l'autodérision. S'il disqualifie Maud, c'est toujours avec un sourire complice. S'il se rapproche d'elle, c'est pour mieux s'en écarter ensuite. Quoi qu'il dise, son corps laisse toujours entendre l'inverse. C'est comme une danse, un va-et-vient qu'il maîtrise à merveille, parfaitement au courant des dosages et de leurs effets. Le mot virtuose me vient à l'esprit.

En observant Maud suspendue à ses lèvres, éclatant de rire chaque fois qu'il le décide, comédienne esclave de sa mise en scène, je comprends un peu mieux comment mon père s'est laissé berner par ce type. Il a ce talent de subjuguer votre attention, aussi redoutablement que ces algorithmes de Facebook ou YouTube cherchant à vous retenir le plus longtemps captifs sur leur plateforme. Comme eux, il parvient à entrer dans votre tête, prédire en temps réel vos préférences, vos désirs ou vos manques, pour adapter son personnage en conséquence et toujours vous proposer un spectacle à même d'accaparer votre esprit.

Il fallait que le bourreau de mon père ne soit pas seulement un connard ordinaire, mais le champion de tous les connards. Ç'aurait été trop simple qu'il s'agisse d'un type comme Tranchard ou Kahn, dont la valeur dépend d'attributs périssables : grade, fortune, statut… Non, il fallait que la force de mon ennemi soit insaisissable. Comme la valeur d'un billet de banque, la sienne est fiduciaire, c'est une histoire à laquelle on croit *parce que* tout le monde y croit. Mon seul espoir de la voir s'effondrer un jour, c'est d'apprendre à briller encore plus que lui dans le regard des autres.

À commencer par celui de Léa, qui s'impatiente face à moi. Le problème, c'est que le sien m'intimide beaucoup trop. Si je manquais de vigilance, je pourrais tomber dans le même piège qu'avec Céline. Par excès de lyrisme ou d'innocence, je me mettrais à croire qu'elle est exceptionnelle. J'aurais tellement envie de m'en persuader que mes yeux trouveraient un tas d'indices imaginaires étayant cette croyance. Je retoucherais son visage pour faire semblant d'y voir mon idéal. Je trouverais un détail – une tache de rousseur isolée sur sa joue, son œil droit plus vert que l'autre – et j'y verrais une énigme, un mystère qui n'a pas lieu d'être. Je déchiffrerais tous ses regards comme s'ils me parlaient en silence, j'y lirais des messages cachés qui n'existent pas, la promesse d'un paradis retrouvé. Et je finirais par m'exclure, me raconter qu'elle est trop précieuse pour moi, que je ne la mérite pas… Je me résignerais à graviter autour d'elle, bien à distance, sans jamais l'atteindre.

Heureusement, j'ai bien appris ma leçon.

Règle n° 4 : *le succès dépend du prix qu'on se donne*. Dans la demi-heure qui suit, je m'empresse de vider mon regard de toute la rareté qu'il prête à cette fille, comme si j'en rencontrais quinze comme elle chaque jour. Je jure que #Léa 7.50 fait tout pour séduire #Victor 9.99 – tout le monde sait que c'est faux, mais ce n'est pas la question. Mes yeux filtrent le réel, comme un algorithme de Facebook ou YouTube, pour en ôter toutes les images risquant de remettre en question mes croyances ou de fragiliser mon récit. Je m'invente des exigences qu'elle est inapte à satisfaire, m'imagine précieux, astronomique. Une bulle enfle en moi du cœur au bassin : je suis une forteresse imprenable, comme les salles de marché de Goldman Stanley. Mon corps, sans rien dire, se raconte cette histoire avec une certitude absolue.

Peu à peu, la voix de Léa s'alanguit, ses joues rosissent, elle réagit plus vite et plus fort à chacune de mes reparties. Je pénètre son esprit, deviens quelqu'un dans son regard à mesure que, dans le mien, elle ne devient plus personne. Sa jambe commence à chercher la mienne sous la table. Alors je m'amuse à la fixer plusieurs secondes, juste pour la voir me demander « Quoi ? », avec un délicieux petit rire et le regard absorbé. « Mais quoi ? Dis-moi. » Ce sourire fébrile et ces yeux ronds, tous ces signes d'abandon qui n'apparaissaient autrefois qu'au troisième rencard, et que je déclenche désormais en trois quarts d'heure... L'amour est un jeu d'enfant, quand on ne croit plus aux belles histoires.

Règle n° 5 : *les faits importent moins que le récit qu'on en fait.*

Dans ma poitrine, un fond de mélancolie se mêle à l'excitation. Une part de moi envie Léa de se faire avoir, d'y croire encore. D'ignorer toutes ces lois absurdes qui régissent notre attirance mutuelle. Mais l'heure n'est pas à la sensiblerie. Je ne suis plus très loin du but : séduire ma cible pour me rapprocher de Dorsay. Devenir son poulain, son héritier potentiel, le seul à comprendre le *game* aussi bien que lui, à mettre aussi naturellement son modèle en pratique. Manier ses armes, chaque jour un peu mieux, jusqu'à pouvoir les retourner contre lui.

Léa, bientôt, insiste pour faire un selfie avec moi. Elle applique une série de filtres avant de poster sur Instagram une image idéalisée de ce moment, bien plus enviable que la vision que j'en ai désormais – mon filtre à moi dévalorise tout, me protège des bulles et de tout emballement. Pour garder le contact, elle demande mon identifiant. Je réponds @Victor_Newman en guettant la réaction de Dorsay, qui m'adresse un clin d'œil complice.

Un peu plus tard, profitant du fait que les filles s'éclipsent, il me confie qu'il a lui-même plusieurs profils, pour garder une frontière bien étanche entre ses relations durables et les autres.

— Décidément, tu caches bien ton jeu, me répète-t-il ensuite, en guise de consécration.

Pour la première fois dans son regard, je décèle la plus grande marque d'estime : de la méfiance. Je deviens un partenaire et un concurrent crédible. Je me répète la règle n° 2 : *aucun esprit n'est impénétrable*. Pas même le sien.

17

L'atrium du siège de Goldman Stanley, tout en marbre et pierre de taille, ressemble à un temple romain qu'on aurait truffé d'écrans plats et de gadgets high-tech. En attendant que l'hôtesse d'accueil m'accorde un badge *visiteur*, j'en contemple la hauteur sous plafond, vertigineuse. Ce type d'architecture permettait jadis aux empires de démontrer leur degré de maîtrise sur le réel, suggérant au passage la puissance de leur armée. Désormais, on ne parle plus de guerre mais de compétition. Les palais les plus grandioses sont devenus l'œuvre de capitaux privés, des tours monumentales de Dubaï aux campus géants de Californie, panthéons à la gloire des héros du commerce mondial. Ici, le blanc des colonnes et les reflets bleutés de la fontaine centrale sur les murs évoquent une pureté quasi divine, comme si la finance bâtissait des empires immaculés, sans la moindre noirceur ni goutte de sang versé. Une banque n'a jamais tué directement personne.

— Qui dois-je prévenir de votre arrivée ?

— Stanislas Dorsay.

Quand j'étais jeune, pourtant, mon père me racontait au sujet des banquiers des histoires épouvantables. C'était en 2008, l'époque de la crise des *subprimes* et de la faillite de Lehman Brothers. Comme si c'était hier, je me rappelle son explication des pyramides de Ponzi, ce mécanisme de fraude financière utilisé par Bernard Madoff – arrêté cette année-là pour une arnaque à 65 milliards de dollars – mais aussi, selon mon père, par les banques elles-mêmes.

Le principe est simple. Lundi, l'une d'elles crée un produit financier promettant des profits record, pour un risque limité. Mardi, elle vend ce produit à 100 investisseurs triés sur le volet, bien conscients que le produit ne sera rentable que si chacun d'entre eux le vend à 100 personnes à son tour. Ainsi, mercredi, le produit est proposé à 10 000 nouveaux acheteurs – une bulle se forme sous l'effet de cette demande accrue –, puis 1 million jeudi – les prix s'envolent et toute la presse spécialisée vante ce nouvel investissement à la mode – et 100 millions vendredi – le journal de 20 heures en parle, tout le monde veut sa part du gâteau.

Samedi pourtant, la bulle éclate : les clients du vendredi n'arrivant pas à trouver 10 milliards d'acheteurs plus naïfs qu'eux, la demande cesse de croître exponentiellement. Le marché s'effondre. Ceux qui se trouvaient au sommet de la pyramide – les clients des premiers jours – ont tout revendu à temps, encaissant des profits considérables. Mais les 100 millions de l'étage inférieur, eux, ont payé le prix fort pour un produit qui ne vaut plus rien. Dimanche, une masse d'argent considérable a disparu dans les airs : c'est la crise.

— Voici votre badge. M. Dorsay vous attend au sixième étage.

À l'époque, les histoires de mon père m'avaient fait prendre la résolution de ne jamais travailler pour une banque. Serment rompu dès mon premier jour chez B&G, en mission pour le Crédit Général. Mais il ne s'agissait alors que de détection de fraudes. Cette fois, mon Sonar agit au cœur de l'empire, collabore à son hégémonie. Pourvu que le jeu en vaille la chandelle.

Quand s'ouvrent les portes de l'ascenseur, je laisse une petite foule en sortir avant de monter, seul, au dernier étage. Un jeudi soir à 20 heures, il est plus naturel de descendre des bureaux que de s'y rendre. Pourquoi Dorsay m'a-t-il invité si tard ? Pourquoi ici, au siège de Goldman ? Son e-mail précisait seulement, en deux mots : *Point Sonar.*

Je suis intrigué, mais pas inquiet. Mon algorithme obtient ici de très bons résultats, ça m'étonnerait que la banque en soit mécontente. Et dans le cas où elle serait au contraire un peu trop satisfaite, ma fonction *pRank()* me protège des coups fourrés. Je n'en ai parlé qu'à Constance, et encore, une seule fois – après une bouteille entière de montepulciano, pas sûr qu'elle s'en souvienne. Je lui expliquais à quel point on retrouvait des pyramides de Ponzi partout, dans tous les domaines. « Par exemple, quand mille internautes publient leur engouement pour Nike, la Thaïlande ou le bitcoin : annoncent-ils la naissance d'une bulle ou son éclatement proche ? Ça dépend d'où ils sont placés sur la pyramide. Font-ils partie des influenceurs ou des influençables ? des précurseurs ou des idiots utiles ? »

Le but de ma fonction *pRank()* – comme Ponzi Rank – est précisément de répondre à cette question. Et d'estimer un score de candeur pour chaque internaute, sur chaque #thématique. Sur les marchés financiers comme au poker, il est crucial d'apprendre à lire la naïveté des autres. Sans ce score, le Sonar ne prédirait pas mieux l'éclatement des bulles que l'intuition d'un trader, et n'aurait donc aucune valeur. On peut en déduire que *pRank()* est la fonction la plus précieuse du logiciel.

C'est pourquoi personne ne connaît son existence – pas même Steph et Nico, mes propres développeurs. Je l'ai conçue seul, de sorte qu'elle soit parfaitement incompréhensible pour n'importe qui d'autre que moi – noms de variables abscons, absence de commentaires, appels à des modules indéchiffrables sur un serveur externe... Insoupçonnable. En lisant mon code, personne ne peut comprendre son utilité comme son importance.

Je pactise peut-être avec l'ennemi, mais j'ai toujours un coup d'avance.

Dorsay m'accueille en personne à la sortie de l'ascenseur, une main dans la poche et l'autre tendue vers moi. Je lui emboîte le pas sur la moquette épaisse qui étouffe le claquement de ses Berluti.

— Désolé de t'avoir fait venir à cette heure-ci. Mais au rythme où vont les choses, c'était important qu'on se parle très vite.

Après plusieurs sas et portes sécurisées, dont une protégée par un vigile, nous accédons à un vaste open space à l'éclairage tamisé. L'atmosphère y est studieuse. De jeunes geeks au *dress code* impeccable ont l'attention fixée sur des grappes d'écrans, affichant quelques courbes et du code C ++ ou Python, pour autant que je puisse en juger à cette distance. Parmi eux se trouve une seule fille, la matheuse que David Kahn avait fait venir au rendez-vous. Sur mon passage, elle m'adresse un hochement de tête complice et même un sourire, que j'ai du mal à décoder. J'éprouve en tout cas un sentiment familier, comme si je retrouvais mes semblables. Sur un bureau gisent des restes de viennoiseries de ce matin. La sensation d'espace et de tranquillité contraste avec ces salles de marché frénétiques et grouillantes qu'on voit dans les films. Je m'attendais à autre chose.

Au fond de l'open space, un bureau tout en baies vitrées en offre une vue panoramique. L'intérieur sent un mélange de parfum Hermès et de moquette neuve. Dorsay me propose un café, comme si la fin de journée restait un lointain concept. À cette altitude, la semaine de soixante heures devient un minimum syndical. La compétition n'en finit jamais, il y a toujours un étage supérieur à conquérir et ceux de l'étage inférieur qui veulent votre place, alors vous grappillez inlassablement du temps supplémentaire, là où il en reste encore. Vous pouvez toujours ralentir, les autres s'empresseront de vous disqualifier. Dilemme du prisonnier.

Dorsay se laisse nonchalamment tomber sur son siège en cuir, démarre l'entretien par un concerto de novlangue, interprété sans fausse note :

— Je t'ai fait venir pour qu'on évoque ensemble quelques hypothèses, de manière informelle. Qu'on soit alignés sur le process et les next steps, pour orchestrer la transition de manière optimale.

Je ne m'explique toujours pas comment ils font, lui comme tous les autres, pour avoir l'air chaque jour aussi lisses que la veille, pleinement dans leur personnage, sans jamais donner l'impression que cette aliénation leur pèse. Aucun salaire ne justifie ça, il doit y avoir autre chose. De mon côté, je ne rêve que d'abandonner ce rôle incarné douze heures par jour, sans entracte. Une fois l'ennemi vaincu, c'est clair, j'aurai besoin d'une année sabbatique, au moins, pour m'en défaire.

— Là, tu es dans la branche QIS – Quantitative Investment Strategies. Les gens derrière toi, ce sont des « strats », les nouvelles rock stars de la finance. Leur job consiste à créer des algorithmes optimisant tout ce qui touche au business de la banque : *trading*, fusions-acquisitions, crédits, capital-risque...

Je partirai faire le tour du monde avec Constance. J'ouvrirai un blog pour relater nos aventures. Je donnerai des cours de C ++ aux enfants philippins, capverdiens, cambodgiens – partout où il y a des plages de sable fin.

— Il se trouve que QIS est en train de monter une start-up interne, sur le modèle de B&G Disrupt, qui s'appellera Goldman Stanley Accelerate.

Le nom m'extirpe un sourire. Ces derniers temps, sous l'impulsion des cabinets de conseil, tous les pachydermes de l'économie mondiale créent des « start-up internes » pour attirer des geeks dans mon genre, auxquels les bornes d'arcade en salle de pause ne suffisent plus. En échange de ces terrains de jeux sur mesure, on leur demande d'*accélérer* l'innovation – vers quoi, personne ne saurait dire, mais tout le monde souhaite y arriver le premier.

— La propriété intellectuelle du Sonar sera transférée vers cette nouvelle structure, David Kahn estimant – à juste titre – que ses prédictions n'ont de valeur que si Goldman en a l'exclusivité.

La phrase efface mon sourire, d'un seul coup. Ai-je bien compris ?

Avec un calme imperturbable, Dorsay me noie de détails technico-juridiques à propos d'un contrat de maintenance à 2 millions, signé avec B&G. Puis il revient à la charge et l'impensable se précise un peu :

— Même si la banque devient propriétaire du logiciel, c'est toi qui en géreras la maintenance, avec ton équipe habituelle.

Il marque une pause, semblant s'attendre à ce que je me réjouisse, voire à des remerciements de ma part. Mon cerveau tourne à plein régime, à l'affût d'indices présageant l'ampleur de la catastrophe.

— Je négocie avec le président Mansart pour qu'il te signe une clause *homme-clé*. Si jamais tu quittes B&G d'ici un an, Goldman Stanley rompt le contrat sans verser un centime. Tu es intouchable.

Déconcerté, je détaille les objets posés devant lui : sa collection de stylos Montblanc, son sous-main en cuir, son presse-papiers grotesque en forme de levier de vitesse Ferrari. J'ai déjà vu ces choses-là. Dans son bureau, chez B&G. Il finit par lâcher sa bombe :

— Quant à moi, je quitte officiellement mes fonctions demain matin.

Je sens une déflagration silencieuse, tout au fond de moi, un choc sourd dans les profondeurs. Pendant quelques secondes, aucune pensée ne me vient à l'esprit, j'entends ses mots sans les comprendre.

— Jules est pressenti pour prendre les commandes de B&G Disrupt l'année prochaine, après une phase de transition. Je reste au capital de la société, bien sûr. Vous n'allez pas vous débarrasser de moi comme ça.

Il sourit. Un bourdonnement d'oreille empêche sa voix d'arriver tout à fait jusqu'à moi. Comme après toute explosion, la panique succède à la sidération. Puis un désordre absolu.

Un million de souvenirs se bousculent. Des années de manœuvres pour intégrer B&G, pour gagner sa confiance… Et voilà que l'ennemi s'échappe alors qu'il ne m'avait jamais paru si proche – en volant mon algorithme au passage. Je me rappelle cet entretien d'avril 2011 auquel il avait convié mon père, pour lui annoncer sa mutation – ou sa disqualification – deux mois avant sa mort. Je reconnais ce regard détaché, sans cruauté, qu'il décrivait alors: « *Pour lui, c'est un jeu.* » Plus mon corps se crispe et plus le sien gagne en décontraction.

— Je crois que je t'ai perdu, Victor… Tu as des questions, peut-être ?

L'horloge affiche 20 h 22. *Réfléchis, Victor. Pense à ta fonction pRank(). Tu as encore un coup d'avance. Si l'ennemi ne le sait pas, tu le lui feras savoir. Priorité : faire durer l'entretien. Collecter un maximum de données. Agir avec certitude…*

— Non, je suis juste un peu surpris. Tu diriges la filiale la plus rentable du plus grand cabinet de conseil au monde… Je vois difficilement ce que Goldman Stanley peut t'offrir de mieux.

En pareille situation, la bienséance impose à Dorsay de ne pas parler du salaire que la banque lui propose. Qu'à cela ne tienne, il trouve d'autres arguments, proclame que les six strats derrière moi sont les prémices de son nouvel empire. Dans les prochains mois, il entend bâtir une armée de ces petits génies, à même de pondre un Sonar chaque semaine.

— Les banques comme Goldman sont le meilleur endroit pour capter de nouveaux gisements de valeur, ce sont elles qui écrivent les règles du jeu. C'est comme bosser pour les architectes de la pyramide que tout le monde essaie de gravir : tu connais les plans de ses structures internes, ses passages secrets, ses raccourcis, ses murs amovibles et ceux sur lesquels repose tout l'édifice... C'est un *game changer*.

Je partage son avis, j'en parlais même à Constance l'autre soir. Le succès ne répond plus au mérite ou à l'intelligence, mais aux lois qu'on écrit ici, à l'intérieur du temple. Il y a deux réalités parallèles : l'une physique – faite de matière et d'atomes, d'air et d'eau – et l'autre symbolique – faite de chiffres et d'équations, tissée par la valeur et le prix des choses. Notre espèce a longtemps lutté pour maîtriser la première mais désormais la prospérité, la destinée de toute notre civilisation reposent sur la seconde. J'imagine sans mal l'étendue des pouvoirs que son armée de strats pourrait avoir sur elle. Je suis d'autant plus frustré qu'il ne m'y propose aucun rôle.

Quel talent auraient ces inconnus que je n'aie pas ? Aurais-je trop voulu me défaire de mon statut de geek, pour qu'il ne me considère plus comme l'un des leurs ? La réponse ne tarde pas à venir. L'ennemi soudain fait la moue, prend des airs embarrassés.

— Je veux être totalement transparent avec toi. Au départ, j'avais prévu de te proposer un poste ici. J'avais même validé avec David, tout était prêt : on te proposait le même contrat qu'aux autres, 110 000 euros par an, hors bonus.

Mais il évoque des « blocages ». Mansart, d'abord, s'est formellement opposé à ce qu'un autre consultant de B&G fasse défection avec lui. Puis ce sont les strats de Goldman qui ont émis des réserves, d'une autre nature, lorsqu'ils ont audité mon code :

— Ils ont parlé d'une fonction rendue *volontairement indéchiffrable*, ce sont leurs termes. J'ignore ce dont il s'agit mais ils ont mis plus d'une semaine à comprendre et réécrire ton code. Cet épisode a considérablement refroidi David. Et je ne peux pas aller contre l'avis de mon principal associé.

Je pourrais feindre l'étonnement – *Attends, de quelle fonction tu parles ?* –, accuser Steph et Nico – *Je leur avais pourtant bien dit de commenter leur code* – ou assumer de vouloir protéger ma création – *Tu aurais fait la même chose à ma place*. Finalement, c'est la quatrième option qui l'emporte : le silence pesant. Mon ventre me brûle à mesure que je digère la nouvelle : mon coup d'avance n'existe plus.

Je comprends mieux le sourire de la matheuse à mon arrivée. Comment ont-ils fait, elle et ses collègues, pour réécrire ma fonction *pRank()* avec si peu d'informations ?

L'ennemi enfonce le clou, sans me laisser le temps d'y réfléchir :

— Tu dois comprendre qu'ici, les strats ont accès à des données extrêmement sensibles. On leur fait passer toute une batterie d'entretiens pour tester leur loyauté, leur intégrité, leur probité… Or, à ton sujet, David a parlé de procédé *paranoïaque* ou *frauduleux*, voire de *sabotage*.

Cette sentence éteint le peu qui me restait d'espoir. Ce jeudi soir, à 20 h 38, l'espèce dominante vient officiellement de me fermer ses portes. Sept ans d'efforts réduits à néant. Moi qui me croyais tout près du but… Tout ce que j'ai réussi à faire, c'est offrir le Sonar au bourreau de mon père, de quoi accélérer encore son ascension. Le temps d'une expiration, toute ma révolte me quitte. Mon océan primitif n'est plus qu'une mer d'huile, amère et silencieuse.

Bientôt, Jules à son tour me convoquera dans un bureau du sixième étage et s'empressera de me faire barrage, d'amorcer ma disqualification – c'est de bonne guerre. Je démissionnerai comme Igor et dès lors, Kahn et Dorsay pourront invoquer ma clause homme-clé pour rompre le contrat de maintenance avec B&G, sans payer un centime. L'ennemi passera pour un génie des affaires. Échec et mat.

Le vainqueur se lève et, d'une démarche lente, vient s'asseoir devant moi sur le rebord du bureau. Il prend un air presque paternel.

— Je dois t'avouer que je suis déçu, Victor. J'aurais aimé t'avoir avec moi dans cette aventure. Qu'est-ce qui t'a pris ? À quoi tu pensais ?

À rétablir la justice que ton espèce a fait disparaître. À te confisquer tout le bénéfice que tu as tiré de la destruction de mon père. Le summum, l'idéal aurait été que tu te suicides à ton tour. C'est raté.

— À rien de particulier, c'est juste un vieux code écrit sans réfléchir, pour la toute première version de mon algorithme.

— Celle pour le poker ?

— Oui. Je n'ai jamais pris le temps de le remettre au propre, parce que j'étais toujours pressé d'avancer sur une nouvelle fonctionnalité. J'ai eu tort, je regrette.

Tandis que je feins le remords, sans espoir de le convaincre, des pensées radicales, autrefois tapies dans l'ombre, me traversent l'esprit comme des voyageurs en transit. Si l'ennemi devient intouchable dans la réalité symbolique, il reste vulnérable dans celle faite de matière et d'atomes, de chair et de sang. Une marée d'images sombres me monte à la tête. Quels dégâts le presse-papiers en forme de levier de vitesse pourrait-il infliger à son crâne ? Aurait-il le temps de voir le coup venir ? Ses cris parviendraient-ils jusqu'à l'open space, à travers le triple vitrage ?

— J'allais la redévelopper comme il faut, bien sûr, c'était prévu depuis longtemps. Ne serait-ce que pour la maintenance : même moi, je n'arrive plus à comprendre cette fonction. Je suis d'ailleurs impressionné que tes strats aient pu la réécrire.

Il faudrait ensuite que je lui vole son badge, pour pouvoir franchir les sas et portes sécurisées. Que dirais-je alors au colosse qui en garde l'entrée ? Dorsay veut une nouvelle fois être « totalement transparent » avec moi :

— Ils n'ont pas réussi à la réécrire en intégralité. À David, ils ont parlé d'une version dégradée mais « satisfaisante ».

En prononçant ce mot, il mime des guillemets avec ses doigts. Je marque un temps d'arrêt. Tout n'est peut-être pas perdu.

Pendant les minutes qui suivent, je m'accroche à ce mince espoir, cette issue de secours qui prend fragilement forme : livrer ma fonction *pRank()* – aux performances optimales – entièrement commentée, documentée, à David Kahn en personne. M'expliquer au passage sur ce malentendu. Promettre de m'astreindre à tous les tests imaginables pour lui prouver ma probité, mon intégrité, ma bonne foi. Me répandre en excuses. L'ennemi prend le temps de m'écouter mais il reste sceptique. Le principal problème, c'est que le rachat du logiciel est officiellement prévu pour demain matin.

— C'est trop tard, il aurait fallu s'y prendre avant... J'imagine que la réécriture te prendrait plusieurs jours, voire des semaines.

— Pas du tout ! Je peux le faire d'ici demain, sans problème.

C'est jouable, à condition de ne pas dormir. Je ravale ma fierté, comme jamais auparavant. À force, je jurerais qu'il veut sincèrement m'aider. Ses sourcils se froncent : on peut tenter le coup, dit-il, mais il faut agir vite. En tapotant l'écran de son téléphone, il m'inscrit à l'ordre du jour du prochain CoDir, demain 8 heures : je pourrai ainsi défendre mon cas avant que le rachat soit officiel. Ça passe ou ça casse.

— Et pour Mansart ?

— Lui, j'en fais mon affaire. Le plus important pour toi c'est de convaincre David, de le rassurer par tous les moyens possibles.

Je suis déterminé à jouer crânement ma chance. Intérieurement déjà, je prépare mon personnage : Victor Newman, passionné par la finance, persuadé que les marchés sont essentiels à la bonne marche du monde, à mille lieues d'imaginer partir en année sabbatique un jour. L'un des leurs, aliéné jusqu'à la moelle...

— Je serais vraiment heureux que tu réussisses. Si tu rejoins Goldman, c'est une nouvelle vie qui s'ouvre à toi.

Je pourrais même profiter de cette nuit pour montrer ce que je sais faire, améliorer ma fonction, ridiculiser la version des strats et ses performances « satisfaisantes », pulvériser tous les records...

— Les horaires sont assez copieux mais bon, ce n'est pas pire que le conseil. Et il y a beaucoup de jolies analystes côté *private equity* qui se réjouiraient que tu leur montres tes talents.

Kahn serait tellement impressionné qu'il me supplierait de venir. Dorsay bâtirait son armée sur de meilleures bases encore...

— En plus, chaque automne, il y a un énorme séminaire aux Baléares, avec tous les cadres de GS Europe : deux mille participants, trois jours, une orgie.

Soudain, un frisson me traverse le corps, l'ombre d'un doute. Pourquoi met-il à présent tant d'ardeur à me convaincre ? Pourquoi cette discussion a-t-elle lieu face à cet open space, et cette équipe dont je ne devais pas faire partie ? Très vite, chaque question en soulève une autre. Pourquoi David Kahn se presserait-il d'acheter un logiciel que la crème de ses geeks est incapable de comprendre en intégralité ? Est-il du genre à se satisfaire d'une version *dégradée mais satisfaisante* ? À payer 2 millions d'euros à B&G pour qu'un *saboteur paranoïaque* et son équipe en fassent la maintenance ? Seconde après seconde, l'ombre s'épaissit. Il a suffi d'un rien, d'un changement d'angle infime, pour que tout s'éclaire autrement. Les informations, tout à coup, ont changé de sens et d'agencement.

À 20 h 47, j'élabore un tout autre récit des faits.

Une histoire où Kahn et Dorsay négocient le rachat du Sonar dès ma présentation commerciale, chez B&G, tandis que je raccompagne les trois autres. Mon recrutement n'est alors pas envisagé. Mais quand les strats de la banque se cassent les dents sur ma fonction *pRank()*, l'ennemi comprend qu'une précieuse partie du logiciel, hébergée sur un serveur externe, n'appartient pas à B&G Disrupt et ne peut donc pas être vendue à Goldman Stanley. Dès lors, réunion de crise : soit il me persuade au plus vite de céder sans condition mon code à la banque, soit le projet de start-up interne tombe à l'eau. Il me fait donc venir en urgence, un jeudi soir à 20 heures, fait en sorte que l'affaire soit bouclée le lendemain, dès 8 heures, pour que je réfléchisse le moins possible. Il s'arrange pour que toutes les propositions viennent de moi, me raconte une histoire convaincante pour ce qu'elle oublie de dire – la base du marketing. Peut-être même invente-t-il la nomination de Jules à la tête de B&G Disrupt, pour s'assurer que je veuille en partir.

Sauf qu'en chemin, la matheuse ukrainienne me sourit, comme pour me prévenir. Comme pour me faire comprendre qu'aux yeux de David Kahn, dans cette affaire, rien ni personne n'est plus précieux que le Sonar – pas même Dorsay. Un algorithme ne vous abandonne jamais pour un meilleur salaire, ne part pas en vacances ni en année sabbatique, ne vend jamais ses secrets à la concurrence, ne dort pas la nuit, n'a aucune stratégie ni désir caché… Ses prouesses appartiennent pour toujours à la banque, et à elle seule. Par conséquent, la moindre ligne de code permettant d'améliorer ses performances, ne serait-ce que de 0,5 %, a infiniment plus de valeur que n'importe qui.

Une bulle de certitude enfle en moi, du cœur au bassin. Si cette histoire se confirme, le rapport de force bascule spectaculairement en ma faveur.

Sans rien changer à mon langage corporel ou mon expression faciale, je teste une première fois sa réaction, léger comme une brise :

— Du coup, je réfléchis à voix haute mais admettons, le malentendu est levé, David Kahn est rassuré, le Sonar obtient des performances optimales, tous les signaux sont au vert…

L'ennemi acquiesce, un sourire imperceptible aux lèvres.

— Dans ce scénario, le fait que je sois à l'origine du Sonar justifierait que j'aie un grade supérieur aux autres strats de l'équipe, tu ne crois pas ?

Je m'enfonce un peu plus confortablement dans mon siège mais une part de moi regrette mes paroles – d'ailleurs, ma voix s'est érodée sur la fin. Son visage se crispe, je sens qu'il s'apprête à m'envoyer me faire foutre et, d'une repartie cinglante, annihiler toutes mes chances de rester à son contact. Pourtant, il tarde à répondre et chaque seconde de son silence suscite un peu plus d'espoir. Or, des secondes, il s'en égraine un certain nombre : l'horloge a même le temps de passer à la minute suivante. Finalement, l'étau de sa mâchoire se desserre et là, pour la première fois devant moi, son récit se fissure.

— Écoute, l'essentiel, c'est que tu sois convaincant demain matin. À partir de là, on verra comment valoriser au mieux ton apport.

Intérieurement j'exulte, et redémarre sur une nouvelle partition. C'est officiel, la bombe n'existe pas, la déflagration silencieuse n'a jamais eu lieu, j'ai toujours mon coup d'avance.

Je lui fais part d'autres exigences, jamais trop loin du raisonnable. Si j'ai davantage de responsabilités, il faudrait que j'aie un regard sur les recrutements. *Je n'y vois pas d'inconvénient.* Ainsi qu'un intéressement sur les profits générés par le Sonar. *On peut en discuter.* Et une présence ponctuelle au CoDir, pour partager la *roadmap* de l'équipe. *Pourquoi pas, à valider avec David.* La partie d'échecs tourne à mon avantage. Je lui fais comprendre que je ne céderai pas ma fonction sans garanties. Place mes pions pour la suite du jeu, à la meilleure position possible. Ce soir, Deep Blue, c'est moi. Et les armes habituelles de mon adversaire – son aptitude à duper, séduire et convaincre – ne lui sont plus d'aucun secours.

Pour la première fois, je prends conscience de ma puissance. Depuis que l'Homme fait la guerre, c'est toujours la technologie qui décide du vainqueur. C'est pourquoi l'espèce dominante a besoin de nous, les ingénieurs, les strats, les *data scientists*, les experts, les geeks... Nous sommes les architectes de la structure sur laquelle repose son empire, les garants de sa maîtrise du réel. Que l'ennemi profite encore, tant qu'il le peut, de mes algorithmes : un beau jour, ils entérineront son obsolescence.

— C'est bon ? On a fait le tour de tes exigences ?

Dorsay ne parvient plus à masquer son agacement – il faut conclure. Je n'ai qu'une dernière chose à lui demander. Une chose dont la nature précise m'est inconnue, puisque tout ce que j'en sais provient de rumeurs, mais dont j'ai néanmoins l'intuition qu'elle conduirait à mon intronisation définitive au sein de sa caste. Un sésame secret, réservé à quelques élus de son cercle proche, dont Jules s'était gargarisé au Prescription devant moi, à mots couverts comme tous ses détenteurs, et dont une « amie » de Victor Newman a fini par lâcher le nom par accident, sur un groupe privé.

— On m'a parlé d'une Liste Blanche...

Après un instant de sidération, Dorsay observe sa montre, résigné. Il est 21 h 04 et la fin de journée, décidément, est encore loin.

18

Le taxi sillonne les ruelles du Marais, inondées par l'orage. Sur la banquette arrière, Léa croise les jambes, les décroise, en balance une par-dessus l'autre en faisant tourbillonner sa cheville. Sa robe est entièrement blanche, conformément au *dress code*. Évasée, sans manche et dos nu, elle dévoile sa peau mate sur de vastes étendues. À travers son rétroviseur intérieur, le chauffeur n'en perd pas une miette. Quant à moi – même si ça l'intéresse un peu moins – mon style est *casual chic*, jean, veste et T-shirt noirs. Le thème du soir nous a été précisé par e-mail : Noir & Blanc, chaque sexe ayant sa couleur attitrée.

La berline s'immobilise rue du Temple. Ses phares réveillent trois hommes endormis sur des cartons, trempés par l'averse. Nous courons vers le hall et suivons les directives. « *Le loft se trouve en fond de cour. Merci de faire preuve de discrétion dans les parties communes.* » Un dimanche à 23 heures, les lumières de l'immeuble sont toutes éteintes. Dans la pénombre, Léa trébuche sur un pavé, se rattrape à mon bras. Nous rions tout bas, comme deux gamins en fugue. Depuis qu'elle m'a rejoint chez moi, vers 20 heures, le stress et l'excitation nous ont fait ouvrir deux bouteilles. Passablement éméché, à cet instant précis, je n'ai qu'une vague idée de ce que je m'apprête à vivre.

Pourtant, depuis que j'ai prononcé ces deux mots devant Dorsay l'autre soir, je suis devenu un expert au jeu d'avoir l'air au courant de tout. Quand il m'a demandé « Tu sais ce dont il s'agit ? », j'ai dit que j'avais ma petite idée, avec un sourire en coin. À la négociation comme au poker, le bluff est plus crédible en position de force. Il devait avoir sacrément besoin que je coopère, parce qu'il m'a seulement posé deux autres questions : « Qui t'a parlé de cette liste ? » – j'ai mentionné Jules et l'amie de Victor Newman, une certaine Alice – et « Pourquoi tu veux en être ? » – j'ai dit « Pour le *networking* », avec le même sourire en coin.

Trois jours plus tard, je recevais par e-mail mon invitation pour la prochaine soirée. Un dimanche, pour ne pas contrevenir aux obligations mondaines des participants – tous en copie cachée. Après avoir lu les quelques instructions laconiques – « *tenue correcte exigée* » ou « *messieurs, venez accompagnés* » –, j'ai répondu H +1, conformément au protocole. Jeudi, je recevais un second message plus explicite, spécifiant l'adresse et les règles d'anonymat, de discrétion, de courtoisie à respecter une fois sur place. C'est là, en lisant ce singulier code de conduite, que j'ai compris.

Un discret lampadaire éclaire l'entrée du loft en fond de cour, îlot moderne au milieu des façades haussmanniennes. En frappant à la porte, j'ai un trac énorme, comme si j'allais passer dans les coulisses du grand monde, l'envers du décor... Léa s'accroche à mon bras – ou l'inverse.

L'homme qui nous ouvre a la quarantaine et un léger accent américain. Il prend nos vestes, puis nous invite à déposer nos téléphones dans des casiers sécurisés. Aucune photo compromettante ne doit être prise en ces lieux. Un cerbère s'assure que nous suivons bien les directives avant de pouvoir entrer. Je me dis que décidément, vigile est un métier d'avenir : plus on grimpe dans les étages du monde, plus il y a de sas et de portes à surveiller. L'Américain nous propose un large choix de masques accrochés au mur, conçus par un artiste en vogue, figurant des animaux surréalistes noirs ou blancs, recouvrant la partie haute du visage. Leur port est facultatif, « selon le désir de chacun ». Léa jette son dévolu sur un renard polaire orné de plumes comme un attrape-rêve. Je choisis un hibou noir aux reflets boisés, griffé de motifs tribaux. Tout heureux de pouvoir cacher mon visage, je l'enfile aussitôt. L'homme nous ouvre la porte et une rumeur feutrée s'en échappe. Tapis de voix tamisées sur musique deep house. Je complimente la qualité de l'insonorisation. Il sourit et nous souhaite une « agréable nuit ».

Dans la pièce immense, peut-être cent mètres carrés, des gens rient, discutent, boivent, dansent comme à n'importe quelle fête. La moitié des visages au moins sont à découvert, peu dérangés à l'idée qu'on les identifie. Anxieux, je m'apprête à croiser le regard d'un collègue, Dorsay sans doute, Jules peut-être... mais je ne reconnais personne. Tout juste un type entraperçu lors des soirées *30 glorieuses*, en train de fixer le décolleté plongeant d'une panthère blanche, et une actrice vue dans de petits rôles au cinéma, qui trinque au champagne avec un ours noir. À part ça, une bonne quarantaine d'inconnus, bicolores.

Prévoyant de me retrouver loin, très loin de ma zone de confort, j'ai fait le tour des blogs et tutoriels expliquant comment se comporter dans ce genre d'endroits. En définitive, l'atmosphère ne diffère pas radicalement de mes soirées de *networking* habituelles. Sans ces masques et ces corps partiellement dévêtus qui descendent parfois par l'escalier du fond pour se ravitailler en alcool, on ne soupçonnerait rien d'exceptionnel. Je me sens presque à mon aise dans ce tableau surréaliste où seuls quelques détails préfigurent ce qui se passe à l'étage. Soulagé, je passe la première demi-heure au buffet, à m'imprégner de l'ambiance et d'alcool. Une fontaine à cocktail prodigue une mixture verdâtre prodigieusement addictive – une louve blanche aux yeux cerclés d'or m'apprend qu'il s'agit d'absinthe véritable, importée de Suisse. Comme un sucre, je me laisse imbiber.

Au jeu des différences, je remarque aussi que les femmes agissent avec plus d'insouciance qu'à une fête normale, que leur vigilance s'évanouit avec plus d'aisance. Elles dansent et papillonnent, heureuses d'aimanter les regards envieux, sans redouter l'assaut d'un prédateur. Les mêmes hommes qui, en dehors de ces murs, pourraient voir leur abandon comme une invitation personnelle et devenir envahissants restent ce soir à bonne distance. La faune ici respecte les règles du jeu, maîtrise ses pulsions.

Autour de moi, beaucoup nouent encore connaissance, vantant leurs succès professionnels comme à un banal *after-work*. Je ne suis donc pas le seul profane parmi les initiés. Dans les morceaux de conversation que j'arrive à déchiffrer, il se répète souvent que ces soirées-là sont les plus courues de Paris : on loue le raffinement constant des lieux, l'esthétisme des éclairages et des accessoires, la sélection des membres... Malgré moi, je commence à me sentir un peu fier d'en être, d'arriver à me fondre dans cette tribu, participer à ses rites et répondre à ses standards. Que ma partenaire soit parmi les plus jolies, aussi.

Pour un peu, je me soucierais déjà de ma réinvitation.

En marketing, on donne à ce phénomène le nom de FOMO – *fear of missing out*, la peur de passer à côté. Une anxiété sociale copieusement exploitée par les marques et les publicitaires pour donner le sentiment d'un monde enviable auquel leurs produits donnent accès. Pour se convaincre de son efficacité, il suffit de voir la vitesse à laquelle Facebook a atteint son premier milliard d'utilisateurs. La recette est simple.

1) Créez une tribu exclusive, dans laquelle vous n'inviterez dans un premier temps que la crème de la crème – en l'occurrence,

les étudiants de Harvard. 2) Laissez mariner quelques jours, puis ouvrez-en l'accès à Yale, Stanford et Columbia. Une bulle se forme autour de ce club exclusif, peuplé de gens au statut social supérieur. 3) Ouvrez à toutes les universités majeures des États-Unis. La rumeur se répand : un nombre exponentiel de gens sont frustrés de ne pas pouvoir en être. C'est la FOMO. 4) Annoncez la date à laquelle toute l'Amérique du Nord aura le droit de rejoindre votre tribu. 5) Faites de même avec l'Europe, puis le reste du monde. Bientôt, ce ne sont pas un mais trois milliards d'utilisateurs qui font fébrilement défiler leur fil d'actualité pour être sûrs de ne rien manquer d'important... L'ironie, c'est que les étages élevés de la pyramide – sur lesquels reposait la valeur du réseau – sont partis depuis longtemps rejoindre une nouvelle tribu, plus exclusive.

Ainsi, chaque jour se forment de nouveaux cercles fermés, derrière des portes insonorisées, rendus attractifs par la seule frustration de tous ceux qui n'y ont pas accès. C'est le cas de ce loft en plein cœur de la capitale, caché derrière les façades en pierre.

Apparemment désinhibée, Léa me propose de danser ou plutôt, elle se met à danser tandis que je la regarde faire. Les ondulations expertes de son corps, délibérément suggestives, me plongent dans une rêverie délicieuse. Quelque chose, j'ignore exactement quoi – son masque d'animal-totem, les percussions tribales ou l'absinthe – a débridé mon imagination. Sur cette créature fantasmagorique aux lèvres pleines et brillantes, je projette une multitude de femmes, réelles ou inventées. D'autres couples dansent, nous jaugent du regard. Malgré toutes ces attentions fixées sur nous, mon masque me protège et je me sens libre d'agir comme si j'étais quelqu'un d'autre. Mon corps s'anime, presque malgré moi. Je crois bien que je danse à mon tour.

Le temps se contracte. Il arrive que le décor se déforme un peu, mais je contrôle.

Au bout d'une période indéterminée, j'aperçois l'ennemi qui descend l'escalier, avec deux créatures. La plus grande porte un masque de lapin en dentelle blanche : c'est *elle*, me dis-je instinctivement, sans doute parce que j'en crève d'envie. Dorsay remplit trois coupes de champagne et je les observe trinquer en tâchant de reconnaître la façon dont Anna Fourcade tient son verre. Sans m'arrêter de danser, j'écris une infinité de scénarios. À la posture de leurs corps, je m'invente des dizaines de raisons de croire qu'elle s'est lassée de lui, d'où son départ pour la Californie. Les minutes, pendant ce temps, s'obstinent toujours à raccourcir.

Aux aguets, j'anticipe leur intention de remonter au premier étage avant même que Dorsay fasse le premier pas. Aussitôt, je prends Léa par la main pour les suivre.

Là-haut, nous sommes d'abord surpris par la température, sensiblement plus chaude. Des lanternes au sol dégagent une lueur orangée tout juste suffisante pour dessiner les contours d'un long couloir. Sur la gauche, deux salles de bains entrouvertes déversent une buée parfumée aux huiles essentielles. Les couleurs autour de moi prennent vie, comme sous l'effet d'un charme. Des spots de lumière noire accrochés çà et là font briller le blanc des vêtements. On distingue ainsi les femmes à distance, à condition qu'elles soient encore habillées. Au loin, le lapin blanc scintille dans la brume avant de disparaître, aussi furtivement qu'un flash.

Entrouvrant la porte par laquelle il s'en est allé, je découvre un tableau de la Renaissance en théâtre d'ombres, saupoudré d'animaux imaginaires. Un vaste salon dont l'éclairage, dirigé verticalement depuis le sol, dessine par contraste une douzaine de silhouettes sur le mur. À leurs contours, on devine une majorité de corps jeunes et sveltes, idéalement proportionnés, qui ondulent avec langueur, s'agrègent et s'entremêlent, jusqu'à devenir indissociables. Mon pouls s'accélère. Je n'ai jamais rien vu d'aussi irréel.

Une porte s'ouvre sur la gauche, laisse échapper une lumière blanche et une odeur de latex qui rompent un instant le mystère et la volupté des lieux. Anna s'y engouffre, il me reste juste assez de lucidité pour ne pas la suivre. Elle referme la chambre, l'obscurité revient. Et la grâce avec elle.

Avec Léa, je m'assois sur un canapé, légèrement en retrait du cœur de l'action. D'ici, les parfums Dior, Hermès ou Chanel prennent encore le pas sur les odeurs intimes. Le murmure de la pièce, doux comme une caresse, se mêle aux bruits de plaisir plus explicites qui émanent de derrière les cloisons. Dans ce concert de soupirs et d'affirmations, une poignée de *yes* se font une place parmi les *oui*.

Lentement, mes yeux s'habituent à l'absence de lumière. Je distingue un peu mieux les silhouettes voisines, à moins que je les imagine : mon regard ne voit que des formes parfaites et des figures idéales. Au fond, je ne tiens pas particulièrement à savoir si ce spectacle existe ou s'il comporte une part de fantasme. Les choses sont exactement telles qu'elles doivent être. Je vis mon intronisation définitive au sein de l'espèce dominante, il s'agit d'en profiter. Prendre part à ses rituels, en admirer l'esthétique. À cet étage du monde, toute activité se pare de prétentions artistiques. La mode devient haute couture. La cuisine, gastronomie. La décoration, architecture d'intérieur. En journée, on nous enseigne l'art de la négociation, l'art de convaincre, l'art oratoire… Il est donc normal que nos pratiques nocturnes, à leur tour, soient élevées à ce rang. Le sexe, après tout, offre un moyen de transcender l'ordinaire, une alchimie délicate entre la technique et le beau, un équilibre fragile entre formalisme et lâcher-prise… Oui, je crois que je comprends la démarche.

Dans l'ombre et la multitude, Léa devient entreprenante. À sa manière d'accepter mon invitation, je me suis douté qu'elle n'était pas débutante. Sa peau me procure un effet décuplé. Il lui suffit d'effleurer la mienne pour déclencher un frisson de plaisir sur toute la surface de mon corps. À partir des contours de son masque, j'imagine une créature surnaturelle. Je suis pris de vertige, mais ses caresses me guident. Bientôt, je défais le haut de sa robe. Sa poitrine devient ma boussole. Comme un aveugle, j'apprends à voir par d'autres sens.

Au rez-de-chaussée, quelqu'un a dû monter le volume. L'écho des basses électroniques fait vibrer la pièce et les corps qui s'y trouvent sur un rythme tribal. La pulsation des murs est comme le battement d'un cœur sur lequel nos mouvements se synchronisent, dans une danse archaïque et répétitive. Léa retire mon T-shirt et je prends un peu plus intimement part à cette fresque vivante, cet unisson de peaux qui frémissent. Mes inhibitions sont un lointain souvenir. Je n'ai plus peur d'être mis à nu, qu'on me perce à jour. C'est mon rite de passage.

Je fusionne avec mon personnage. Victor Laplace et Victor Newman deviennent indissociables. Je suis simultanément l'un et l'autre, comme le chat de Schrödinger. Il faut dire qu'on n'est plus vraiment dimanche soir, et pas encore lundi matin. Le second fait taire la négativité du premier, ses critiques. Certes, à quelques pas de là, trois hommes dorment en pleine rue sur un trottoir sale et humide, et c'est parfaitement dégueulasse. Mais ce sont les règles du jeu. L'espèce dominante a privatisé toute la douceur de vivre, l'a confinée dans une enclave de la réalité, accessible sur cooptation. Si ce nectar fuitait hors de ces murs pour se déverser sur le monde, il s'y diluerait, perdrait toute son exclusivité, son goût, sa valeur. La compétition n'aurait plus aucun sens. Je ne dis pas que je cautionne, mais je comprends la logique. Et puis, j'ai accompli tant de choses, ces dernières semaines... J'ai bien mérité cette récompense.

Passer de l'autre côté de l'écran, dans le paradis promu par les publicités. Profiter de ces lèvres qui m'embrassent et que l'on voit à tous les arrêts de bus vanter les mérites du nouveau gloss de Guerlain, tenue 24 heures, pour une bouche «*faussement innocente et délicieusement provocante*». Me dire qu'enfin ça y est, mon existence tient toutes les promesses des marchands de rêve et des industriels du désir.

C'est à ce moment-là que je la vois sortir.

Les basses au loin s'interrompent. Une nappe mélodieuse, angélique prend tout l'espace. Seule, dans un halo de lumière blanche, elle noue la ceinture de son kimono. Secoue sa chevelure blonde, scintillante comme l'or. Rajuste son masque, assez lentement pour qu'on la reconnaisse. Suspend le temps par sa seule présence. Une apparition.

Plus aucun doute, j'ai traversé l'écran. Je *suis* cet homme qu'on voit dans les publicités: résolu, infaillible, indéchiffrable... J'ai basculé dans le film. La scène se poursuit au ralenti.

D'une démarche lascive elle s'avance, dans la pénombre, vers le couloir embué. La caméra ne voit plus qu'elle, tout le reste est un décor flou. Zoom avant sur ses jambes fuselées, sa bouche inexpressive. Les reflets de son kimono. Le défi qu'elle représente. Elle regarde droit devant elle, traverse le salon sans calculer personne, flottant au-dessus des autres, mystérieuse et inaccessible.

Les basses reprennent. Le scénario s'écrit malgré moi.

> *Victor Newman se lève du canapé, abandonnant sa partenaire, comme happé par un champ magnétique. Regard déterminé: il la veut. Lui seul peut l'avoir. Parce qu'il porte un jean Prada, et le nouveau parfum Dior Homme Intense. Parce qu'il applique chaque matin sur son visage une dizaine de crèmes et de sérums sophistiqués, à la pointe de l'innovation. Parce qu'en huit mois, il n'a jamais raté une séance de HIIT. Zoom sur son torse nu, ses muscles dessinés. Elle et lui sont de*

la même espèce, de ceux qui obtiennent ce qu'ils désirent. Il la suit jusque dans le couloir, avec une certitude absolue. Sans un regard, sans un mot, il devine qu'elle sait, qu'elle n'attend que ça.

Mes pensées sont comme étrangères. Suis-je sûr de savoir ce que je fais ? Pour quel motif ai-je décidé de la suivre ? Il s'agirait d'être prudent : Anna connaît personnellement Constance et fréquente intimement l'ennemi – ce dernier me tend peut-être un piège à travers elle. Je devrais m'arrêter pour évaluer les risques, prévoir des stratégies de repli. Mes jambes, cependant, continuent d'avancer.

Newman reste sourd au doute et aux croyances limitantes. Tout est une question de certitude. Une fois sur scène, tout flottement doit disparaître. Sa démarche est virile, comme le battement des basses, sec et primitif. Un vrai mec, qui sait saisir les opportunités.

Elle s'engouffre dans une salle de bains gorgée de vapeur. Il arrive à sa hauteur. Elle essuie le miroir embué, son masque brillant sous l'effet des lumières noires. Elle se recoiffe et son kimono se soulève, au ralenti. Zoom sur son cul – un modèle du genre. Gros plan sur son string en soie – une publicité pour lingerie fine. Il vérifie son masque avant d'apparaître dans son dos. Elle feint la surprise en apercevant son reflet. Elle ne peut pas le reconnaître : ses gestes ont infiniment plus de poids que d'habitude. Ils ne se disent rien, ses yeux parlent pour elle. Dans l'air flotte un parfum d'insolence et d'interdit. La nuit réveille l'animalité qui sommeille en eux.

Interruption des basses, nouvelle mélodie plus sombre.

Newman connaît par cœur la formule, le mode opératoire. Quelles parties de son corps apprivoiser, dans quel ordre et à quel rythme. Il lui prend son élastique des mains, attache lentement ses cheveux tout en la fixant dans le miroir. Puis, d'un geste, il efface le tissu de son kimono, aussi fragile qu'un mouchoir en papier mouillé. Cadrages répétés sur ses mains, parcourant son nouveau territoire. Il lui suffit d'un rien pour la posséder. Le temps d'un soupir, elle s'offre à lui tout entière.

Tout se déroule comme en rêve. Je me sens à la fois puissant et dépassé. J'ai déjà imaginé des scènes de ce genre avec Anna, mais jamais en étant cet homme-là. Quel intérêt de la conquérir masqué, sans faire grandir ma valeur à ses yeux ? Vexé par le plaisir que Newman lui procure, j'aimerais la prévenir : « Ce n'est pas moi, c'est mon personnage ! » Mais quelque chose m'en empêche.

Newman est focalisé sur l'objectif. Pur produit de l'espèce dominante. D'autorité, il la plaque contre la paroi vitrée de la douche à l'italienne. Ses doigts se fraient aisément un chemin entre ses cuisses. Il est une flèche, un vecteur. Une machine, épuisant tout le stock de fantasmes de l'ancien Victor, pour produire une mécanique infatigable, calquée sur le pouls des murs. Il ne lui fait pas l'amour, évidemment, il la baise. Il souille son idéal et s'en délecte, corrompt cette pureté ridicule qu'il projetait sur elle. Plans répétés sur son cul, fondu-enchaîné sur sa chatte, semblable à toutes les autres. L'amour est un jeu d'enfant, parce qu'il a cessé d'y croire.

Il aimerait que tout le monde soit au courant de ce qu'il est en train d'accomplir. Il voudrait dire à Anna toutes les saletés que Céline rêvait d'entendre. Mais la direction artistique est claire, c'est un spectacle sans parole. Qu'à cela ne tienne, ses gestes parlent à sa place. D'une main, il lui colle une fessée. De l'autre, il lui tire les cheveux. À l'ouïe, il évalue sa performance au rythme et à l'intensité des cris et des gémissements qu'il provoque. Un modèle de bon coup, dominateur et sûr de lui.

J'ai totalement déserté la scène à présent. Mon reflet dans le miroir le confirme : je suis dépossédé de moi-même et flotte en dehors de ce corps qui ne m'obéit plus. Tout ce qui semblait faire sens et cohérence en moi s'éparpille en îlots sans consistance. Je ne saurais plus dire si je fais tout ça pour exister ou disparaître.

Newman ressent une décharge électrique et son corps se raidit. En bas, le tempo des basses s'accélère, il s'efforce de tenir le rythme. Gros plan sur les muscles de son cou qui se crispent. Il ordonne à son corps d'obéir, de ne pas se désynchroniser : une fille comme Anna ne tolérera pas de défaillance, ne pardonnera aucune contre-performance. Il se cramponne à ses hanches, se concentre. De derrière, ses fesses cambrées, sa nuque inclinée devraient l'exciter davantage. Il lui colle d'autres fessées pour se donner du courage. À l'applaudimètre, elles sont moins bien accueillies. Newman sort de son rôle, s'imagine épié dans le couloir, par l'ennemi, par Constance, par son père… C'est quoi, ce bordel ? Il perd la maîtrise du scénario. Plan resserré de ses mains qui glissent sur la peau d'Anna, trop humide. La belle machine vacille et les bugs se multiplient. Il manque de carburant, n'a plus de rêves à souiller, d'idéal à salir. C'est la panne sèche. Son corps se ramollit pitoyablement, devient presque liquide.

Il voudrait crier « Coupez ! », rejouer la scène depuis le départ. Mais déjà la voix d'Anna, distante et polie, donne le clap de fin. « Je dois y aller, on m'attend », dit-elle sobrement. Newman est sonné par l'irréfutable confirmation de son naufrage. Elle rattache la ceinture de son kimono, essuie le miroir embué pour y inspecter à nouveau son visage et, sans même se retourner vers lui, s'évapore comme un songe.

Il demeure ainsi, immobile pendant une éternité, marionnette inanimée, pantalon toujours baissé, tentant vainement d'expliquer sa déroute.

Quand, bien plus tard, je trouve enfin le courage de ressortir de la salle de bains, l'écran de fumée s'est dissipé. La lumière noire ne fait plus briller qu'un préservatif usagé sur le parquet du couloir. Dans le salon, les ombres se sont assoupies et les parfums de marque ont laissé place aux odeurs de sexe et de renfermé. Je retrouve mon T-shirt, pas Léa.

Au rez-de-chaussée, l'éclairage blafard rompt définitivement le charme. Une femme aux traits fatigués parle d'une voix rauque à un quadragénaire ventripotent qui se frotte le nez, à côté d'un guéridon recouvert d'une fine pellicule de poudre blanche. Dans le vestibule, je reprends possession de mon téléphone et de ma veste. De mes pensées, aussi. Un homme et une femme se connectent sur LinkedIn, leur masque à la main. Il est 2 h 30.

Dehors, en apparence, rien n'a changé. La pluie continue de tomber sur les clochards endormis. J'ai toutes les peines du monde à distinguer ce que j'ai rêvé de ce qui s'est réellement passé, depuis que le taxi m'a déposé ici. Dans un cas comme dans l'autre, le réveil s'annonce difficile.

V

Mars 2019

Validation des résultats

19

Ma cuisine dégage une odeur de beurre et de pain grillé, réconfortante mais étrangère. Le soleil levant, se faufilant à travers mes stores vénitiens, dessine des zébrures sur le mur. D'habitude, mon rituel matinal est parfaitement rodé, à la minute près : le petit déjeuner commence à 7 h 35, après le sport et la douche. Or l'horloge de mon four affiche déjà 7 h 42. Constance boit son thé, pensive, soucieuse peut-être – mais certainement pas à propos de ses dix-sept minutes passées dans la salle de bains, à l'origine de mon retard.

— Tu es sûr que ça se mange ?

Elle fait ironiquement référence à la barre de protéines végétales que j'ingère tous les matins, en plus d'un fromage blanc 0 % avec flocons d'avoine. J'essaie de sourire, ce n'est sans doute pas très convaincant.

— En tout cas, ça nourrit.

J'argue que le goût n'est pas un critère : l'évolution a incité nos papilles à trop aimer les glucides et lipides, jadis rares et précieux pour notre survie, désormais en quantité démesurée dans toute notre alimentation.

— Et toi, tu es sûre qu'un paquet de biscuits suffira ?

Constance, elle, se laisse paresseusement aller à ce plaisir instantané mais trompeur. Incapable de résister au premier marshmallow.

Elle a fait l'effort de troquer la brioche de ses tartines beurre-confiture pour du pain au froment bio, et les deux sucres dans son thé pour du sirop d'agave, mais le problème reste le même, elle s'empâte. Comme si elle s'acharnait à récupérer les deux ou trois kilos de graisse que j'ai réussi à perdre. Dès lors, c'est un cercle vicieux : moins je la trouve attirante, moins elle veut me plaire, moins je la trouve attirante. Je ressens cette même pulsion, en sortant du bureau tard le soir, de me gaver jusqu'à l'étourdissement pour sortir mon corps de sa léthargie. Mais je me contrôle, moi.

Parfois, je me dis qu'elle exagère, que je mérite mieux, que sa présence dégrade ma valeur sur le marché, qu'elle me tire vers le bas... Mais l'instant d'après, je me répugne d'avoir eu ces pensées-là.

Entre deux bouchées, elle me détaille son article à paraître, analysant les manifestations de ce week-end aux Champs-Élysées à travers un prisme économique et social. En décembre, elle a quitté le conseil à son tour, pour le journalisme. Un piston de la directrice marketing, rencontrée lors d'une soirée *30 glorieuses*, l'a aidée à intégrer la rédaction de *L'Économiste* – quatrième plus gros tirage français, propriété de François Bernard. En dépit de perspectives de carrière douteuses et de la crise qui touche le secteur, ce nouveau métier semble mieux satisfaire à sa quête de sens et son penchant pour les mots.

En tout, Constance aura donc travaillé deux ans comme consultante : le temps précis qu'il lui faut pour se lasser de tout... J'en déduis qu'il nous reste neuf mois.

Pour l'heure, entre deux interruptions de sa part, j'essaie d'écouter la voix, de plus en plus réaliste, de mon application, qui me fait sa veille technologique du jour. Il est question d'un gaz envoyé dans les nuages pour les inciter à pleuvoir, innovation déjà copieusement utilisée par la Chine afin que les chars officiels y défilent toujours sous un soleil radieux.

— Tu m'écoutes, Victor ?

— Bien sûr.

Soumettre la nature à nos caprices, la piloter sur commande… C'est un peu ce qu'on s'efforce de faire chaque soir, avec Constance : l'alcool nous permet de diriger nos chaos intérieurs, à distance. Un premier verre apaise le tumulte sourd qui gronde sous nos peaux et fait lentement renaître la vie qui sommeillait en dessous. Un second réconcilie nos aspirations contraires, nous fixe un but commun pour quelques heures. Un troisième modifie la chimie de nos corps, les persuade à notre place de ces sentiments qu'on ne se dit plus. Un dernier, enfin, les affranchit de tout jugement, les rend autonomes.

Et après l'orgasme, tout ce petit monde s'évanouit d'un coup, docile et repu, jusqu'au soir suivant.

— J'ai voulu proposer un récit plus distancié des manifestations, faire la rétrospective du mouvement depuis sa naissance…

Constance en a des choses à dire, ce matin. J'acquiesce mécaniquement, tout en réfléchissant : si un pays déclenche des pluies artificielles sur son territoire, ses voisins auront moins de nuages. Dès lors, ils devront les gazer à leur tour, pour garder un volume de pluie constant. Il en ira donc de même pour leurs voisins, puis les voisins de leurs voisins, et ainsi de suite jusqu'à ce que le monde entier soit équipé de cette technologie, devenue parfaitement inutile : il ne pleuvra pas davantage sur le monde et chaque pays restera dépendant de la course des nuages et de leur bon vouloir. La seule à y gagner sera l'entreprise fabricante, à l'origine de ce dilemme du prisonnier.

— Tu penses pouvoir lire mon article aujourd'hui ?

Sur un principe similaire, Constance et moi-même aurons enrichi bien des vignerons sans jamais résoudre un seul de nos problèmes.

— Pas sûr, j'ai une journée atroce. Mais demain, probablement.

D'ailleurs, à force de suivre toujours la même séquence, normée, machinale, je ne saurais plus dire si on a couché ensemble hier soir. La seule chose plus triste, pour un couple, que de ne plus faire l'amour, c'est de baiser par automatisme, sans même s'en rendre compte. Je rassemble mes souvenirs... Elle a peut-être essayé de me chauffer, dans le salon. Puis on a dû migrer vers la chambre, de peur de tacher mon canapé. Et là, oui – ça me revient –, je crois qu'elle m'a sucé pour me convaincre – ou alors, c'était la fois d'avant. Des images sans date, sans poésie se bousculent, toujours les mêmes : zoom sur sa chatte, ses seins, son cul, sa bouche, toujours droit au but. Le même tempo, la même durée, les mêmes accords. Je sais qu'autrefois, on avait un tas d'autres façons de s'exprimer notre amour, mais elles ont disparu dans le refrain des nuits. D'ailleurs, le seul fait d'appeler ça de l'amour m'apparaît comme une erreur de sous-titrage, une mauvaise interprétation des images. C'est devenu autre chose : de l'exercice, une habitude ou peut-être une tactique pour s'endormir. Quelquefois, les paupières closes, je tente de ressusciter le garçon d'avant, sa naïveté, son insouciance, mais il ne répond plus. C'est rassurant – ses accès de candeur ne me trahiront plus – et terrifiant à la fois.

Constance s'est tue. Désormais, elle me regarde en silence. Longtemps, plusieurs secondes. Ça lui prend souvent, ces dernières semaines. Elle cherche peut-être à décrypter mon visage, à y trouver des indices de ce que j'ai en tête. Elle peut toujours essayer...

Même Dorsay, pourtant redoutable à lire dans les pensées des autres, n'y arrive plus. Chaque jour sous mes yeux, l'ennemi conquiert de nouveaux esprits sans effort. Au moindre écart il a tout compris d'eux : leurs failles secrètes, leurs objectifs cachés, leurs motivations inavouables... Mais sur moi, son pouvoir n'opère plus. J'ai trouvé la parade. Il existe un mode opératoire pour tout, même pour devenir indéchiffrable.

Règle n° 6 : *le corps est un faux-ami*. Ce qui m'est arrivé rue du Temple en est la preuve ultime. Si un algorithme n'est jamais induit en erreur par l'émotion, le désir, l'ivresse ou la peur, c'est parce que son jugement n'est jamais parasité par sa condition biologique. Il faut donc entretenir la bonne distance avec son corps : trop près il nous aveugle, trop loin il nous trahit.

Ma ligne, c'est de garder mes filtres en permanence. Brouiller les pistes, jusqu'à me tromper moi-même. Duper mon esprit pour que mon visage soit illisible. Canaliser mes émotions, les mettre au service de mes objectifs. Me fier seulement à ma révolte, patiente et froide. Je ne dois jamais m'aventurer trop profondément en moi, mais flotter à la surface de mon océan primitif, emporté par la vitesse de mon ascension, échappant à la gravité. Et ne jamais rester immobile trop longtemps, de peur de plonger vers l'abîme, là où toute la noirceur est planquée.

Cette méthode est si performante que certains jours, j'ai moi-même du mal à savoir qui je suis. Mais j'ai une astuce imparable pour en avoir le cœur net : je m'isole et sors de mon portefeuille une photo trouvée chez ma mère, sans doute la dernière de mon père et moi, prise à mon dix-septième anniversaire – en février 2011, quatre mois avant sa mort. Je fixe l'image, plusieurs secondes. Son costume austère et sa cravate ridicule, qu'il ne quittait plus. Son sourire de façade et son visage lisse, rasé de près chaque jour. Cette devanture grise et sans âme, derrière laquelle il avait déjà presque entièrement disparu. Et là, quelque chose renaît en moi, toutes mes émotions figées forment un concentré d'énergie prêt à s'embraser sous ma poitrine. Une bombe attendant son heure. Il me suffit alors d'un miroir ou d'un téléphone pour constater la détermination dans mon regard – celle-là même que mon père a perdue sur l'image.

— J'imagine que tu sors, ce soir ?

C'est fatigant. Constance ne pose plus jamais de question sans un fond de reproche. Ses non-dits lourds de sens et ses regards ambivalents, autrefois adorables et charmants, font à présent partie de ce qui m'horripile le plus chez elle. Ils offrent cependant l'avantage de me dispenser de mentir, puisque chacun est libre de combler ces silences comme il le veut.

— Je ne sais pas encore. Igor avait parlé d'un bar, mais je suis crevé.

J'ai juste à surfer moi-même sur cette ambiguïté. Diluer ses allusions par des alibis tout aussi vagues et flottants, à propos de mes visites au cimetière auxquelles je ne la convie jamais – *je ne veux pas t'infliger ça* – ou de mes mystérieuses réunions du dimanche soir – *je suis tenu au secret des affaires*. Doser mes regards et mes silences, pour qu'ils corroborent toujours la même histoire : Pénélope attendant le retour d'Ulysse, victorieux des monstres et des nymphes. Même si vu la vitesse à laquelle notre amour s'effrite, je crains parfois qu'il s'épuise avant le dénouement. Il m'arrive ainsi de regretter de l'avoir connue trop tôt.

— Bien sûr que tu vas sortir ce soir. Et tu le sais !

Il m'arrive aussi de détester ce que son amour pour moi a fait d'elle. Toujours cette agressivité latente, cette aigreur qui couve… Quelque part en route, nos conversations ont perdu leur légèreté, leur saveur et leurs promesses. Peut-être aussi qu'elle mange et que je bois pour cette raison : la bouche pleine, les mots cessent de nous nuire. On oublie le fossé d'eau croupie qui se creuse entre nous, cette guerre de tranchées dans laquelle on s'enlise. Et bientôt, à force de silence et de déni, on quitte mentalement le présent pour se réfugier dans nos souvenirs qui, seuls, arrivent encore à nous faire vibrer l'un pour l'autre.

Ma cuisse ne cesse de frémir, justement, sous l'effet des notifications. Déjà six ce matin. Chaque fois, j'essaie d'en deviner l'objet : nouveau record battu par le Sonar, nouveau projet chez GS Accelerate, nouvelle connexion sur LinkedIn, nouveau *match* sur Tinder, nouveau rencard à planifier… À chaque vibration,

Constance expire un peu plus bruyamment, au cas où un doute subsisterait encore sur ce qu'elle en pense. Elle soupire tellement ces temps-ci que je n'y fais même plus attention. Je crois qu'elle ne se rend pas compte, qu'elle ne réalise pas la dimension que j'ai prise… Personne ne me traite plus comme elle le fait.

À seulement vingt-cinq ans, je pilote une équipe de douze strats ultra-talentueux, la crème de la crème. À la banque, ma valeur est unanimement reconnue. Je décèle souvent, dans les regards, la même admiration que l'ennemi suscitait à mes débuts chez B&G. D'ailleurs, lui-même recherche ma compagnie, plus activement que jamais. À sa demande, je l'appelle Stan à présent. Je suis devenu pour lui ce que Jules n'a jamais vraiment réussi à être : un partenaire de jeu à sa hauteur. Quand on sort, dans les bars à cocktails ou en boîte, les regards se tournent instinctivement vers moi presque autant que vers lui. Dans les dîners, je suis généralement assis au centre de la table et, quand ce n'est pas le cas, ma valeur rayonne tellement que les autres ont quand même tendance à se tourner vers moi. Au jeu de capter les attentions qui comptent, je deviens redoutable. Mon réseau LinkedIn monte chaque jour en gamme. Même Chris Murray, l'un des plus jeunes milliardaires de la Silicon Valley, a accepté ma demande de connexion. Je suis une flèche, un vecteur allant toujours vers le haut, toujours vers l'avant. De plus en plus de gens cherchent à me parler dans le seul but d'améliorer leur *PageRank*. Je réponds à leurs sollicitations en fonction du mérite. S'il s'agit d'un *misfit*, je suis ravi de passer du temps avec lui, de lui redistribuer un peu de ma valeur. S'il s'agit d'un élève modèle, je l'envoie poliment se faire foutre. J'ai ainsi le pouvoir de rétablir un peu la justice, à ma façon.

Tout ça, Constance ne s'en rend pas compte. Sinon, elle ne resterait pas là, debout dans ma cuisine, à faire la gueule pour rien, à me réprouver en silence. Hier soir, elle m'a reproché de *leur* ressembler. Ça m'a fait doucement sourire. J'aurais voulu lui parler de ses soirées *networking*, de ce que sa reconversion doit à son réseau, à sa maîtrise des codes. Lui rappeler le Baudelaire, quand elle faisait l'apologie d'Anna Fourcade : elle aussi voulait *leur* ressembler. Ce qu'elle me reproche à moi, c'est d'avoir à ce point réussi !

Ce qu'elle me reproche, c'est que ma cuisse vibre et pas la sienne. C'est que le frisson soit dans ma poche, et plus avec elle.

Elle part se brosser les dents, sans débarrasser son petit déjeuner. Je tâche de contenir mon agacement. Ça lui passera. À notre prochaine soirée, je m'efforcerai de raviver la flamme : j'ouvrirai une bouteille un peu plus chère, j'allumerai des bougies parfumées, je préparerai quelques sujets de débats passionnés… C'est drôle. Moins je fais d'efforts pour paraître naturel avec des inconnues, plus j'ai besoin d'en faire avec Constance.

Pour l'heure, je sors mon téléphone, pour dépiler mes notifications.

D'abord un message d'Igor : « *Tranchard veut me voir à 9 heures.* » Dès mon embauche en octobre, j'ai poussé David Kahn à le rencontrer, soucieux d'avoir un allié digne de confiance sur ce nouveau territoire. Au bureau, il est mes yeux et mes oreilles, me tient au courant de tout ce qui se dit et se passe à mon insu. Étrangement, j'ai eu plus de mal à le convaincre de retravailler avec Dorsay que l'inverse. Il a fallu trouver les mots, les ressorts cachés de sa motivation. J'ai négocié pour que sa description de poste inclue le terme *manager*, une revanche symbolique à moindres frais. Je lui réponds : « *OK, je viens avec toi.* » Igor est comme moi, il ne raffole pas des banquiers, et encore moins de Tranchard. Les laisser seuls dans une même pièce, avec son franc-parler, c'est un risque à ne pas prendre.

Puis quatre notifications sur Tinder. Sur ce terrain, mes statistiques sont hallucinantes. Il y a des jours où je *matche* plus de 50 % des profils que je *like*. En conversation comme en rencard, je séduis d'autant plus facilement que je ne cherche pas à plaire. Trois quarts des filles veulent me revoir, après la première nuit – il existe un tutoriel pour tout, même pour devenir un *bon coup*. J'ai tout un répertoire de *fuck friends*, des numéros à contacter les soirs de pluie. Naturellement, Constance reste mon officielle et je m'astreins à des règles strictes. Elle est la seule à dormir dans mes draps, la seule que je présente en public. Tous mes vendredis et samedis soir lui sont réservés. Ça ne suffit pas à dissiper tout soupçon, ni à faire taire ma culpabilité – cette eau nauséabonde, aussi viciée que le deuil – mais, après tout, elle m'a bien dit qu'elle préférait ne pas savoir. Et puis, ce n'est pas comme si les gens de notre entourage étaient spécialement fidèles.

Dernière notification : une photo postée par Olga sur Instagram, sur laquelle est tagué Victor Newman. Prise au Buddha Bar, visiblement à notre insu : on y rit tous les deux en regardant ailleurs, beaux et enviables. Valeur perçue maximale : déjà 173 *likes* et 24 commentaires, principalement des types sans amour-propre qui complimentent son physique, lui font des déclarations d'amour ou des demandes en mariage ponctuées d'un *lol*. Victor Newman commente à son tour : « *Tu as d'étranges fréquentations.* » D'habitude, je veille à ne jamais écrire sous mon autre identité quand je suis avec Constance mais, ce matin, elle l'a bien cherché. J'ai rencontré Olga un dimanche soir dans un bar, avec Stan, dans le cadre de notre nouvelle tradition, mise en place au fil des week-ends sans jamais trop se concerter : s'inscrire sur Liste Blanche sans cavalière, et se donner trois heures le soir même pour en trouver deux. Des mannequins ou touristes, la plupart du temps. Leur proposer une aventure « spontanée », une expérience « hors du commun ». Éradiquer toute impression de préméditation. Cacher les fils, pour que ça paraisse magique. C'est à ce prix-là que l'ennemi m'accorde sa confiance. Je suis le disciple dont il a toujours rêvé.

Dans ces soirées, j'ai toujours une pensée troublée pour Anna. Mon échec avec elle a été suivi de lendemains sombres et difficiles. Pendant trois jours, mon souvenir du désastre était complètement fragmenté, décousu, en mille morceaux. Je n'en dormais pas de la nuit. Il ne s'est stabilisé que le quatrième jour, autour d'un récit devenu convenable et cohérent. Ma conclusion, c'est qu'une telle chose *devait* arriver. J'avais besoin de cette claque pour réaliser à quel point mon conditionnement pour l'échec, hérité de mon père, était pervers et tenace. Il était inscrit, quelque part dans mon ADN, que face à l'opportunité de réussir, d'accomplir enfin quelque chose, je trouverais le moyen de tout saboter... Que si la réalité s'approchait un peu trop de mes rêves, je ferais tout pour la faire dévisser en cauchemar – il suffit d'un rien, d'un changement d'angle infime. Bref, j'ai eu si peur de passer à côté de mon triomphe que c'est très exactement ce qui s'est produit : la semaine suivante, Anna partait vivre à l'autre bout du monde. Mais l'épisode a eu le mérite de me faire prendre conscience de ce biais congénital, à temps pour le corriger.

Depuis, Victor Newman a pris la direction de mon imaginaire. La nuit, je ne songe plus qu'à des scènes triomphales et des ébats torrides. Et s'il m'arrive encore de faire ce rêve étrange – tous ces reflets de moi-même aux costumes identiques, courant à grandes enjambées sur un interminable escalier, partiellement englouti par les vagues –, il ne m'inspire plus aucune angoisse car j'y occupe systématiquement les premières places, gravissant les marches avec légèreté. Même sur mon inconscient, la gravité n'a plus de prise.

Constance est de retour dans la cuisine, maquillée, habillée, coiffée, son iPhone à la main. Prête à partir, alors que son petit déjeuner gît encore sur la table. Je me lève pour faire la vaisselle, à commencer par la sienne pour me donner le beau rôle.

— J'aimerais changer ton nom sur mon répertoire.

Ignorant où elle veut en venir, j'enduis l'éponge de liquide vaisselle. Ce qui m'importe à cet instant, c'est qu'elle voie que je nettoie son bol.

— J'hésite entre Victor Laplace et Victor Newman...

Mon corps se met sur pause. Ma respiration, les battements de mon cœur, mon poignet sous l'eau chaude... tout se fige en attendant la suite.

— À la base, je préfère Victor Laplace. L'autre, je ne le connais pas.

Soudain le téléphone qu'elle tient dans sa main prend tout son sens. Ses silences me tiennent. Je suis pris au piège.

— Et puis, je trouve qu'il a « d'étranges fréquentations ».

Elle mime des guillemets avec ses doigts. Abasourdi, je me mets à frotter son bol machinalement pour me donner une contenance. Comment peut-elle avoir accès aux photos et commentaires de mon alter ego ? Jamais je n'ai reçu, encore moins accepté, de demande d'ami de sa part. À moins qu'elle ait utilisé un faux profil, elle aussi ? Mais alors, il faudrait qu'elle se soit rapprochée d'autres membres de mon réseau, qu'elle ait intégré les mêmes groupes que moi – je vérifie toujours. Et pourquoi ? Comment en serait-elle venue à vouloir espionner Victor Newman, ce parfait inconnu ?

— D'un autre côté, le problème avec Victor Laplace, c'est qu'il n'existe plus. Ça fait des mois qu'il a été remplacé par cette espèce de caricature.

Elle me désigne, de haut en bas, avec un aplomb total. Même sa peau rougit à peine. Son regard est froid, plus résolu qu'il ne l'a jamais été.

— Tu m'as bien prise pour une conne, avec ta blessure secrète et tes comptes à régler. Si je n'ai rien voulu savoir, c'est parce que je te croyais pudique. Je ne pouvais pas m'attendre à ce que tu sois un connard pareil.

Constance n'est jamais vulgaire, l'heure doit être grave. Comment suis-je censé réagir ? Que dirait le tutoriel ? Dans le doute, je place un couvercle sur tout : ma honte, mon dégoût, ma nausée, ma culpabilité... Le corps est un faux-ami. Je rince son bol, encore et encore, augmente même le débit du jet d'eau, comme pour laver mes fautes, ou pour moins les entendre.

— J'espère que tes putes aiment tes grandes théories sur le monde et la réussite – elles ont l'air très intelligentes, donc je n'en doute pas. En tout cas, avec moi, c'est terminé.

Je sens une déflagration silencieuse, loin dans les profondeurs. Je tente de l'ignorer. Pour me faire mal, elle ajoute quelques commentaires à propos de notre vie sexuelle : ça fait des semaines qu'elle ne jouit plus, dit-elle, des mois peut-être. Puis j'entends les claquements de ses talons s'éloigner jusqu'au salon, afin d'y prendre son sac et partir.

Je n'en reviens pas. L'atmosphère de la pièce a changé si brutalement. Le soleil perçant à travers mes stores a désormais quelque chose de tragique, prend des allures cinématographiques, de ces films guimauves dont je me gavais jusqu'à l'écœurement après le départ de Marion. Constance m'abandonne à son tour. J'imagine peu à peu mon appartement sans elle, sans sa voix ni son parfum, sans ses non-dits ni ses regards ambivalents. Mes souvenirs avec elle défilent au ralenti sur un air imaginaire, comme un générique de fin. Notre échange près du bar, au Pré Catelan. Nos réunions chez Alliance Hotels. Le déluge à ma fenêtre. Nos vacances en Sardaigne. Ses résumés de lecture. Nos débats passionnés, nos ébats enivrés, nos discussions sur l'oreiller. Et nos petits déjeuners, l'odeur de beurre et de pain grillé. Toutes ces choses que ma mémoire tenait pour acquises, donc sans importance, devenues autant de paradis perdus.

— Franchement, tu n'as rien à dire ? Tu me laisses partir, comme ça ?

Perdu dans mes pensées, je ne l'avais pas entendue revenir. Son regard s'est adouci, je le reconnais : elle m'implore en silence de l'embobiner encore un peu, de lui trouver des raisons d'y croire. Je pourrais en effet lui courir après, pour une fois, lui jurer de mieux me tenir. Aller chercher de la tristesse à la hâte sous ma poitrine pour verser quelques larmes, comme on presse un nuage de pleuvoir. Mais ce serait alors franchir la frontière entre négligence et cruauté. Je lui ai déjà fait trop de mal. La moindre des choses à ce stade, c'est de la laisser partir. Mieux, de m'arranger pour qu'elle me déteste assez pour ne pas trop souffrir.

— Tu peux m'expliquer, au moins, ce que tu cherches avec ces filles ?

Je lui réponds que c'est comme une accoutumance au pouvoir d'arriver à faire faire aux autres ce qu'on attend d'eux. Le jeu humain par excellence, précieux pour tout : la vente, le *networking*, le management, le marketing... L'art de baiser les autres, au sens large. Leur faire croire qu'on leur veut du bien pour mieux profiter d'eux. Ne jamais préciser s'il s'agit de s'unir ou de s'affronter, de se faire l'amour ou la guerre. Règle n° 7 : *être toujours le moins naïf des deux*. Ça demande beaucoup d'entraînement. Ce ne sont pas tant les filles en elles-mêmes qui m'attirent que cette compétition, cette conquête. Le désir et l'amour n'ont rien à voir. Ce sont deux forces contradictoires. L'une cherche ce qui lui échappe alors que l'autre...

— Ta gueule... Tais-toi, s'il te plaît.

Je réalise tout juste qu'elle pleure. Pas de tristesse, plutôt de douleur.

— J'ai l'impression d'entendre ton gourou.

Son visage s'est voilé. Sa peau a perdu sa couleur. Sans un mot de plus, elle s'éclipse et claque la porte de mon appartement. Et puis c'est le silence. Un très long silence, que je n'ose pas troubler. Je me rends dans la salle de bains, presque sur la pointe des pieds. En rajustant ma cravate devant le miroir, j'estime à quel point ma gorge étranglée, ma pointe au sternum et la brûlure dans mon estomac peuvent se lire sur mon visage. Je dois dire que c'est assez édifiant : en façade, on ne soupçonne rien du chaos qui m'habite. Mon masque est toujours là, impénétrable, étanche au doute et à toute remise en question.

Vite, je remets la machine en action. J'avale un comprimé de vitamine D, magnésium et guarana. J'enfile mes toutes nouvelles Berluti, 1 750 euros la paire. Je lis les deux notifications Tinder qui viennent de tomber. Je suis une flèche, un vecteur dirigé toujours vers le haut, toujours vers l'avant. Jamais vers l'abîme, là où toute la noirceur est planquée.

20

Dans le métro, un mendiant doit interrompre son discours pour que la voix enregistrée nous mette en garde, en quatre langues, de la présence probable de pickpockets à bord de notre rame. Je me cramponne un peu plus à l'écran de mon téléphone, sur lequel je fais défiler mes notes à propos de l'ennemi. Au quotidien, j'écris toutes les informations qui me parviennent à son sujet : les gens qu'il reçoit dans son bureau, les endroits où il déjeune, les femmes qu'il fréquente... Trésor de guerre ou empilement de données inutiles ? Ce matin, j'avoue ne plus trop savoir.

Pourtant, j'en sais des choses ! Je sais que David Kahn et lui sont membres d'une organisation nommée TSF – Transatlantic Strategy Forum – visant à rapprocher les dirigeants d'entreprises françaises et américaines. Je sais qu'ils s'y étaient déjà rencontrés avant la présentation du Sonar. Pas au point de bien se connaître, mais assez pour décider de créer une « start-up interne » ensemble. Je sais également qu'une lutte les oppose tous les deux à Tranchard, qu'ils dépossèdent systématiquement de ses dossiers stratégiques et qu'ils aimeraient voir évincé du CoDir. Je connais même le nom de code du projet de fusion-acquisition que Stan vient de lui subtiliser : Solaris. Le mariage de deux géants industriels, dont il est obligé de taire le nom. « Mais c'est énorme », a-t-il quand même tenu à préciser.

J'accumule donc chaque jour de nouvelles informations, sans qu'aucune ne sente suffisamment la poudre à mon goût. Quand la voix enregistrée annonce mon arrêt, j'éteins mon téléphone avec un vague sentiment de futilité.

La poudre, en revanche, on la sent encore sur la place de l'Étoile, à la suite des émeutes de ce week-end : murs noircis par le feu, vestiges de carrosseries brûlées, débris éparpillés sur les Champs-Élysées... Comme tous les lundis matin, la vitrine du Publicis Drugstore est en reconstruction. Ainsi que celle du Fouquet's, un peu plus bas. Sur la devanture éventrée d'un kiosque à journaux, la couverture du *Point* montre une poignée de vieillards et d'adolescents sur une barricade de fortune, lançant des pavés sur des policiers équipés comme des militaires. Ce sont des retraités, des étudiants, des ouvriers, des exécutants qu'on a disqualifiés du jeu depuis la crise, parce qu'ils ne suivaient plus la cadence. Des sans-valeur, des fils de personne qui s'invitent ici chaque week-end pour déverser tout le désordre du monde sur la plus belle – dit-on – de ses avenues. Au commencement, ils surlignaient leur présence par un gilet jaune Stabilo pour se rendre visibles. Puis, au fil des semaines, la couleur s'est assombrie.

Ça dure comme ça depuis novembre. Mais l'incendie couvait depuis bien plus longtemps. C'est lui, déjà, qui noircissait les pages des carnets de mon père.

Avant sa mort, quand j'allais au lycée, je n'entendais parler que de chaos lointains : marées noires, tensions au Moyen-Orient, pandémies asiatiques, érosion de la biodiversité, fonte des glaces, prises d'otages... Un récit abstrait, sans conséquence. Un décor en arrière-plan qui depuis se rapproche, d'année en année. Comme si le mur d'illusions qu'on avait érigé tout autour du rêve occidental se fissurait, n'était plus totalement étanche à la réalité du monde. Peu à peu, j'ai pris l'habitude d'entendre parler d'attentats au coin de ma rue, d'États européens au bord de la faillite, de plans de licenciements partout en France, de tempêtes tropicales en Méditerranée, de migrants morts échoués sur la Côte d'Azur, de gens noyés sous le seuil de pauvreté à quelques rues de la mienne… Et finalement, de foyers de rage s'allumant dans tout le pays, puis convergeant vers Paris, devenue la capitale des désirs inassouvis et des marchands de rêves inaccessibles. Ainsi, depuis cinq mois, toute l'hystérie sur laquelle reposait la société de consommation – jadis perceptible au premier jour des soldes ou aux cris stridents que les célébrités déclenchaient sur leur passage – s'est retournée contre les architectes du système.

C'était assurément plus commode, quand on promettait aux gens le Ciel après la mort. Désormais, on leur serine que le paradis existe bel et bien sur terre, on l'affiche partout sur les murs et les écrans en leur jurant qu'ils pourront y accéder, s'ils le méritent. À condition de souscrire au dogme du marché, prendre part à la compétition globalisée, prier chaque jour pour une plus grande maison, une herbe plus verte et une plus large télé, se réunir tous les dimanches matin dans de grands centres commerciaux climatisés – et la Réussite reconnaîtra les siens. Alors oui, quand le paradis gonfle chaque jour ses tarifs et durcit ses conditions d'entrée, je peux comprendre que certains crient à l'arnaque organisée. J'aurais sans doute pensé la même chose à leur place.

En tournant sur l'avenue Kléber, j'aperçois un homme portant une capuche noire, à la démarche vaguement agressive. En quelques pas, je m'éloigne de sa trajectoire. On ne sait jamais. Constance a peut-être raison de s'inquiéter : si même son regard trouve que je *leur* ressemble, c'est que je réponds désormais de l'espèce dominante aux yeux de tous.

Par précaution ce matin, je n'enfile ma cravate qu'une fois dans l'atrium de la banque, passé l'immense portail en verre. À l'intérieur du temple règne un calme imperturbable, insensible au tumulte des rues. Verre cassé, tôle calcinée, cœurs brisés : dans ce refuge symbolique, ce qui n'a pas de prix n'existe pas. Au sixième étage, les portes se referment hermétiquement derrière moi, dans un bruit confortable et rassurant. Ici, les désordres de la réalité n'entreront jamais. Survivre à toutes les crises est écrit dans l'ADN de la banque. Goldman Stanley fait partie des banques *too big to fail* – trop grosses pour faire faillite. Si jamais elles s'effondrent, le monde s'effondre avec elles. Elles sont les garantes de nos certitudes, nos gages de stabilité. Alors, puisque de leur santé dépend la nôtre, même quand elles se vautrent, les banques centrales font pleuvoir pour elles des trombes d'argent virtuel, pour que leurs liquidités continuent d'huiler les rouages du système.

En arrivant dans l'open space à 9 h 35 – première fois que j'accuse un tel retard –, je suis forcé d'admettre que la belle mécanique de mon existence, en revanche, s'est grippée ce matin. L'amour de Constance était, jusqu'à présent, mon propre gage de stabilité, le garant de mes certitudes... Ai-je tout fait pour en éviter la faillite ?

Igor me propose un café, avant d'aller voir Tranchard.

— Tu as vu le bordel encore, ce week-end ?

À la banque, il est le seul à parler des émeutes avec autant de légèreté – peut-être même d'enthousiasme. En tout cas, sans jamais vraiment les condamner, comme il est d'usage ici, au moins une fois toutes les deux phrases.

C'est qu'Igor, comme moi, est fils de pas grand-chose. Peut-être même d'un peu moins encore. Sa mère était couturière dans une usine de textile – donc chômeuse, au bout du compte. Son père, technicien de maintenance, un peu comme ceux que le mien avait sous ses ordres – et qui finirent par le traiter de collabo. Alors forcément, quand tout a démarré, la colère des *pas grand-chose* ne nous indignait pas vraiment. D'instinct, on la comprenait même un peu.

En octobre, on s'était inscrits sur des groupes privés de contestataires sur Facebook. Pas en activistes, ni même en sympathisants, mais en observateurs – et avec un faux profil, naturellement. Les échanges étaient intéressants, d'un bon niveau. On y lisait des voix qu'on n'entend pas d'habitude : des caissiers, des profs, des soignants, des éboueurs, des gens utiles à qui on répétait sans cesse qu'ils étaient une charge. Sous bien des aspects, leurs messages me rappelaient le carnet n° 18 de mon père. L'idée m'est d'ailleurs venue d'en publier des extraits, plusieurs fois par semaine, comme pour lui rendre hommage. Ce paragraphe, par exemple, a récolté plus de 100 *likes* : « *On nous a fait croire à la croissance infinie, à l'abondance et au progrès pour tous. On nous a raconté que l'humanité était à l'apogée de son développement. Or soudain on se réveille, après la crise, au bord du précipice. On découvre que les structures du monde sont instables, vétustes et fragiles. Et qu'il faudrait rembourser, à ceux-là mêmes qui les ont endommagées, les dettes d'un festin auquel on n'a jamais été convié.* »

J'étais heureux de le faire revenir symboliquement parmi les siens, les sans-grade et sans-valeur, qu'il a tant défendus et qui l'ont injustement rejeté.

Très vite cependant les choses se sont dégradées. De nouveaux arrivants très bavards, pétris de certitudes simplistes à propos de la marche du monde, se sont mis à colporter des thèses abracadabrantesques en se prétendant très informés. Bien à l'abri des contradictions, légitimé par l'afflux délirant de *likes* anonymes, chacun y alla de son mauvais scénario de série Z – *manipulation des masses* et *grand remplacement*, *dictature des riches* ou *Troisième Reich en col blanc* – n'admettant que la surenchère et vilipendant tout argument trop complexe ou mesuré. Cette vague d'obscurantisme a tout recouvert si vite que bientôt, on n'a plus parlé que de ce qu'il fallait détruire, sans jamais préciser ce qu'on aimerait à la place.

Ce rebutant virage m'a fait le même effet qu'une discussion avec Patrick : chacun sommé de choisir son camp puis de s'y tenir, de n'argumenter qu'en sa faveur et sans nuance, d'être tout entier dans le système ou bien radicalement en dehors. J'ai alors compris la solitude qu'avait ressentie mon père, exilé de partout, en discorde avec les dominants comme les dominés.

Igor, de son côté, n'a pas complètement arrêté de croire qu'une révolte plus constructive et mieux organisée pourrait voir le jour :

— Imagine, demain, tous les ingénieurs se mettent en grève. À ton avis, combien de temps peut tenir le système : un jour, une heure, une minute ?

Il parle fort, sans aucune intention de voiler sa question. À quelques mètres de nous, trois analystes ont pu tout entendre. J'élude comme je peux.

— Rassure-moi : tu ne vas pas dire ce genre de choses à Tranchard, j'espère ?

— Non, t'inquiète.

Le sourire d'Igor exprime une totale insouciance. Je ne m'explique toujours pas comment les tests psychologiques de Goldman ont pu ne pas établir qu'il s'agissait d'un profil « à risque ». Ce qui le sauve peut-être, c'est qu'on ne le prend pas plus au sérieux sur le registre de la subversion que sur les autres. Pour sincère qu'elle soit, sa révolte est une fantaisie, une impasse. Tout comme celle des insurgés du week-end, promise à l'échec. Seule la mienne, sous les radars, a des chances d'aboutir.

Pour nous rendre aux bureaux des directeurs, il faut traverser tout l'étage. Sortir de notre bunker pour en rejoindre un autre, repasser devant le colosse, les ascenseurs, puis sonner à un petit interphone, arpenter d'autres couloirs nettement plus parfumés, d'une largeur inexplicable, en apprécier la moquette neuve et les matériaux nobles… En chemin, j'aperçois Stan à travers les rideaux mal tirés d'une salle de réunion, s'adressant à une bonne douzaine de notables aux cheveux gris, dont une seule femme. *Ça doit être pour le projet Solaris*, me dis-je sans avoir la moindre idée de ce que ce nom désigne.

De plus en plus, ces dernières semaines, l'ennemi délaisse la direction d'Accelerate pour se concentrer sur sa nouvelle spécialité : les fusions-acquisitions – *fusac* pour les intimes – d'entreprises partiellement détenues par l'État. Une vraie tendance du moment, consistant à revendre à la découpe le patrimoine industriel français à des entreprises multinationales. Il s'inscrit ainsi, à plus grande échelle, dans la lignée de sa mission d'il y a dix ans pour France Telecom qui, déjà, consistait à transmettre au privé l'héritage de décennies d'investissements nationaux. Ce démantèlement capitalistique et juridique exige un investissement total et Stan ne compte plus ses heures – en contrepartie de primes mirobolantes si la fusac réussit.

Grâce à sa vocation, il tutoie quotidiennement le gratin des affaires. Il m'arrive de penser que j'ai trop attendu, que ses alliés sont devenus trop puissants et qu'il est désormais, lui aussi, *too big to fail.* Mais pour retrouver l'optimisme, je repense à décembre, quand la version 2.18 de mon Sonar a provoqué un krach éclair. Une vague d'alarmisme avait déferlé sur le monde et souillait toutes les valeurs considérées comme sûres : l'or, l'économie chinoise, le pétrole, les actions Apple... Le logiciel a donc significativement dégradé ses scores, bientôt suivi par tous les algorithmes et traders de Goldman Stanley Europe, qui se sont empressés de spéculer massivement à la baisse, imités dans la foulée par une palanquée d'investisseurs habitués à calquer leurs ordres sur ceux de la banque... Résultat : tous les marchés ont plongé en un temps record, si bien que Francfort et Londres ont suspendu leur séance dix minutes, le temps que chacun retrouve la raison.

David Kahn m'a convoqué le soir même, devant Stan et toutes les huiles de la banque, pour me recadrer doucement. Mais au fond, il n'avait pas grand-chose à me reprocher. Les marchés étaient versatiles, rien de nouveau. Mieux, l'épisode montrait l'influence colossale que mon algorithme avait acquise. Je m'en suis sorti avec un audit d'une semaine, pour « identifier des axes de sécurisation ».

Depuis, je me répète chaque jour que si le Sonar a pu faire s'effondrer d'un coup toutes les Bourses européennes, alors il existe forcément un moyen de faire éclater la bulle #Dorsay. À condition de provoquer la même réaction en chaîne : convaincre suffisamment de gens, puisque sa valeur est fiduciaire, de cesser simultanément d'y croire. Ainsi dans mes notes, jour après jour, je répertorie celles et ceux qui auraient un intérêt à le voir descendre, qui pourraient même l'y aider une fois qu'il aurait un genou à terre. Tranchard, évidemment, fait partie de la liste.

Le grassouillet vice-président sort justement de son bureau, avec une jeune analyste eurasienne qu'il raccompagne, une main posée sur son dos comme une ancre, indécrochable. Stan dit souvent à propos de ce type que son approche avec les femmes est inspirée du capital-risque : il en recrute un très grand nombre, en espérant décrocher le pactole avec une seule d'entre elles.

— Merci d'être venus, les gars. Désolé pour le retard.

Je découvre son antre, à la décoration bien trop raffinée pour lui. Ce qu'il faut d'œuvres d'art, d'accords subtils de couleurs, de bois rare ayant probablement poussé à quelques milliers de kilomètres d'ici. La seule présence de Tranchard au milieu de ce décor paraît une anomalie. Un personnage de cartoon gribouillé sur un Caravage.

Chaque objet dans cette pièce répond à l'inventaire précis de ce qu'il est universellement d'usage de considérer comme l'accomplissement d'une vie, de Shanghai à New York en passant par Dubaï. Son AmEx Centurion, sa Rolex, son alliance participent d'un même objectif, faire savoir à ses congénères qu'il a réussi sur tous les fronts. Le clou du spectacle : une photo de lui serrant la main du président de la République, encadrée juste au-dessus de son siège, pour que personne ne la rate.

— Servez-vous, les jeunes.

Il nous présente un panier de mini-viennoiseries, déjà bien entamé. J'en prends une et la garde sur une mini-serviette, posée devant moi. Tranchard commence par un numéro de séduction grotesque, se moque des banquiers austères et gris, avec leur tête pleine de comptes et de bilans trimestriels. Lui, fort heureusement, n'est pas comme eux. Par exemple, il adore les nouvelles technologies :

— Vous verriez chez moi, j'ai tous les derniers gadgets : *smart TV*, assistant vocal, drone, éclairage connecté... Je suis un vrai geek.

Je me retiens de rire, Igor aussi.

— Et justement, je me dis qu'on gagnerait à bosser ensemble. Alors j'ai convoqué ce jeune homme, pour que vous m'expliquiez sur quoi vous travaillez en ce moment.

Ne comprenant toujours pas, derrière ce fumeux prétexte, le véritable objet de la convocation d'Igor, je prends une bouchée de pain aux raisins pour le laisser répondre.

— Alors, hésite-t-il, dans nos projets en cours, pour commencer, on a le Sonar, bien sûr. Mais ça, vous connaissez déjà.

— Ah non, Igor, on se tutoie, hein ! S'il te plaît.

Gêné, il obtempère malgré tout.

— Tu... connais peut-être Sherlock, aussi. Un robot qui explore le Web à la recherche de toutes les informations qu'on peut trouver sur une entreprise – son bilan, les rumeurs qui la concernent, les déclarations de ses dirigeants et employés – qui peuvent affecter sa valeur sur les marchés.

Ça alors ! C'est le meilleur pain aux raisins que j'aie jamais mangé. Il faudra que je demande à son assistante où elle se les procure.

— Ah, et TriggerPoint aussi, qui pourrait vous… t'intéresser.

Tranchard se redresse légèrement, une étincelle dans le regard. Pour un type censé ne rien connaître à nos projets, celui-ci suscite un peu trop visiblement son intérêt, par son seul nom.

Igor explique le principe de TriggerPoint, calqué sur l'*astroturfing*, une pratique en vogue sur Internet consistant à faire passer des messages de propagande pour des opinions d'internautes ordinaires. 1) On cartographie tous les influenceurs sur un domaine : pas des experts ni des sommités scientifiques, plutôt des vulgarisateurs, des amateurs qui s'y connaissent un peu mais pas trop, ayant un grand nombre de *followers*. 2) Un algorithme d'analyse sémantique passe en revue leurs contenus pour en déduire des *trigger points* – points de déclenchement –, des arguments-clés capables d'orienter leur opinion sur un sujet donné, en résonance avec leurs valeurs et leurs croyances. 3) Lors d'événements controversés qui peuvent altérer l'image de la banque – projet de fusac, changement de stratégie, plan de licenciements, délocalisations –, on génère des éléments de langage ciblés pour chaque influenceur, fondés sur ses *trigger points*, afin qu'il oriente positivement ses *followers*.

— Attends, je ne comprends pas ton truc, là, l'interrompt Tranchard tout en se saisissant d'un croissant. Admettons : j'ai un projet de fusac sensible. Que me propose ton logiciel ? Qu'est-ce qu'il me permet de faire concrètement ?

Igor hésite. Il faut dire que de tous nos projets, TriggerPoint est celui qui contrevient le plus à ses valeurs. Mieux vaut, cette fois, que je prenne la main :

— C'est très simple. Mettons que tu tapes « Champs-Élysées » sur Google. Tu vas voir des liens vers TripAdvisor, Booking, une liste de restaurants et d'hôtels étoilés, ce genre de choses…

Tranchard acquiesce et décapite son croissant.

— Alors que si un des énervés de ce week-end recherche « Champs Élysées », Google va plutôt lui afficher des articles de presse à propos des émeutes, des photos de barricades et de voitures brûlées... Tu vois l'idée ? Chacun perçoit une réalité filtrée selon sa niche, la tribu qu'il représente.

Sa mastication produit des sons épouvantables. J'ignorais qu'on pouvait être millionnaire et ne toujours pas savoir fermer sa bouche en mangeant. Je me cramponne à mon siège, tout en lui citant Mark Zuckerberg : « Un écureuil en train de mourir dans votre jardin est parfois plus apte à vous intéresser que des gens qui meurent en Afrique. »

— Eh bien, le principe de TriggerPoint, c'est de trouver cet écureuil pour chaque communauté : quelle histoire il faut que ses influenceurs lui racontent pour qu'elle soit favorable à ta fusac.

Règle n° 5 : *les faits importent moins que le récit qu'on en fait.* En visant bien, chaque leader d'opinion, polémiste, coach ou expert autoproclamé peut devenir votre idiot utile et colporter votre message à ses milliers de *followers*. Comme au jeu d'Othello, il suffit de retourner un pion pour que toute sa ligne suive.

La bouche encore à moitié pleine de pâte feuilletée, Tranchard se penche comme pour nous faire une confidence :

— Bon, les gars. Vous avez entendu parler de Solaris ?

Igor répond que non, sincère. Je fais de même.

— C'est un projet de fusac ultrasensible, dont je m'occupe.

Ça devient intéressant. Je sais qu'il ment mais ne laisse rien paraître. Pourquoi cacher qu'il s'est fait doubler par Stan sur ce dossier ? C'est d'autant plus intrigant qu'en cinq minutes à peine, il nous lâche à peu près tout ce qu'il sait à propos de cette fusac dont nous ne devrions rien savoir. Il est question de faire absorber Venturial – fleuron de l'industrie française, détenu à 15 % par l'État – par Global Energies, une multinationale américaine.

L'affaire est délicate et son secret bien gardé, car une partie des turbines que fabrique l'entreprise hexagonale est destinée aux centrales nucléaires du pays, lesquelles produisent 70 % de son électricité quand elles sont en forme. Son rachat par un groupe étranger soulève donc d'épineuses questions sur la stratégie et l'indépendance énergétique de la France. Selon Tranchard, très peu de gens sont pour l'instant au courant des négociations, y compris chez Venturial ou au gouvernement. N'importe quel journaliste ou député d'opposition rêverait d'en faire un scandale. Sans parler des Gilets jaunes, qui s'en donneraient à cœur joie.

— Pensez donc. Une perte de souveraineté française, pilotée par une grande banque américaine, avec le soutien de deux membres du Transatlantic Strategy Forum… Avec ça, si on ne fait pas la une de Mediapart pendant trois semaines !

Bien sûr il fronce les sourcils, pour se donner un air inquiet. Mais il n'a pas la subtilité de l'ennemi, ni son jeu d'acteur. On devine l'intérêt qu'il aurait à ce que le dossier fasse polémique, à présent qu'il n'en est plus responsable. Une petite vengeance mesquine, parfaitement en phase avec le personnage. J'ignore seulement s'il est stupide au point d'ignorer que je pourrais tout répéter à Stan en sortant de son bureau, ou s'il est au contraire assez fin pour deviner que je n'en ferai rien.

— Bref, il faut tout mettre en œuvre pour éviter ce scénario-là. Et votre truc peut avoir son rôle à jouer.

Je me contente d'abonder dans son sens, lançant en l'air quelques idées innovantes : on pourrait détecter les influenceurs *négatifs*, évaluer leur pouvoir de nuisance potentiel… Sachant que toute technologie est à double tranchant, elle dépend de l'utilisation qu'on en fait. Je lui sers sur un plateau ce qu'il rêvait d'entendre. Les choses n'ont pas besoin d'être explicitées, seulement suggérées. Pour noyer le poisson, je fais semblant de croire à ses louables intentions, distribue des éléments de langage *positifs*, présente la fusac comme un *rapprochement stratégique d'envergure*, formant un *géant des énergies renouvelables*, symbole de *l'amitié franco-américaine* face à la *menace chinoise*. Je demande à Igor ce qu'il en pense, pour la forme, mais il est trop indigné pour répondre. Pour un peu, on dirait qu'il me fait la gueule.

D'ailleurs, ça se confirme dix minutes plus tard. En sortant du bureau de Tranchard, il s'emporte presque :

— Il ne faudra pas s'étonner...

— De quoi ?

— De récolter la colère des gens... C'est une honte, cette fusac !

Il se lance dans un long réquisitoire à l'encontre de ce qu'il appelle le *mal du siècle* : cette tendance, depuis la crise, à changer le nom des choses et leur récit, mais jamais les choses elles-mêmes.

— Les contrats sur le risque de défaut ont foutu des millions de gens à la rue pendant la crise des *subprimes* : on n'a qu'à leur donner un autre nom. Les consommateurs veulent manger plus sainement : on n'a qu'à repeindre tous les emballages en marron-vert. Des dizaines d'employés se suicident dans une boîte : on n'a qu'à lui donner un nom d'agrume.

Igor a raison sur le constat, bien sûr, mais il ne comprend rien au *game*. Sa révolte pourrait cependant s'avérer profitable. Je le coupe :

— Si ça t'intéresse, je te laisse le projet. Après tout, c'est toi que Tranchard voulait voir.

— Mais... Tu as écouté ce que je viens de dire ?

— Oui, et justement : c'est pour ça que tu devrais t'en occuper.

Je lui fais le regard qu'il faut, assez longtemps pour qu'il saisisse le sous-entendu, pas assez pour qu'il se l'explique.

— Ah ? Bon... D'accord.

Au même instant, la porte de notre open space se referme derrière nous, dans un bruit confortable et rassurant. Je fais un passage aux toilettes. En une matinée, j'ai perdu Constance, ma plus grande alliée, pour m'acoquiner avec Tranchard, l'homme le plus méprisable de mon réseau. Je pourrais légitimement avoir peur de faire fausse route. Mais face au miroir, je sors la photo de mon père et en dix secondes à peine, la magie opère : ma poitrine se soulève et la détermination réapparaît dans mon regard, irréfutable. L'incendie couve toujours.

21

Chaque année à la mi-mars, le Transatlantic Strategy Forum donne son grand gala durant trois jours. Le gratin des affaires américaines et européennes converge alors à New York, comme en pèlerinage, pour bavarder de l'état du monde et de son avenir. Stan m'a obtenu un badge *Invité* que je porte autour du cou comme une médaille depuis le tout premier soir. Sur le sien, il est inscrit *Young Leader*: une distinction majeure au TSF, qu'il a officiellement acquise aujourd'hui même. Par ce biais, les plus éminents membres du Forum désignent leurs probables héritiers, ceux qu'ils pressentent pour reprendre les rênes du système quand ils passeront la main. Le nouveau monde, choisi par l'ancien.

Pour le dîner de clôture, nous sommes au Rainbow Room, l'iconique restaurant au sommet du Rockefeller Center, vue sur tout Manhattan. Depuis les amuse-bouche, je me plais à imaginer quel président, quelle star hollywoodienne a déjà touché mes couverts avant moi. Pendant ce temps, les gens défilent à notre table afin de féliciter Dorsay pour son nouveau statut et lui tapoter l'épaule. Parfaitement à son aise, le prince trouve toujours quelque chose de personnel à leur répondre, exprimant à la fois sa gratitude et ce qu'il faut de suffisance. Cette récompense est bien dérisoire au regard de celles qu'il entend glaner encore.

Depuis la baie vitrée de ce luxueux perchoir, bercé par le bruit des fourchettes et le ronronnement des conversations, je contemple New York par le haut, surplombant cette ville dont j'ai à peine foulé le sol. Une vue aérienne, comme dans les jeux de stratégie. C'est désormais ma place, il faut croire, non plus en retrait mais en supervision du spectacle. À deux cent cinquante mètres du sol, les grondements du monde vous paraissent bien éloignés. Pas d'insurgés ni de voitures qui brûlent. Pas de souvenir avec Constance vous traquant au détour de chaque rue. Non seulement vous avez un peu l'impression de posséder cette ville par les yeux, mais aucun bruit ne vous parvient de ses artères et de leur vie grouillante. L'argent ne fait peut-être pas le bonheur, mais il vous met à la bonne distance des choses : ici tout s'achète, même l'altitude. Votre position sur l'axe y est proportionnelle au score sur votre compte en banque. C'est simple, élégant.

Les sièges mondiaux des principaux cabinets de conseil, dont B&G, se trouvent à quelques blocs d'ici. Ceux des banques *too big to fail*, dont Goldman Stanley, à dix minutes en taxi. Si Paris est la capitale du désir, cette île est bien celle de la réalité symbolique, faite de chiffres et d'équations. La nuit, des milliards de pixels s'allument pour surligner le quadrillage parfait de ses avenues, comme tracées à l'équerre, et la profusion de ces blocs de Lego qui s'élèvent jusqu'au ciel, tout en angles droits. Et au beau milieu de cette maquette conçue par et pour la rationalité de l'homme, un immense bassin rectangulaire à l'intérieur duquel on autorise trois cent quarante hectares de nature à s'épanouir à l'ombre des tours. Une illustration du pouvoir que nos modèles ont acquis sur la réalité physique.

Ici, au soixante-cinquième étage, la moyenne d'âge est plus jeune qu'on pourrait l'imaginer, pour un rassemblement entre aspirants maîtres du monde. Depuis trois jours, je rencontre des *fast-tracks* d'un peu tous les pays. « Tu fais quoi dans la vie » ? *J'audite les modèles actuariels. Je certifie la compliance des processus bancaires. Je coordonne les initiatives d'open innovation.* Plus votre poste est important, plus il est difficile d'expliquer son utilité à un non-initié. Au Forum, tout le monde œuvre plus ou moins directement à superviser le réel, le contraindre à rentrer dans nos modèles et vérifier qu'il n'en déborde jamais. Des dompteurs d'incertitude.

Au classement des tables les plus en vue, la nôtre est facilement sur le podium. Les femmes y sont en surnombre et on y compte deux stars de la Silicon Valley : Michelle Park, directrice de Qinoa Ventures, et surtout Chris Murray – je cherche depuis tout à l'heure un moyen de lui suggérer que nous sommes connectés sur LinkedIn. Avec Stan et David Kahn, cela porte le nombre de *young leaders* à quatre – sans doute un record. Avec moi, Jules est le seul *invité*. Depuis notre départ pour Goldman Stanley, il est devenu le plus jeune directeur de filiale de B&G dans le monde. Une mascarade. C'est l'ennemi, bien sûr, qui continue de prendre les décisions importantes, effectuant plusieurs allers-retours par semaine entre l'avenue Kléber et l'avenue Marceau. Jules n'est qu'un pion, une marionnette, récompensée pour sa loyauté. Et je pense que lui-même a conscience de cette imposture. C'est bien simple : je ne l'ai jamais entendu parler si bas. Vers la fin de l'entrée, il a tenté de dire quelques mots sur son père, espérant en vain récolter un peu de son importance. Depuis, sa voix perd constamment en décibels et je me dis qu'en toute logique il devrait finir par se taire. Déjà, sa principale activité consiste à tartiner ses petits pains de beurre d'Isigny, en prenant un air goguenard ou compassé selon l'humeur majoritaire de la table.

Pour ma part, je m'intègre un peu mieux. Mon temps de parole est assez maigre, mais je sais en profiter. Il me semble notamment que Michelle Park est folle de moi. À bientôt quarante ans, cette petite femme asiatique aux pommettes rondes dirige un fonds de capital-risque détenant des parts dans Facebook, Twitter, Uber, Snap et Alphabet, la maison mère de Google. Dès la première bouteille, un Château d'Yquem, Stan s'est empressé de jouer les entremetteurs en m'incitant à lui présenter les projets sur lesquels mon équipe travaille. Elle m'a posé des questions pointues, suggérant une connaissance approfondie de tout ce qui touche aux algorithmes. Gentille, elle a fini par se dire impressionnée :

— De toutes les start-up internes que je vois fleurir en Europe, la vôtre est l'une des plus prometteuses.

Comme elle vit à San Francisco, Dorsay lui a parlé d'Anna, qu'elle connaît par son travail. J'ai été surpris des questions qu'il lui posait, du peu d'informations dont il semblait disposer à son sujet, comme s'il était sans nouvelles d'elle depuis plusieurs semaines. Un moment, j'ai même pensé qu'il bluffait. Puis j'ai repensé à l'étincelle dans son regard, en arrivant à l'aéroport JFK. « C'est ici que tout se passe, disait-il. Tant qu'on reste de l'autre côté de l'Océan, on aura toujours un temps de retard. » C'est certainement pour que je l'aide à traverser l'Atlantique qu'il a tenu à me présenter Michelle Park. Je l'ai senti particulièrement satisfait quand elle nous a dit, à la fin de sa terrine de crabe royal :

— Vous êtes faits pour la Californie, vous deux ! C'est dommage d'avoir fait la moitié du chemin jusqu'ici pour retourner à Paris.

Malgré ces signaux encourageants, la soirée de clôture se rapproche et je ne sais toujours pas si j'ai le droit d'en être. Hier soir, Stan a tout fait pour que ma FOMO soit à son paroxysme : il a parlé d'un loft en dernier étage sur la 5e Avenue, avec vue sur le parc, « intégralement privatisé ». Sans toutefois préciser s'il comptait m'y faire inviter. C'était un peu après minuit, sur le *rooftop* de notre hôtel. Devant une canopée de tours éteintes et un Whisky Sour, il m'a solennellement annoncé qu'il comptait proposer ma candidature pour intégrer le Forum. Un instant, j'ai cru à un acte désintéressé. Puis il m'a détaillé le processus d'admission, lequel dure une année entière et implique une transparence absolue de la part du candidat à propos de ses ambitions, son réseau, ses origines, ses valeurs et ses croyances... Il ne l'a pas dit avec ces mots-là mais l'idée, c'est que chaque membre dispose d'informations confidentielles à propos de tous les autres. C'est un peu le principe de la dissuasion nucléaire : la non-agression entre confrères est garantie par la peur des représailles. Je devrais donc passer « toute une batterie d'entretiens » et répondre à des questions sur ma famille, mes relations, mon parcours... Il finirait ainsi par apprendre, d'une manière ou d'une autre, ce qu'il n'arrive plus à lire sur mon visage.

J'ai senti qu'il s'agissait du moment précis, de l'état d'ébriété parfait pour lancer mon opération Transparence. Le principe est simple : si je veux que l'ennemi se dévoile davantage, je dois faire le premier pas. Montrer l'exemple en instaurant un climat propice aux confidences. En arriver au stade où se livrer personnellement l'un à l'autre semblera moins suspect qu'éviter de le faire. Après lui avoir offert un autre cocktail, je lui ai parlé de mon père. Mort à cette date en 2011, d'un cancer de la thyroïde. Il m'a présenté ses condoléances et je me suis dit qu'un jour, il me présenterait ses excuses. Puis j'ai parlé de Constance. De notre relation, dont il était au courant. De son départ, qu'il ignorait en revanche. De mes regrets de l'avoir autant trompée, qu'il semblait comprendre. J'espérais qu'en retour il me parlerait d'Anna, et j'y ai vraiment cru le temps d'un silence, mais je crois qu'il s'est retenu.

À la place, presque pour donner le change, il m'a fait des confessions sur Solaris, sans toutefois m'apprendre grand-chose. Il m'a confirmé que la banque conseillait Global Energies. Que l'OPA serait agressive et que le PDG de Venturial était au courant.

Que Kahn passait ses journées à faire du lobbying auprès de Bercy. Que la Justice américaine, pour faire bon poids, menait une enquête pour corruption à l'encontre des cadres dirigeants du fleuron français susceptibles de s'opposer à l'accord. Que l'affaire, en somme, était bien ficelée, à condition que le public soit au courant le plus tard possible. Des choses que Tranchard avait déjà laissées entendre à Igor, qui me les avait aussitôt rapportées.

Stan, d'ailleurs, semblait anticiper une menace venant de l'intérieur. Il m'a demandé si j'avais repéré des choses anormales à la banque, ces derniers temps. Au-dessus de tout soupçon, j'ai répondu que non.

— Au contraire. Tranchard s'est rapproché d'Igor pour travailler sur l'acceptabilité des fusacs en cours grâce à TriggerPoint.

J'ai dit à l'ennemi tout ce que je savais, comme si je croyais naïvement aux ambitions affichées par Marlon Brando l'autre jour. Il ne s'est pas méfié de moi, je crois. Puis nous sommes partis nous coucher. En cogitant dans mon lit, j'ai compté les points : j'avais parlé de Constance sans qu'il dise un mot sur Anna, de ma famille sans rien avoir appris sur la sienne… L'opération Transparence commençait mal.

À table, on apporte le dessert : un coing poché à la vapeur et son caramel déglacé au jus d'orange. Personne ne parle de la soirée sur la 5e Avenue, ce qui tend à confirmer qu'il faut absolument en être. À la place, l'essentiel des conversations vise à démontrer notre hauteur de vue sur un monde qui ne peut qu'aller dans le bon sens, puisqu'il nous accorde ses premières places. Certes, il y reste quelques petits *challenges* à relever – changement climatique, inégalités galopantes, érosion des ressources naturelles et de la biodiversité, économie sous perfusion permanente – mais, dans l'ensemble, le système est en passe d'atteindre sa meilleure version. Nous ne sommes plus très loin du but.

Encore faut-il le faire comprendre à l'opinion, calmer l'impatience des foules avant qu'elle ne vire à la colère.

— En 2008 à la City, j'ai vraiment cru qu'on allait venir nous pendre. Je prenais le métro en jean et polo, mon costume restait à la banque et je me changeais en arrivant !

Éclats de rire attendris autour de la table. Puis une associée de McKinsey nous explique d'où vient le problème :

— Plus notre modèle évolue, plus il devient complexe. Dorénavant, il faut avoir fait de longues études pour comprendre son fonctionnement.

Je rêverais qu'elle nous dise comment le modèle fonctionne, qu'on rigole un peu. Je l'imagine nous régurgiter ses poncifs appris en *executive MBA*, nous assommer de jargon pour faire diversion. Mais il est assez clair qu'elle n'y comprend rien, elle non plus. Moi-même, qui traduis le monde en équations plus de soixante heures par semaine, je suis encore loin du compte. Je découvre chaque jour une nouvelle règle, une nouvelle formule qui viennent remettre en question mes certitudes. Si je parviens un jour à *comprendre son fonctionnement*, je publierai un tutoriel sur YouTube, afin que n'importe quel *misfit* puisse débattre avec cette dame et la faire mentir. En attendant, je hoche la tête en silence, comme le veut mon badge *Invité*.

— C'est pourquoi nous devons faire preuve de pédagogie, abonde Luis, du Boston Consulting Group, d'un air docte et solennel. Et plus que jamais *agir* à notre échelle pour *changer* les choses.

Au Forum, les mots *action* et *changement* sont sur toutes les lèvres et sur toutes les affiches, sans jamais qu'on trouve utile de préciser la direction vers laquelle il faudrait *agir* ou *changer*. L'essentiel, c'est d'avancer, de faire, d'être en mouvement, en marche vers un nouveau monde, quel qu'il soit.

Ce même Luis animait cet après-midi, en salle Nelson Mandela, un atelier de prospective et *design thinking* sur le thème : « Quel futur pour le travail à l'heure de l'intelligence artificielle ? » À ce propos, le récit de l'espèce dominante se veut très optimiste : l'automatisation du monde va faire naître une infinité de métiers qu'on n'imagine pas encore. Pour nous en convaincre, on nous a distribué des Post-it bleus et roses à coller sur le mur, représentant les *opportunités* et les *challenges*. Tout le monde s'est exécuté, dans une ambiance fun et régressive. Au nom de l'intelligence collective, chacun gribouillait deux ou trois mots simplistes sur un carré de papier collant – *diversité, inclusion, smart cities, entreprise libérée, industrie 4.0, économie circulaire* – et de cet amas de sécrétions sans valeur était censée jaillir la lumière. Ainsi quand Luis, en réponse au Post-it rose « *risque d'obsolescence de l'intelligence humaine par rapport aux algorithmes* », s'empara d'un Post-it bleu « *mettre le paquet sur la formation* », Dorsay me chuchota d'un air soulagé :

— C'est bon, l'humanité est sauvée.

Pour qui ne serait pas assez déterminé à le haïr, Stan a comme ça des reparties irrévérencieuses et une sagacité qui peuvent le rendre amusant. Quand il me glisse ses sarcasmes à l'oreille, je ris si naturellement qu'on pourrait croire que nous sommes les meilleurs amis du monde. Pourtant, il est à peu près certain qu'il se méfie autant de moi que l'inverse et qu'il me poussera tôt ou tard à la faute, comme il l'a fait avec mon père. À cet étage du monde il n'y a pas d'amis, seulement des adversaires qu'on garde plus ou moins près de soi. « *Baisez-vous les uns les autres* » est la seule parole d'Évangile.

À ma table, c'est désormais Chris Murray qui prend la parole :

— Ce que tu oublies, Luis, et ce qu'on fait tous semblant d'ignorer, c'est que notre modèle de civilisation est officiellement obsolète. Si huit milliards d'êtres humains vivaient comme des Occidentaux, il faudrait cinq planètes comme la nôtre.

De prime abord il ne paie pas de mine, avec sa tronche à réparer des imprimantes, sa chemise à carreaux Ralph Lauren et ses épaisses lunettes rectangulaires. Mais, à trente-cinq ans, il est déjà l'une des plus grandes fortunes de la Silicon Valley. Tous les développeurs de la Terre utilisent ses logiciels, dont mon équipe et moi-même. Plus remarquable encore, Chris Murray est le premier *young leader*, à ma connaissance, dont la réflexion ne cherche pas à tenir sur un Post-it.

— C'est notre déni de cette obsolescence, notre ignorance sélective à nous, les « élites », qui alimentent la colère des foules, cette marée noire qui s'embrase sous nos yeux. Et tant que nous refuserons d'admettre que la fête est finie, nous continuerons de faire élire des guignols et despotes en puissance qui se nourrissent de ce ressentiment.

Autour de la table, tout le monde acquiesce avec déférence, même ceux qui ne sont pas d'accord. La valeur nette – *net worth* pour les intimes – de ce type est supérieure à celle de tous les convives réunis. Alors il pourrait proclamer que la Terre est plate, le consensus serait à peu près le même. Quant à moi c'est simple, je bois ses paroles. Son discours me fait l'effet d'une révélation : il est donc possible, n'en déplaise à Patrick, de critiquer les règles du jeu sans y perdre, de réussir sans devenir un parfait connard. En deux phrases, Chris Murray vient de réhabiliter le modèle que mon père incarnait à mes yeux, dans ses belles années. Un ingénieur ne cherchant pas à se travestir en homme d'affaires, préférant l'intelligence au savoir-être... Un exemple à suivre. Je ne me suis jamais senti aussi fier d'être connecté à quelqu'un sur LinkedIn.

— Et tu sais, Megan, ajoute-t-il à l'intention de l'associée McKinsey, beaucoup de gens comprennent le fonctionnement du système sans avoir fait Harvard ou Stanford – la connaissance circule librement sur Internet, il suffit qu'ils s'y intéressent.

— Tu nous en parles autour d'un whisky, Chris ? Le planning de ce soir est assez chargé.

De tous les convives, il n'y avait que Stan pour se permettre une telle remarque, avec le ton qui convenait pour la rendre acceptable. Chris Murray sourit volontiers, autorisant les autres à faire de même. Le dîner touchant à sa fin, l'heure n'est plus aux discussions sérieuses. Peu à peu, le murmure feutré des conversations se noie dans l'euphorie collective. Des grappes de gens convergent allègrement vers le bar panoramique. Dorénavant, il faut donner de la voix pour se faire entendre.

La nuit, au Forum, les personnages bien lisses et convenables incarnés dans la journée disparaissent vite. La concentration de jeunes talents de toutes origines donne rapidement à l'endroit des airs de village olympique. Les débats du jour laissent alors place à des échanges plus débridés, au son des tintements de verres et des éclats de rire. On réalise, sans surprise, que chacun fait allégeance au récit dominant pour ses propres intérêts. Si vous parlez à un *fast-track* passé 22 h 30, il vous racontera souvent le même rêve : parvenir à l'indépendance financière, ne plus avoir à travailler, ne plus être inquiété par l'eau qui monte. Chacun sacrifie sa jeunesse dans l'espoir de décrocher ce Graal, une infinité de marshmallows pour le restant de ses jours. Pouvoir enfin retrouver l'insouciance, le printemps éternel, le plaisir en abondance, sans horaire ni réveil. Revenir aux paradis de l'adolescence, mais avec le pouvoir d'achat d'un émir, capable d'assouvir tous ses désirs. Pour beaucoup, les soirées du Forum sont un avant-goût de cet abandon. L'objectif, c'est de s'oublier.

Au bar, Stan consent enfin à m'en dire davantage sur les festivités qui s'annoncent. Il y a la soirée de clôture officielle, qui se tiendra ici même au Rockefeller Center. Et puis il y a celle sur la 5e Avenue, qui se destine à un public moins large, et plus averti.

— C'est un peu comme nos dimanches soir, mais en plus sélectif. Il y aura tout le gratin de Manhattan. C'est à ne pas manquer.

Non seulement il me confirme que j'y suis invité, mais l'ennemi semble considérer ma venue comme une évidence. Balayant la foule du regard, il mc désigne certaines des jeunes femmes qui devraient y participer, pour attiser mon appétit.

— Il y aura même la petite brune que tu draguais ce midi.

Il fait référence à Bérénice, ma voisine de table au déjeuner. C'est vrai que nous avons beaucoup discuté l'un avec l'autre, en aparté. Mais il n'était en aucun cas question de séduction : cette fille est la rédactrice en chef de *L'Économiste* et, à ce titre, elle côtoie quotidiennement Constance – c'est en partie ce qui nous a rapprochés. Sa participation à la soirée n'est donc assurément pas une bonne nouvelle. J'en fais part à l'ennemi, fidèle à mon opération Transparence :

— Il faut que je te dise...

À son oreille, j'exprime tous mes états d'âme, sans aucun filtre. À quel point je pense à elle, comme je m'en veux de l'avoir fait souffrir, combien je donnerais pour la reconquérir.

— Je sais que c'est ridicule, mais...

— Non, au contraire, m'interrompt-il ainsi que je l'espérais.

À nouveau, je sens qu'il est tenté de parler d'Anna. Cette fois, peut-être encouragé par le vacarme autour de nous, il se laisse aller :

— Je comprends très bien ce que tu ressens. Moi, ça fait trois ans que ça dure.

— Comment ça ?

Il y a d'abord un moment de flottement, de pudeur. Nous savons tous les deux qu'il est obligé de poursuivre, acculé par mes propres confidences. Je prends mon mal en patience, le temps qu'il prépare son récit, fasse le tri entre ce qu'il veut bien dire et ce qu'il préfère cacher. Puis il se penche à son tour vers mon oreille et, dès lors, m'en apprend davantage en cinq minutes qu'en deux ans de rumeurs et d'investigations.

Quand il rencontre Anna, en 2012 – l'année où Marion me quitte –, elle est alors consultante junior et n'a pas encore acquis son aura, son charisme actuels. Mais il détecte son potentiel et devient plus ou moins son mentor, l'aide à se transformer pour devenir cette consultante modèle admirée de tous, particulièrement de Constance. Très vite, il tombe amoureux d'elle – ou de la créature qu'il a faite d'elle, l'histoire ne le dit pas. Faute de prendre ce sentiment très au sérieux, il continue cependant d'aller voir ailleurs, « plus pour le défi qu'autre chose ». Je hoche la tête en souriant. Leur relation tient comme ça quelques années, avec ce qu'il faut d'arrangements avec la vérité, jusqu'à ce qu'une « décision difficile à prendre », dit-il sans préciser laquelle, mette le feu aux poudres. À partir de là débutent les disputes, les reproches, le ressentiment. Au lieu de rompre, Anna se lance dans un « duel d'infidélités » : c'est à celui qui démontrera le plus à l'autre ce qu'il risque de perdre. Stan se prend au jeu, croit même y trouver son compte, l'initie aux soirées libertines, convaincu d'avoir trouvé là l'équilibre idéal entre amour et plaisir. C'est seulement quand elle lui annonce son départ pour la baie de San Francisco qu'il réalise, mais un peu tard, qu'elle est en train de lui échapper. De surcroît, « pour la seule région du monde où les cabinets de conseil ne pèsent rien » : la suivre là-bas impliquerait de renoncer à son ascension fulgurante, de repartir de plus bas – et surtout, de plus bas qu'elle.

Plusieurs fois il s'interrompt dans son récit. Je comprends qu'il n'a pas l'habitude de raconter cette histoire, qu'il doit sans cesse se demander si c'est la bonne chose à faire et jauger l'image qu'il me renvoie, plus faillible que jamais. Pour l'encourager à poursuivre, je raconte alors une anecdote à mon désavantage, partage des détails de ma vie intime avec Constance. À mesure qu'il se livre, je découvre que toutes ses décisions récentes sont imputables au départ d'Anna. L'implication de Stan au Forum, qu'on dit bien plus forte depuis six mois – comme son nouveau badge

Young Leader en atteste. Sa volonté farouche de quitter B&G. Son assiduité sans faille aux soirées Liste Blanche. Et même Solaris, en cherchant bien :

— Tu le gardes pour toi mais d'ici quelques mois, Global Energies va ouvrir un Innovation Center dans la baie de San Francisco.

— Et alors ?

Il me dévisage en silence, un sourire en coin. Je finis par comprendre. Pour lui, le jeu continue : il peut toujours repartir à la conquête d'Anna, à condition d'arriver là-bas en héros triomphal, au sommet de sa gloire. Par exemple, en dirigeant le centre de recherche et d'innovation d'un géant mondial de l'industrie, après lui avoir permis de racheter Venturial. Je trinque avec lui, l'air de dire : *Joli coup*.

Grisé par cette complicité nouvelle, il s'emballe un peu dans le creux de mon oreille, fait de la philosophie de comptoir. Dit qu'on a toujours deux femmes dans notre vie : celle qui nous aime et celle qui nous échappe. Que chacune ne détient qu'une moitié de ce qu'il nous faut pour être heureux. D'où notre besoin de coucher avec des inconnues, pour aller chercher la part qui nous manque. Et d'où notre empressement à nous désintéresser d'elles, dès qu'elles commencent à nous aimer – car en la matière, la place est déjà prise. Le drame, ajoute-t-il, c'est quand celle qui nous aime *devient* celle qui nous échappe. Tout à coup, il ne lui manque plus rien, elle est tout ce qu'il nous faut, l'alpha et l'oméga. Et on ne pense plus qu'à essayer de la récupérer.

J'acquiesce, pour l'encourager. Même en situation d'échec, Stan cherche encore à jouer les mentors, à m'inculquer sa vision des choses. Pour lui, il ne fait aucun doute que je *dois* venir à la soirée, quels que soient mes états d'âme. C'est une question de principe, voire une épreuve de force. Nous devons nous montrer particulièrement tenaces et inflexibles jusqu'à ce qu'Anna et Constance nous reprennent. Commencer à fausser notre nature et tourner le dos à nos désirs, dans l'espoir qu'elles nous récompensent, c'est à coup sûr se dévaloriser à leurs yeux. Règle n° 4 : *le succès dépend du prix qu'on se donne*. C'est la première fois qu'il m'apparaît si peu convaincant. Plus il s'attelle à me persuader, plus j'ai envie de rentrer à l'hôtel pour appeler Constance. Mon opération Transparence a déjà porté ses fruits, quel intérêt de me mettre encore à nu ? Ma décision est prise, tant pis pour la soirée du siècle. Au diable la FOMO.

Stan se montre incrédule et franchement déçu par ma décision. Je me sens presque obligé de lui remonter le moral :

— Il y aura d'autres occasions. Et pour ce soir, tu n'as qu'à proposer à Jules.

Il pousse un petit rire narquois, dit « Ça n'a rien à voir ». Pour lui, je suis une sorte de « talisman » : quand je suis à ses côtés, au bureau ou en soirée, il réussit tout ce qu'il entreprend. C'est simple, ses succès n'ont jamais été aussi nombreux et spectaculaires que depuis qu'on se fréquente : GS Accelerate, le Sonar, nos défis du dimanche soir... Je fais mine de me sentir flatté, bien que cet argument me persuade encore un peu plus de décliner l'invitation.

Je l'ignore encore à cet instant, mais c'est la meilleure décision que j'aie jamais prise.

22

La noirceur, c'est comme les cafards et les consultants : dès qu'elle s'insinue chez vous, impossible de vous en débarrasser. Vous en nettoyez une trace et le lendemain, trois autres apparaissent. Seule solution : déménager.

Tout est allé très vite. Dès mon retour de New York, j'ai mis mon appartement en vente, avec tous ses gadgets et ses souvenirs. En attendant un repreneur, je loue un trois-pièces meublé sur la place du Trocadéro, avant-dernier étage, terrasse plein sud et toilettes suspendues. Ma vue sur la tour Eiffel ressemble à s'y méprendre à la photo du profil de Victor Newman. Ces trois cent vingt mètres de fer sont tout ce qui se dresse entre le ciel et moi.

Mon parfum d'intérieur évoque celui des grands hôtels. Ma nouvelle cave à vin fait la taille de mon réfrigérateur, et peut contenir jusqu'à 180 bouteilles. Pour mes séances de sport, j'ai toute une pièce remplie de matériel professionnel : barre de traction, banc de musculation, rameur, collection d'haltères et d'élastiques en tous genres. Cette fois, j'ai mis un point d'honneur à ce que chaque mur soit recouvert de livres – pas seulement de développement personnel ou de stratégie, mais aussi des romans, de la poésie, de la philo –, comme à l'époque où je me passionnais pour tout. Je m'en suis fait livrer par cartons de douze, ainsi qu'une série de bibelots et d'œuvres d'art, le tout acheté sur Amazon. Une nouvelle version de mon personnage, plus complexe et cultivé. Encore plus illisible.

La publicité que cet appartement va faire de moi vaut largement ses 3 000 euros de loyer. J'ai hâte de voir la réaction des filles que j'y ramènerai en attendant le retour de Constance. L'argent ne fait peut-être pas le bonheur, mais il améliore votre reflet, l'image que le regard des autres vous renvoie. Les choses font écran devant vous. Vous leur déléguez la tâche ardue de raconter qui vous êtes. Même dans le miroir, à force, vous ne voyez plus qu'elles. Seul problème : leur magie se périme vite. La nouvelle veste, qui vous donnait tant d'allure hier encore, devient soudain quelconque, invisible, comparable à toutes celles qui dorment dans vos placards. Alors, il faut sans cesse acheter de nouvelles choses pour que le charme continue d'opérer. Et donc, obligatoirement, faire grimper le score inscrit sur votre compte en banque encore et encore. C'est le jeu. La crédibilité de votre histoire en dépend. Qu'il s'agisse de détruire le bourreau de votre père, de reconquérir l'être aimé, de revenir au vert paradis de l'adolescence ou de changer le monde – que vous rêviez d'un *avant*, d'un *ailleurs* ou d'un *après* –, tout est conditionné par ce chiffre, indexé sur ce seul indicateur. Surtout le crédit qu'on vous accorde.

C'est la magie de ce modèle : huit milliards d'histoires se résumant à un score unique, promettant à chacun ce qu'il veut y voir. Raison pour laquelle tous les humains sur terre croient au dollar avec autant voire plus de certitude qu'en la rondeur du globe.

Tous mes trésors m'ont été livrés d'un coup ce matin. Je n'ai eu qu'à poser un seul jour de congé. Ma mère est venue m'aider à tout déballer. En découvrant ma terrasse et la vue sur la tour Eiffel, elle est restée bouche bée de longues secondes. Jusqu'ici, ma réussite était encore un concept abstrait pour elle. Ensuite, on a déjeuné sur la place du Trocadéro. Un moment sympathique, sous le soleil et sans Patrick. Elle m'a fait part de son intérêt croissant pour la gym suédoise et la marche nordique, m'a détaillé ses nouvelles recettes culinaires, m'a reproché de ne pas venir la voir plus souvent. Des choses que toutes les mères disent, j'imagine.

Je ne lui ai parlé du départ de Constance qu'au dessert. Elle a très mal accueilli la nouvelle. Pour un peu, on aurait dit que c'était elle qui s'était fait plaquer. J'ai voulu me montrer rassurant :

— Ne t'en fais pas, de toute façon, tout va bientôt rentrer dans l'ordre.

Ça ne l'a pas rassurée du tout. Sans raison, elle s'est mise à me faire la morale.

— Je sens que tu pars en vrille, Victor. Depuis plusieurs mois, si ce n'est plus longtemps. Au moins, avec cette fille, je te savais entre de bonnes mains. Mais sans elle pour t'équilibrer...

Puis, ce que je redoutais depuis le jour où Constance a prononcé le nom de l'ennemi devant elle s'est produit. Elle est partie en roue libre, sur l'importance de l'acceptation, l'inanité de la vengeance, le fait que rien ne fera revenir mon père... Il faut croire que depuis six mois, seule la présence de Patrick m'épargnait ce genre de sermons. Pris de court, j'ai fait semblant de ne pas comprendre. Ça ne l'a pas dégonflée.

— Comment s'appelle ton chef ? Celui que tu suis partout.

J'ai répondu « Dorsay », sans me démonter. Les homonymes, ça existe. Un nom n'est pas une preuve suffisante. Elle m'a longuement fixé du regard pour me persuader de tomber le masque et de tout avouer, mais j'ai tenu bon : décidément non, je ne voyais pas ce qu'elle insinuait. De guerre lasse, elle a fini par couper court.

— Je ne sais pas quel est ton but, mon fils, mais je n'ai pas l'impression que ce soit d'être heureux.

J'aurais pu arguer que le bonheur était un sujet complexe. Qu'être en couple n'offrait d'ailleurs aucune assurance en la matière. J'aurais pu lui parler – pour illustrer mon propos – de la description que mon père faisait de leur mariage, dans ses derniers carnets. Ces mots qui n'avaient jamais retenu mon attention – passif, routine, lassitude – jusqu'à ce que je vive la même chose avec Constance. Cette voie sans issue vers laquelle semblent converger toutes les histoires d'amour. J'aurais aussi pu lui parler de Patrick, tiens. Lui demander si elle l'était, elle, heureuse... Mais je me suis contenté de régler l'addition.

— Ne t'inquiète pas, je sais ce que je fais. Bientôt, tu comprendras.

À l'inverse, j'aurais pu lui confier mes regrets, ma nostalgie, lui détailler mon plan pour reconquérir Constance. Être sincère avec elle, pour une fois. Ça nous aurait peut-être fait du bien. Elle aurait pu me parler de ses regrets, de sa nostalgie à elle... Mais la prudence l'a emporté : à ce moment crucial du jeu, il vaut mieux ne montrer aucune faiblesse, à personne. La moindre faille, mal refermée, peut s'avérer fatale. J'aurais l'air de quoi si, après avoir offert une position dominante à l'ennemi, je finissais par m'attendrir à deux doigts de son apogée ? Le plus mauvais joueur d'échecs de tous les temps ! Un Deep Blue de pacotille.

Après avoir raccompagné ma mère au métro, je me suis mis à marcher seul. Sans but précis, fait rarissime. J'avais besoin de me dégourdir l'esprit. J'ai déambulé Rive gauche, aux antipodes des quartiers d'affaires où j'ai mes habitudes, puis je suis entré au Jardin du Luxembourg. Là, caressé par un vent tiède et fleuri, je redécouvre un monde passif, sans stratégie ni performance. Un monde de touristes et d'étudiants, de retraités flâneurs guettant l'éclosion du printemps, un vendredi à 15 heures. Tout un monde de sur-place et de peaux dorées à ne rien faire. Loin, très loin de la horde et de sa course effrénée.

Ce décor me fait revenir huit ans en arrière, quand j'avais un père et du temps libre, mais aucune importance. À cette époque-là, mes pas traînaient avec la même nonchalance, à la poursuite de joies simples et immédiates. Le premier marshmallow. Je croyais encore aux belles histoires, à la chance, au destin, à l'amour, aux *happy ends* et peut-être même au mérite. Je trouvais mon bonheur dans l'oisiveté la plus totale et l'accumulation de valeur me semblait dérisoire. J'ai intimement connu cette naïveté-là. Aujourd'hui, c'est ma force : je peux en tirer profit.

Autour de moi, un tiers des gens agglutinés au bord des pelouses ont le regard fixé sur l'extérieur, un autre tiers sur un livre ou un journal – je n'ai aucun pouvoir sur eux. C'est le dernier tiers qui m'intéresse : ceux qui ont les yeux rivés sur leur téléphone portable. Du combustible, en abondance. Une armée mobilisable sur commande, à condition de contrôler le récit qui s'offre à elle. Règle n° 8 : *chaque tribu a ses prophètes, ses mythes qu'elle préfère entendre*. Repérez ses influenceurs, ceux qu'elle écoute et suit religieusement – le sommet de son *PageRank*. Faites en sorte que leurs voix portent un récit qui vous profite, en murmurant des mots différents à chaque oreille. Façonnez à travers eux l'opinion de leurs *followers*, orientez leur jugement, attisez leur frustration, exaltez leur ressentiment… Et un beau jour, déchaînez leurs foudres sur l'ennemi : arrangez-vous pour que son nom, à lui seul, déclenche l'ire de millions d'anonymes.

Bien que difficile à mettre en œuvre, ma nouvelle stratégie pourrait bien me permettre de gagner sur tous les fronts. Amorcer la vengeance de mon père et, du même coup, reconquérir Constance. Raviver sa flamme tout en déclenchant l'incendie. Ce serait un coup de maître.

Il s'agit d'abord de souffler sur les braises adéquates. Ce que je fais deux ou trois soirs par semaine, avec Igor. De manière informelle, bien sûr, et trop subtile pour qu'il s'en rende compte. La séquence est toujours à peu près la même. Dès la première bière, il me parle de ses réunions avec Tranchard, éructe à propos du rachat de Venturial, ce scandale en puissance. Et moi, je change de sujet pour noyer le poisson. À la pinte suivante, il revient à la charge en extrapolant à d'autres injustices et cette fois je l'encourage sans en avoir l'air, instaure une atmosphère propice à refaire le monde. Pour nourrir ses convictions, j'assène que l'espèce dominante a besoin de nous, les geeks, et des miracles qu'elle nous somme d'accomplir. Qu'on a le pouvoir de faire pression sur elle, et plus qu'on ne le pense. Puis, à la troisième bière, tout en exagérant les effets de l'ivresse, je lui répète simplement ce qu'il m'a dit lui-même : ce qui pourrait arriver de pire au projet Solaris, c'est que l'information devienne publique avant l'heure.

J'agis à la façon d'un algorithme de Twitter ou Facebook, présentant à mon interlocuteur les informations les plus pertinentes, en fonction du contexte et de son humeur. Je ne suis en aucun cas responsable des conclusions qu'il tirera de nos discussions : je ne suis qu'une chambre d'écho à ce qu'il pense déjà. Je ne suis pas le feu, juste le vent qui l'attise. Et comme Tranchard souffle en même temps que moi sur les braises, mon action est invisible. C'est comme si je n'existais pas.

À la sortie du Luxembourg, je pense à Constance en passant devant les terrasses où nous dînions parfois, entre la Sorbonne et l'Odéon. En ce qui la concerne, je joue la montre. Je m'en tiens pour l'heure à quelques SMS courts et polis, auxquels elle répond laconiquement. C'est déjà ça. J'essaie de lui suggérer que le retour d'Ulysse est proche.

C'est généralement quand je pense à elle que grandit mon désir pour les passantes. Je canalise les sentiments que son souvenir fait ressurgir et les redirige vers les inconnues que je croise, concentrant sur leur visage toute la douceur de vivre que j'ai perdue. C'est pratique : il y en a toujours une nouvelle à conquérir. Le désir est l'énergie renouvelable par excellence. En passant devant chaque terrasse du boulevard Saint-Germain, mon œil traîne pour y accrocher un sourire.

Au Relais Odéon, une *working girl* sur son MacBook, rouge à lèvres et bottines noires. Café-clope. Trop dans mes habitudes.

Sur le marché de la séduction, pour faire grimper votre valeur, il n'y a guère que deux stratégies possibles. La plus répandue consiste à tout miser sur l'amour d'une seule personne, qui n'aura d'yeux que pour vous. Problème : son regard peut vous quitter à tout moment, sans prévenir. L'autre stratégie, moins risquée, consiste à diversifier vos sources de valeur pour ne plus dépendre d'une fille en particulier. La beauté des passantes est alors comme une vue sur la tour Eiffel : vous lui déléguez la tâche ardue de raconter qui vous êtes. À condition de la privatiser, d'en obtenir la jouissance exclusive.

Vers Mabillon, une étudiante en lettres ou en droit, robe chemise et ballerines, une perle à chaque oreille. Diabolo menthe. Trop innocente.

Ces dernières semaines, je passe de moins en moins par Tinder. Je préfère accoster les filles dans le monde réel, sur les bancs, en terrasse, dans la rue. Je les choisis principalement pour leurs vêtements, leurs parures, leur maquillage : ce que les industriels du désir ont fait d'elles. Une fois nues, sans toutes ces secondes peaux, je les trouve toujours un peu décevantes, trop humaines, comparables à celles que j'avais déjà. Leur effet s'épuise, plus vite encore qu'une nouvelle veste.

Aux Deux Magots, une touriste scandinave ou américaine, blonde à queue de cheval, tennis et minishort. Bière blanche, rondelle de citron. Pas assez haut de gamme.

Quand l'illusion s'estompe ainsi, au cœur de la nuit, je ne ressens plus qu'un vide immense. Même mon ego se trouve déçu, lésé : obtenir un *match* il y a neuf mois me procurait plus de fierté. Il faudrait peut-être encore augmenter la dose – j'ignore comment. Le lendemain matin, en me réveillant à côté d'un corps inerte et conquis pour rien, j'ai toujours l'impression d'avoir fait quelque chose de grave. J'expédie les *au revoir* avec un air d'excuse. C'est généralement en sortant de chez moi que je pense à Constance. Alors, je redirige mon sentiment vers les inconnues que je croise, et le cycle recommence.

En devanture d'une librairie, L'Écume des Pages, une fille consulte les ouvrages en me tournant le dos. C'est elle. Je reconnaîtrais ses fesses entre mille.

Sa coiffure a changé, pourtant, et ses cheveux se sont éclaircis. Son pantalon noir et ses escarpins lui donnent un air adulte que je ne lui connaissais pas. Mais en me décalant un peu, le grain de beauté au coin de ses lèvres est bien là, ainsi que cette insupportable impression de douceur. Elle se retourne. On jurerait qu'elle aperçoit un fantôme. Mais elle me sourit, bien obligée. On se dit des choses bêtes, à quel point on a changé, ou le contraire. À l'écouter, je suis devenu méconnaissable. Je le prends comme un compliment. Particulièrement à l'aise au jeu des banalités, je lui demande quel métier formidable lui permet de flâner dans Paris, un vendredi à 16 h 30. Elle me dit qu'elle prépare un vernissage. Mon père avait raison : Marion dirige une galerie d'art.

Je place un couvercle sur les souvenirs mal digérés que son visage fait ressurgir. Cette rencontre est un présage, une épreuve. Je la persuade de marcher un peu sur le boulevard. Puis de s'arrêter en terrasse, pour prendre un café. Puis, finalement, de commander un verre de vin. Et puisqu'on en boit tous les deux, pourquoi pas une bouteille.

— Et toi, tu fais quoi maintenant ?

— Je réduis le monde en équations.

Je lui raconte un peu mon parcours, en édulcorant ma réussite – un entretien d'embauche à l'envers. La première impression est cruciale, je ne dois pas trop passer pour l'un des leurs.

Marion s'est toujours prétendue rebelle et fâchée d'être née dans une famille aisée. Une héritière contrariée de l'espèce dominante, d'autant plus dure à son égard qu'elle ne risque rien à la critiquer. Je surjoue l'humilité, le détachement. Un architecte du système, travaillant pour une banque *too big to fail* et touchant un salaire annuel à six chiffres, ce n'est pas la meilleure histoire à lui raconter. Tout doit mener à penser que ma réussite m'indiffère, m'inspire plus d'états d'âme que de fierté. Je dissimule ma montre, un peu trop brillante, et laisse plutôt entrevoir le fin bracelet de tissu que je porte au poignet gauche. Je m'applique à lui montrer que je suis devenu quelqu'un sans rien perdre de ce qu'elle aimait chez moi : ma révolte, mon insouciance, mon idéalisme... Je suis un homme sensible et cultivé, passant ses après-midi dans les jardins et librairies. La version de Victor Laplace à laquelle Constance aimait croire.

— Je bosse dix heures par jour, tout ça pour faire varier de 0,5 % un indicateur sur un tableur Excel.

En verve, je lui cite une étude de Princeton démontrant que l'argent ne fait pas le bonheur. En tout cas, pas au-delà de 75 000 euros par an – soit la moitié de mon salaire. En gagnant davantage, on ne devient pas plus heureux. C'est prouvé.

— Alors, pourquoi est-ce que les gens continuent ?

— Parce qu'ils sont prisonniers de la compétition.

Je ne fais pas semblant de penser ces choses-là. Il y a toujours une façon de dire à votre cible ce qu'elle veut entendre sans perdre en sincérité. Il suffit d'avoir les bons angles morts, de prendre la voix qu'il faut.

Évidemment, ça ne manque pas. Après un premier verre, plus à l'aise, elle met les pieds dans le plat :

— Je suis soulagée que tu ailles aussi bien. Quand on a rompu, j'étais très inquiète pour toi.

Pourtant c'est drôle, elle n'a jamais pris de mes nouvelles. J'essaie de couper court, mais elle a besoin de vider son sac. De me dire combien ma noirceur, mon amertume, ma paranoïa l'ont fait souffrir, la pauvre !

— Tu disais tout le temps que tu étais en guerre, sans jamais préciser contre qui, contre quoi. J'en ai déduit que c'était contre tout, et tout le monde. Y compris moi.

Ses mots résonnent encore : « Si je reste, j'ai peur de sombrer avec toi. » Il fallait en avoir, de la crasse dans le cœur… Je pourrais éructer, tout expulser de moi comme mon corps le réclame, lui crier ma colère au visage, toute ma solitude accumulée depuis son départ, lui parler de Lucas, de ses infidélités, lui poser des questions qui n'appellent aucune réponse – *comment as-tu pu*, ce genre de choses… Mais je préfère garder mon ascendant, ma belle maîtrise. J'ai fait du chemin depuis la rue du Temple. Je ne laisse plus mon conditionnement pour l'échec se mettre en travers de mes objectifs.

— J'ai tout fait pour te soutenir, pour prendre soin de toi. Je passais des heures chaque soir, au lieu d'étudier, à t'écouter déverser ton amertume et ta colère sur tout le monde, y compris nos amis. Mais elles finissaient toujours par m'éclabousser, au bout du compte. Tu me traitais de privilégiée, tu n'arrêtais pas de dire que je ne pouvais pas te comprendre… Tu te rappelles ce que tu m'as répondu, quand je m'inquiétais de redoubler ma première année ?

Je secoue la tête, sincère : je ne me souviens réellement pas.

— Tu m'as dit que ce ne serait pas la pire des injustices…

Elle semble émue. Toujours dans mon rôle, je lui caresse le bras d'un air compatissant, en lui demandant pardon : elle n'avait pas mérité ça, le deuil m'avait rendu cruel, j'en voulais au monde entier… Une part de moi le pense sincèrement. L'autre se réjouit qu'elle me retourne mes caresses.

— Tu as vécu quelque chose de très difficile. Je suis heureuse de voir que tu vas mieux, que tu as tourné la page.

Là, pour démontrer ma prise de recul et clore définitivement le sujet, j'ai cette phrase géniale :

— Quand on y pense, mourir pour son travail... C'est tout de même une idée bizarre ! Comment peut-on en arriver là ?

Dès lors, un mur s'écroule. Nos regards s'allongent. Tout un univers englouti refait surface, d'images dans la tête et de souvenirs sous la peau. Sa bouche et le cinéma, son sourire et la philosophie, ses caresses et l'anthropologie. Je connais le jeu par cœur : ne pas me laisser griser par la bulle, par mon océan primitif qui s'emballe. Le premier qui lâche prise a perdu. Celui qui se laisse emporter par le courant devient le jouet de ses sentiments, donc de n'importe qui sachant les lire. Il faut les laisser aller et venir librement, mais dans un bassin rectangulaire, bien délimité, d'où ils ne déborderont pas. Au service de l'objectif.

Mon regard prend de l'avance, anticipe sa désillusion à venir. Je vois déjà Marion comme toutes les autres. Elle a le rouge à lèvres de Leila, le teint de peau d'Olga, le grain de beauté au coin des lèvres de Céline. Son parfum, déjà senti sur tant de peaux et dans tant de draps, charrie des mémoires sans visage. Elle est un magasin d'imaginaire comme on en trouve à tous les coins de rue, chacun ayant sa devanture distincte mais proposant les mêmes souvenirs.

Ainsi, à mesure que la nuit tombe, je deviens plus précieux à ses yeux qu'elle aux miens. Je sens qu'elle se rappelle nos bons moments, qu'à ma grande surprise elle peut compter par dizaines. Le vin aidant, je me rends compte qu'elle envisage, sans se l'avouer totalement, de reprendre les choses là où nous les avions laissées.

Je règle l'addition puis nous marchons sans but, encore une fois, mais vers l'ouest. Il faut contourner les Invalides car les manifestations du week-end ont commencé avec un peu d'avance. Rue de Varenne, on perçoit l'odeur des gaz lacrymogènes et des bruits d'explosion. Une voiture a été retournée, à cinquante mètres de Matignon. Des cohortes de policiers courent devant des vitrines éventrées, dans leurs armures high-tech.

Ces choses-là n'existaient pas quand nous sortions ensemble. À l'époque, on exportait les conséquences néfastes du progrès vers des continents éloignés aussi naturellement qu'une ville dégorge ses eaux usées dans les rivières lointaines. Notre modèle de développement était simple : on concentrait ici toute la douceur de vivre, on envoyait là-bas toutes ses externalités négatives. Mais à présent, les conséquences se rapprochent et nous côtoient de près. On peut sentir leur souffle et les entendre gronder.

Marion croyait elle aussi pouvoir m'enfermer dans l'arrière-cour de sa mémoire, verrouillée à double tour, comme un accident de parcours. Mais les conséquences finissent toujours par se rappeler à nous.

Nous arrivons sur le Champ-de-Mars, montons vers le Trocadéro. Là, je lui désigne mon immeuble et lui parle de ma cave à vin. Elle proteste un peu, dit qu'elle n'est pas ce genre de fille, qu'elle doit rentrer chez elle, qu'elle serait cependant heureuse qu'on se revoie. J'affiche une certitude absolue, considère sa venue chez moi comme la chose la plus naturelle qui soit. Si mon visage affichait l'ombre d'un doute ou d'un jugement, en une fraction de seconde ce serait plié. Par chance, mes doutes et mes jugements sont avec mes rêves, ma candeur, ma douleur et tout le reste, dans les limbes de ma conscience. Privés de sortie jusqu'à nouvel ordre.

— Bon, seulement un verre, alors. À 21 heures, je pars.

En découvrant mon appartement, ma vue sur la tour Eiffel, j'ai peur qu'elle me perce à jour : *Pour quelqu'un qui critique le système, il a tout l'air de s'y plaire.* Je me raisonne : jamais quiconque ne s'est vu reprocher de trop bien réussir sa vie. En voyant ma terrasse, elle a beau faire mine du contraire, je sens bien qu'elle est impressionnée, qu'elle me regarde un peu différemment. Puis elle s'avance vers ma bibliothèque, prend quelques livres en main que je n'ai pas lus, mais dont je saurais dire une phrase ou deux.

— Je peux t'en prêter, si tu veux, dis-je comme si on allait se revoir.

Spotify me suggère la playlist *sexy romance*, mais j'ai une bien meilleure idée. Quand Marion reconnaît *Clair de lune*, de Debussy, ses yeux sont humides. Les miens aussi, peut-être. Exprès, je n'allume pas les lumières du salon. À la lueur des bougies, je ne distingue plus vraiment son visage, ou juste assez pour pouvoir le confondre avec des milliers d'autres. Je bloque toutes les images, tous les souvenirs qui pourraient lier cette fille à celle que j'ai eu tant de mal à oublier. J'ouvre une bouteille de pommard, de la région de Constance – la seule que je regrette à présent. Je pense à elle en buvant ma première gorgée, les yeux mi-clos comme pour me recueillir.

Les choses sont encore plus fluides que d'habitude, parce que Marion croit me connaître. À la moitié du premier verre, déjà, un rapprochement s'opère. Je lui raconte avoir conservé son soutien-gorge jusqu'au jour de mes vingt-trois ans. Toujours pas un mensonge.

— D'ailleurs, c'était mon anniversaire, il y a trois semaines.

Elle se prête au jeu, me demande quel cadeau elle pourrait m'offrir. L'amour est un jeu d'enfant, quand on a cessé d'y croire. C'est elle qui m'embrasse. J'exagère mes soupirs, ma tendresse et la solennité du moment. Sur le fauteuil, mes gestes racontent à ma place l'histoire de deux âmes sœurs, injustement séparées, et de leurs poignantes retrouvailles. Je ne fais pas totalement semblant d'y croire. Son corps ondulant sur moi, encore habillé, me rappelle l'époque où je le pensais acquis, tatoué sur le mien pour toujours. Quand les choses étaient simples et l'insouciance, une option valable.

En m'ôtant ma chemise, elle se réjouit de ma nouvelle carrure, taillée par la sueur et la détermination. Discrètement, j'attrape le préservatif dans la poche de mon jean. Son regard me dit que je lui ai manqué, ou quelque chose du genre. Le mien se durcit, en même temps que j'entre en elle.

Sur ce qui se passe après, je n'ai pas grand-chose à dire. Je la baise, dans tous les sens du terme. C'était le jeu, mon objectif. J'envoie mes scrupules et ma honte vers des continents éloignés de ma conscience. Je deviens une machine, consommant mes désillusions et rêves déchus pour produire une mécanique infatigable et des bruits de peaux qui s'entrechoquent. Sa chatte est plus trempée qu'elle ne l'a jamais été. Il faut croire que mon nouveau personnage lui plaît. Quoi qu'elle en dise, c'est mon échec qui l'avait fait partir il y a sept ans, et c'est ma réussite qui l'a fait revenir ce soir. Ma rudesse pourrait laisser penser que je prends une revanche sur elle, mais c'est plus avec ma naïveté, mes illusions passées que je règle mes comptes. Dès que je reconnais le corps dont j'étais éperdument amoureux, j'intensifie le gainage de mes muscles. C'est un peu comme mes séances de pompes matinales. À vrai dire, je ne me demande même pas ce que j'éprouve ou si ça fait du bien : le plaisir est un faux-ami.

Ce que je saurais en revanche décrire avec précision, c'est son regard, à l'instant précis où elle comprend. C'est comme une déconnexion, un *reboot* sur une nouvelle partition. Juste une seconde avant, elle croyait encore que j'agissais avec fougue et passion. Mais à partir de cet instant précis, elle *sait* que ma noirceur est là, face à elle, partout autour d'elle et même en elle. Impossible d'échapper aux conséquences. Que de tristesse, de colère, de dégoût ses yeux expriment alors, tandis que la mécanique implacable s'emballe ! Déjà la fenêtre s'ouvre, quelques secondes pour tout expulser de moi, ce qui me reste d'amour, de révolte et de rancœur envers elle... Toutes mes émotions englouties rejaillissent, comme une énergie fossile, pour laisser leur empreinte sur la vitrine éventrée de Marion. L'espace d'un instant, j'ai l'impression que tout est résolu. Je n'ai plus aucun passé, je suis enfin pleinement tourné vers l'avenir.

Puis je me lève, rallume toutes les lumières. *Je dois me lever tôt demain*. Elle se rhabille, reste sans voix. Abasourdie, elle tâche sans doute de se convaincre que je ne suis pas à la hauteur de son mépris, que je ne mérite aucune des insultes qu'elle voudrait me lancer au visage. Pour ma part, je ne ressens rien, ce qui m'apparaît comme une excellente nouvelle. Il fallait en avoir, du sang-froid, pour réussir un tel tour de force. Un modèle de Blitzkrieg.

Dans le miroir du salon, cependant, je n'aperçois pas l'étincelle, ni le reflet que j'espérais. Je vois certes un héros victorieux, archétype de la réussite, muscles dessinés, regard fier, sexe triomphal en fin d'érection. Mais aucune trace de moi. À nouveau, il m'est impossible de savoir si j'ai fait tout ça pour exister ou disparaître.

23

Pour son trente-septième anniversaire, Stan a invité tout Paris – du moins, une bonne centaine de personnes – au Fouquet's. Il y a là une foule de vieilles connaissances. En l'accompagnant au bar, je croise Aude Barthélemy de B&G, trinquant avec Jacques Bompard, du Crédit Général. Plus loin, des VIP d'Alliance Hotels, de Goldman Stanley, des soirées *Liste Blanche* ou *30 glorieuses*... J'aperçois même le jeune DirCab du ministre des Finances, valeur montante de la technocratie française, qui discute avec Michelle Park de Qinoa, en voyage professionnel à Paris.

Paré pour l'occasion de son plus beau smoking, l'ennemi semble se réjouir qu'autant de personnalités illustres du monde des affaires, croulant sous les sollicitations, aient fait l'effort de venir. Par sa communication, ses choix d'invités et de lieu, il est parvenu à en faire l'événement de *networking* le plus couru du mois, à ne manquer sous aucun prétexte. Sous les lustres, son visage transpire d'une fierté sans mesure.

Je n'exclus pas qu'il ait fait tout ça pour ça. Qu'il ait travaillé douze heures par jour et six jours par semaine, ces douze dernières années, œuvrant sans relâche à faire grandir sa fortune et son réseau par tous les moyens, écartant un à un les obstacles se dressant sur sa route – poussant l'un à la démission, l'autre au suicide –, tout ça pour arriver à cet instant. Fêter son anniversaire dans un lieu comme celui-là, avec la crème de la crème. Le succès de cette soirée marque son triomphe et son discours, prévu pour 22 heures, en sera le point d'orgue : il pourra solennellement dire qu'il a réussi sa vie. À l'approche de son zénith, l'ennemi jubile et je me persuade que ce n'est pas une mauvaise nouvelle. C'est quand votre adversaire est au sommet de ses certitudes qu'il est le plus vulnérable.

Mais au fond, j'ai toutes les peines du monde à ne pas l'envier un peu. Je repense à mon propre anniversaire avec Igor, Constance, Patrick et ma mère, dans un banal restaurant italien sur les Grands Boulevards. Et je mesure le fossé qui subsiste entre le monde enviable et le mien. Depuis tout à l'heure, je ne serre la main qu'à du grand monde, des VIP qui gagnent cinq fois, dix fois, vingt fois les 75 000 dollars annuels préconisés par l'étude de Princeton – et qui donnent véritablement l'impression d'être plus heureux.

Pour me soulager, je dresse la liste des absents. Anna Fourcade a été retenue aux États-Unis. La famille de Stan n'est pas présente non plus : « Ils passeront peut-être », m'a-t-il dit tout à l'heure, sans préciser qui ni quand. Par ailleurs, je n'ai croisé personne de chez DSC, le cabinet pour le compte duquel il avait dépecé tout un service, chez France Telecom. Du reste, il omet toujours ce fait d'armes quand il raconte son parcours. Mon père fait partie d'une histoire honteuse, qu'il garde enfermée dans une arrière-cour de sa mémoire. Pourtant, c'est elle qui a tout rendu possible, de son ascension fulgurante à cette soirée triomphale.

Quant à Tranchard et Igor, ils n'ont pas reçu d'invitation. Ce dernier, d'ailleurs, n'a toujours pas compris pourquoi. Il n'en a pas décoléré de la semaine et a même suggéré que je décline la mienne, par solidarité. C'était inconcevable, bien sûr : je *devais* en être. Pour faire un geste, je me suis contenté de lui révéler l'adresse de la fête, au cas où il voudrait s'y présenter au culot – je sais très bien qu'il n'osera jamais.

Stan et moi quittons le bar, pour nous fondre à nouveau dans la foule. Au volume des éclats de voix, l'ivresse gagne du terrain. En dépit des sourires et des tapes fréquentes que le fêté reçoit sur l'épaule, aucun invité n'affiche avec lui autant de complicité que moi. Il y a plus d'une heure il m'a pris par le bras, « Suis-moi, je vais te présenter du beau monde », et depuis il me garde avec lui – comme un talisman peut-être. Je papillonne de groupe en groupe en tâchant de ne pas avoir l'air impressionné par le pedigree de mes interlocuteurs, m'applique à me fondre au mieux dans ce décor. *Tu fais quoi dans la vie ?* Je dompte l'incertitude. Je traque les bulles. Je réduis le monde en équations. Je récite mes meilleures répliques et m'efforce de passer pour un très haut potentiel, une valeur d'avenir sur laquelle il faut compter. J'obtiens plusieurs cartes de visite et m'imagine comparer mon score avec Constance, comme si elle était avec moi.

La plupart des convives ont visiblement l'habitude de se côtoyer hors des bureaux, de colloque en gala, de palace en restaurant luxueux. Tous semblent poursuivre d'anciennes conversations, multiplient les références à des gens et des lieux que je ne connais pas. Dans ce monde-là, je ne suis encore qu'un invité – même pas besoin d'un badge pour le préciser. C'est à Stan que je dois ma présence ici, comme au Forum, comme aux soirées Liste Blanche... S'il savait ce que j'ai fomenté contre lui, toutes les portes se refermeraient aussitôt, et pour toujours. C'est pourquoi j'ai discrètement placé mes pions, manœuvré pour que l'offensive ne vienne pas de moi.

Hier après-midi, Igor publiait ainsi, sous le pseudonyme Arthur Petit, de croustillantes informations sur Facebook à propos de Solaris, sur le groupe privé d'insurgés que nous fréquentons depuis octobre. Pas de quoi déclencher un scandale digne de ce nom, ses membres n'étant pas assez crédibles aux yeux des journalistes pour que le feu prenne de l'ampleur. Mais la mèche était allumée, c'était l'essentiel. Depuis lors, je fais tout pour éviter qu'il m'en parle, cet acte lui appartient à lui seul.

Rapidement, le mot-clé #StopSolaris a été créé sur Twitter, ainsi qu'un groupe du même nom sur Facebook, qui ne compte à cette heure que 127 membres – dont un de mes faux profils, Emmanuel Martin.

En attendant l'appel d'air...

J'ai envoyé l'e-mail à Constance en partant du bureau ce soir : un long texte d'excuse, lyrique et solennel, rédigé par le Victor Laplace dont elle est tombée amoureuse – et que je redeviendrai bientôt. Une rédemption minutieusement préparée, porteuse d'espoir en un futur meilleur. Vers la conclusion, j'ai écrit : « *Ça ne suffira sans doute pas à racheter mes fautes, mais je tiens à te montrer que je ne suis pas l'un des leurs.* » J'ai mentionné #StopSolaris : « *J'ignore d'où vient la fuite, mais je travaille pour la banque en charge de ce dossier, et tout ce que je peux te dire, c'est que tu devrais investiguer.* » Savoir attirer la bonne attention au bon endroit au bon moment : le grand jeu de notre époque.

C'est sûr, le procédé manque un peu de panache. Mais c'est mieux comme ça. Je ne me sens pas l'étoffe d'un héros, ni d'un lanceur d'alerte. Pas question de me saborder en m'attaquant trop frontalement à Stan. Mon père n'aurait pas voulu que je m'immole avec l'ennemi. Le but, c'est bel et bien de lui confisquer sa réussite et son rang. Faire s'effondrer la valeur #Dorsay sans que la mienne frémisse. Jouir de ses privilèges à sa place. Sans griller ma couverture, ou le plus tard possible.

À quelques pas du buffet, Stan me présente une légion de vieux magnats américains de chez Global Energies, particulièrement cérémonieux à l'égard de celui qui s'apprête à leur servir Venturial sur un plateau. Ils le flattent, le congratulent, et lui s'en délecte. Comme tous les invités étrangers, ils s'enquièrent du dispositif de sécurité prévu, en cas d'émeute sur les Champs-Élysées. Dorsay leur explique qu'ici, les manifestations ont lieu le week-end, pas le jeudi soir. Aux plus détendus, il ajoute : « Au pire, pas d'inquiétude, j'ai fait trois ans d'escrime et cinq de judo. » Aux plus sceptiques, il désigne les vigiles postés devant l'entrée, puis relativise à nouveau la menace : « Un violent orage de grêle sévit en ce moment sur Paris, de quoi décourager les plus téméraires. » Il ne résiste pas à en conclure : « Le dérèglement climatique a du bon. » Sa réplique est suivie d'éclats de rire, puis de nouvelles tapes sur l'épaule.

La fuite de Solaris, quoi qu'il arrive, ne peut être qu'un premier pas. Dans le meilleur des cas, elle provoquera la suspension de la fusac, privant Dorsay de sa voie royale pour San Francisco. Il se retrouvera fragilisé chez Goldman, au profit de Tranchard qui, depuis qu'il a convoqué Igor, doit avoir son propre plan pour lui régler son compte. Néanmoins, même dans mes scénarios les plus optimistes, je le vois mal parvenir à détruire l'ennemi. Il faudra donc téléguider de nouvelles offensives, rapidement, pour nourrir l'incendie. C'est là qu'entre en jeu ma liste de ses potentiels adversaires, alimentée jour après jour. On y trouve de tout. Des consultantes avec lesquelles il aurait eu des comportements déplacés. Des clients qui pourraient avoir le sentiment d'avoir été lésés, abusés par ses talents de bonimenteur. Et surtout, d'anciens collègues à lui qu'il aurait écartés, placardisés, disqualifiés sur son passage, comme à son habitude.

L'important, pour cette seconde phase, sera d'attiser les flammes depuis une position favorable. Il faudra profiter de la crise pour gagner du galon. J'ai ainsi développé, avec les deux strats les plus talentueux de mon équipe, un algorithme intitulé GhostWriter, qui peut rapidement devenir l'antidote au scandale si celui-ci dégénère. Vous lui donnez une liste de thématiques – par exemple, *Global Energies*, *innovation* et *développement durable* – et il vous génère automatiquement des centaines de tweets, d'articles et de textes originaux en les reliant les uns aux autres. Une arme de persuasion massive, à utiliser conjointement avec TriggerPoint pour un effet décuplé. Avec un bon sens du timing, l'ennemi, David Kahn et tous ceux qui ont un intérêt dans Solaris m'accueilleront comme leur sauveur.

Je laisse Stan à ses Américains pour aller profiter du buffet. Un serveur en gilet rouge vient renouveler ma coupe de champagne, à moitié vide. Aux murs, des portraits dédicacés de stars en noir et blanc me rappellent que je ne suis pas n'importe où, donc pas n'importe qui. Je me plais à croire que leurs sourires, figés pour l'éternité, cautionnent mon accession prochaine au panthéon des réussites remarquables, au rang de ceux qui comptent. Tandis qu'une sonate pour piano s'écoule d'enceintes invisibles, je me délecte des cannellonis au foie gras, tempuras de langoustine et verrines de saumon sur émulsion de saint-jacques. On prend facilement goût à la sensation d'apesanteur qui règne à cette altitude. Il me tarde de pouvoir y planer durablement, loin de la noirceur et du deuil. Inviter Constance à m'y rejoindre et jouir ensemble de ce paradis retrouvé.

À cette idée cependant, une vague de panique me submerge. Un reflux d'angoisse du fond des âges, celle cumulée de tous les *misfits* de l'Histoire ayant osé défier l'ordre établi, déclarer la guerre à leur roi, au chef de leur tribu... Comme eux, je m'attaque à plus fort que moi. J'allume un feu sans pouvoir en prédire toutes les conséquences.

— Bah alors, tu es tout seul ? Tu t'es perdu ?

Leila Belkacem vient m'interrompre au milieu de mon sixième toast aux œufs de lump, son sourire enjôleur contrastant à merveille avec son agressivité, à peine masquée.

— Dorsay te laisse te balader sans laisse ni collier ? C'est chic de sa part...

Je crois comprendre ce qui me vaut ces amabilités. Depuis qu'elle nous a introduits chez Goldman Stanley, sa carrière fait du surplace. Il faut dire que sa réussite dépend de celle de Tranchard – autant que la mienne repose sur Stan. C'est un peu comme un double au tennis. Le transfert d'influence de son patron vers le mien opéré ces derniers mois contrecarre ses hautes ambitions, elle qui s'était donné dix ans pour prendre sa place. Raison pour laquelle nos rapports se sont progressivement dégradés, ces dernières semaines.

Je tâche de retrouver mon aplomb. Sur le même ton qu'elle, je lui suggère de ne pas s'en vouloir d'avoir misé sur le mauvais cheval : elle est encore relativement jeune, elle peut se refaire. Alors, toujours avec le sourire, elle s'en prend à l'infime pellicule de graisse qui s'est formée sur le bas de ma sangle abdominale. Un dommage collatéral du départ de Constance. Elle pose la main sur mon ventre avant d'ajouter, avec une infinie douceur :

— En fait, j'ai juste pris de l'avance. Miser sur Tranchard, c'est un peu miser sur toi dans une vingtaine d'années, quand tu ne pourras plus te cacher derrière les crèmes et la muscu.

Comme je tarde à répondre, elle s'empresse de partir, sur une victoire sans doute, de sa démarche lente et sensuelle. J'ai beau me raisonner – son but était de me blesser, il ne tient qu'à moi de décider du contraire –, je dois admettre que sa dernière repartie m'a fait mal. Est-ce ainsi que tout le monde me voit ?

Pour préserver mon aura, je pars me réfugier aux toilettes. Au sous-sol, tout est d'un luxe absurde. À cet étage du monde, le raffinement des décors voudrait nous faire croire que toute activité, même la plus prosaïque, est un acte de grâce ou une performance artistique. L'argent ne change pas la réalité, non, mais il améliore son reflet. Je profite justement du miroir pour me recentrer. Peu importe si on me voit comme un larbin de Dorsay, son disciple fidèle. *On* verra bien. En tout cas moi, je sais qui je suis. Ce que je veux accomplir.

Pour en avoir le cœur net, j'ouvre mon portefeuille et sors la photo de mon père. Je contemple l'image quelques secondes, sa devanture grise et sans âme… En vain. J'ai beau scruter mon visage dans la glace, je n'y décèle au mieux qu'une étincelle pâle et lointaine voilée d'anxiété. Pour un peu, mon regard ressemblerait à s'y méprendre au sien. Pendant un court instant, j'ai même l'impression que mon reflet s'étiole, que ma peau se liquéfie, que ma jeunesse me quitte… Je cligne des yeux, pour me réveiller.

Machinalement, je me lave les mains. Je me rassure avec l'odeur de vétiver et de fleur d'oranger, la douceur des serviettes en tissu, la délicatesse des notes de piano qui ruissellent du plafond, le sentiment d'élégance qui me colle à la peau… C'est peut-être ça, mon problème : je commence à trop y prendre goût, à trop sincèrement y croire, à ce sentiment d'importance, à toute cette douceur de vivre que l'espèce dominante a privatisée, au récit flatteur que ses artifices font de moi. Entre la vengeance et la réussite, je ne sais plus choisir. Mon conditionnement pour l'échec peut avoir des façons insidieuses de nuire à ma lucidité. En m'attachant à ne pas me fermer les portes du grand monde. En me persuadant de mener une guerre *propre* à distance, sans jamais me salir les mains. En me racontant que j'ai dix coups d'avance, alors que je passe mon temps à suivre l'ennemi à la trace, comme Jules en son temps. En dilapidant ma révolte sur des quêtes annexes, comme ma vengeance envers Marion. En me détournant des vrais problèmes.

Je me passe de l'eau sur le visage, pour me réveiller un peu plus.

Au même instant, une notification Facebook m'avertit d'une nouvelle publication sur le groupe StopSolaris. Un message d'indignation comme on en lit beaucoup d'autres, jonché de fautes d'orthographe. Mon alter ego, Emmanuel Martin, rédige un commentaire : « *Et pendant ce temps, au Fouquet's, les dirigeants de Global Energies et Goldman Stanley trinquent avec des hauts fonctionnaires de Bercy. Tout va bien !* » Je ne sais pas ce que j'espère en écrivant ça. Rien de concret, c'est évident. Juste un peu d'huile sur le feu pour me rappeler qui je suis, à quel camp j'appartiens. Et raviver l'étincelle au fond de mes yeux.

En tout cas, c'est avec un autre regard que je retourne à la fête. Plus lucide, plus désabusé peut-être. Moins facilement trompé par les artifices, les fleurs en papier qui ornent le buffet, la pelouse synthétique de la terrasse intérieure, les peaux refaites, les sourires de façade et les complicités feintes. En m'accoudant au bar, je retrouve ma position d'observateur, comme au Pré Catelan. Derrière chaque poignée de main, chaque échange de compliments, chaque choix de posture ou d'interlocuteur, je décrypte le rapport de force, omniprésent. Je contemple cette cour dont chacun se croit la reine ou le roi légitime. Chacun sa partie d'échecs, ses territoires à conquérir, ses adversaires cachés. Chacun ses pions à manœuvrer pour parvenir à ses fins. Chacun sa certitude d'être au cœur du jeu, tout en n'étant qu'un pion dans la stratégie des autres.

Pour prédire le vainqueur, je peux reprendre mon algorithme de calcul du *PageRank* mais cette fois je ne me base plus seulement sur les regards : j'affine mon modèle, l'enrichis de variables plus complexes. Selon son degré d'ambition, de complaisance, de condescendance, de certitude ou de naïveté, je m'amuse à déchiffrer la stratégie de chaque invité à l'égard de chaque autre. À qui veut-il plaire ? Qui veut-il baiser ? De qui est-il la marionnette, l'idiot utile, l'influenceur ? Qui tient-il pour modèle ? Jacques Bompard cherche à convaincre David Kahn, qui garde un œil sur le DirCab du ministre des Finances, en discussion avec un *managing director* de BlackRock, ce dernier n'ayant d'yeux que pour Leila, debout juste devant lui, en train de flirter avec Jules Duphot – il ne manquait plus que ça. À côté du buffet, les vieux dirigeants de Global Energies échangent des messes basses en jetant de rapaces coups d'œil en direction de l'ennemi. Une fois fragilisé, combien de temps leur faudra-t-il pour se disputer ses restes ?

Dorsay, lui, discute avec une sommité dont je n'avais pas remarqué la présence : Adrien Bernard, fils et seul héritier de François Bernard, patron de LMVB. C'est drôle, cette fois, il ne m'introduit pas – je ne dois pas être assez haut de gamme. Leila disait vrai, au prétexte de me « présenter du beau monde », l'ennemi m'utilise comme un pion, manœuvrable comme bon lui semble. Qu'à cela ne tienne, je pars à leur rencontre. Je ne risque rien, puisque tout est faux. Au culot, je serre la main du prince du luxe qui, perplexe, se laisse faire. Très vite, je me sens comme en trop, inadéquat. Ils échangent quelques politesses devant moi, puis Bernard nous fausse rapidement compagnie. Stan fait la moue, je me dis qu'il s'apprête à me recadrer doucement… Mais en fin de compte il me propose d'aller « beaucoup boire ». Et en effet, c'est ce que nous allons faire.

Pendant une période indéterminée, les coupes de champagne se succèdent. À tel point que son élocution commence à s'en ressentir, à dix minutes de son discours. Qu'a-t-il prévu de dire ? Va-t-il citer mon nom ? Voilà qui serait une parfaite réponse aux insinuations de Leila. Je ne lui pose pas la question, bien sûr, ça n'aurait aucune allure. De toute manière, ses pensées sont à mille lieues de ces considérations. Bien plus importantes à ses yeux sont les jeunes femmes qui passent à vue, près du bar, et le fait de sous-entendre avec lesquelles il a déjà couché, avec lesquelles il aurait pu… C'est la première fois que je le vois ivre à ce point. Pour un peu, il aurait presque l'air triste.

Bientôt, un maître d'hôtel vient le chercher pour qu'il s'installe en vue du fameux discours. Trois minutes plus tard, pourtant, c'est une autre voix que la sienne, grave et feutrée, qui interrompt la musique classique et fait résonner les haut-parleurs, pour inviter tous les convives à se diriger « sans délai vers les étages de l'hôtel voisin par les issues de secours, pour des raisons de sécurité ». La phrase est saupoudrée de toutes les formules de politesse nécessaires. Ici, quoi qu'on annonce, on le fait avec des fleurs, en ne perdant jamais de vue qu'on s'adresse à des altesses et des majestés. D'ailleurs, le piano ruisselle à nouveau, dès la fin du message.

D'abord, une panique discrète et bien élevée saisit la foule. On entend des « Ils arrivent », des « Ils sont nombreux », sans que personne précise jamais qui. Tout le monde avait visiblement intégré la menace. Des employés s'affairent et font des confidences à leurs talkies-walkies. J'en entends un qui liste les numéros de chambre disponibles où les invités peuvent se réfugier. Ça semble sérieux. Un flot continu de gens me bouscule ou me contourne comme si j'étais un rocher sur le lit d'une rivière. Je réalise, seulement après un long moment, que je suis le seul à ne pas bouger, comme soudé au bar. Quelque chose me fige, plonge mes muscles dans une torpeur tiède et paresseuse, un irrépressible sentiment d'abandon. Quand la rumeur de la foule s'éloigne, la musique se précise et j'ai un grand sourire, en reconnaissant le début du *Clair de lune*. Debussy semble me dire : « Tout va bien se passer. »

Depuis le comptoir au fond du restaurant, j'ai la vue dégagée sur la salle presque vide et ses portes fermées, tout là-bas. À travers la vitre, l'avenue des Champs-Élysées, ce décor autrefois immobile, soudain s'est animée. Des ombres défilent à toute vitesse sur le trottoir. Une marée d'insurgés tout en noir, masqués, encapuchonnés, s'en prend bientôt au double vitrage de l'entrée, face à la maigre ligne de défense opposée par le service d'ordre. Je reste là, subjugué par l'imperceptible chaos du monde, vu tant de fois à l'écran, pour la première fois tangible à vingt mètres de moi. Très vite, le verre se brise et, tandis que le ruisseau de notes familières continue de s'écouler paisiblement, un vigile tombe à terre, puis un deuxième. Un raz-de-marée s'abat sur la salle principale avec une énergie démente, détruisant tous les objets qu'il rencontre : tables, buffet, bouteilles, photos de stars en noir et blanc... Le spectacle est saisissant. Je cligne des yeux pour vérifier que je ne rêve pas.

Je suis face aux conséquences de mon commentaire sur Facebook, je le sais. Jamais je n'avais imaginé une telle magnitude. Les actualités parlaient ce matin d'un pompier arrêté pour avoir déclenché lui-même un incendie dans le seul but d'en admirer les flammes. Sans doute un présage. C'est assez vertigineux, d'être sans protection face au feu qu'on a soi-même allumé. On se sent à la fois puissant et dépassé.

— Regarde l'autre con, là-bas... On dirait que ça le fait marrer !

Un insurgé m'a repéré. Je devais sourire sans m'en rendre compte. Son pote s'avance vers moi, au ralenti, une barre de fer à la main. Mes muscles restent sans réponse, mais pour de nouvelles raisons. Cette fois, ils sont pétrifiés par la peur. Je réfléchis aux mots qui pourraient lui faire comprendre que je suis l'un des leurs. Qu'on mène le même combat, mais différemment. Que je suis un infiltré, sous couverture. Mais à cet instant précis je saurais à peine m'en convaincre moi-même. Je pourrais lui dire : « C'est moi, Emmanuel Martin. » Que comprendrait-il à cette phrase étrange ?

L'ombre se rapproche. Je sens sur ses vêtements l'odeur de l'orage, qui sévit toujours à l'extérieur. L'odeur des conséquences. Ses semelles souillent la moquette rouge – l'homme n'a pas pris soin de s'essuyer les pieds en entrant. Avec sa capuche et son masque antipollution, je ne vois que son regard, aussi rageur et déterminé que je pouvais m'y attendre, mais nettement moins jeune. Des yeux gris et fatigués, encerclés de rides et accablés d'usure, que j'ai l'impression de connaître. Brusquement, son souvenir apparaît dans un flash. Je ne l'avais plus revu depuis son arrêt maladie. C'est lui, Maurice Brisson, d'Alliance Hotels ! Bêtement, je me réjouis de le retrouver, comme un vieux camarade. Pour un peu, j'ouvrirais les bras, en vue d'une accolade. Mais je me reprends : à bien y réfléchir, je n'ai jamais critiqué la manière dont B&G le traitait ni témoigné la moindre solidarité à son égard. À ses yeux, je ne vaux pas mieux que Jules et Dorsay, les responsables de sa chute...

Je me retrouve dans la même position que mon père. Échec et mat pour n'avoir jamais clairement choisi mon camp.

L'homme est désormais à portée de coups et j'ai l'intuition profonde, irrationnelle, qu'il s'agit de mon jugement dernier, d'un châtiment bien mérité. Chaque note du *Clair de lune* me le confirme. J'ai l'impression de l'avoir attendue, peut-être même de l'avoir cherchée, cette anomalie, cette faille dans mon plan. Ce feu qui ne brûle pas exactement comme je l'avais prévu. Et il y aurait quelque chose de tristement logique à ce que Maurice, dont la détresse m'évoquait tant celle de mon père, se serve de moi pour assouvir sa vengeance. Chacun sa partie d'échecs et ses ennemis à détruire. Chacun sa certitude d'être au cœur du jeu, tout en n'étant qu'un pion dans la stratégie des autres.

La fin de partie approche. Le type hésite à peine, brandit sa barre de fer avec une détermination sans faille. Mon corps, déjà, se prépare à ne plus rien sentir, s'apprête à faire le mort. Il devient une chose étrangère, pour mon bien. Il n'éprouve plus aucune peur, ni aucune surprise quand des bras l'agrippent et l'entraînent soudainement vers l'arrière, en le tractant par-dessous les épaules. Il assiste, impuissant, au spectacle du chaos qui s'éloigne, de ses Berluti qui traînent pitoyablement sur la moquette, des trois insurgés vêtus de noir qui se lancent à sa poursuite, un peu trop tard. Il ne ressent aucun soulagement quand les portes de l'issue de secours se referment et se verrouillent après son passage. Il reste immobile, à l'état de pierre, incapable de rien. Incapable de se sentir en sécurité. Incapable de remercier le vigile, à sa droite, et Stan, à sa gauche, qui viennent pourtant de risquer leur peau pour le sauver. Incapable de dire quoi que ce soit, sidéré, fasciné par cet océan primitif qui a voulu jaillir hors du monde pour se déverser sur lui. Incapable de ne pas songer qu'il aurait mérité que cette vague l'engloutisse.

24

Pour se rendre aux bureaux des directeurs, il faut toujours traverser tout l'étage, sonner au même petit interphone, fouler la même moquette neuve, arpenter les mêmes couloirs trop larges, s'y sentir toujours aussi minuscule… Sauf que, depuis le Fouquet's, il faut aussi prouver au vigile qui y effectue ses rondes qu'on a bien rendez-vous. J'ai eu la présence d'esprit d'imprimer mon invitation. Horaire : 8 h 15. Objet : « échange informel ». Participants : David Kahn et Stanislas Dorsay. Sous-entendu : rien d'enthousiasmant. Il n'y a qu'à voir mon bras trembler. Le cerbère hoche la tête et, sans un mot, m'escorte de près jusqu'à la grande salle où se réunit le CoDir, rideaux tirés.

Quand Stan s'écarte pour me laisser entrer, je marque un temps d'arrêt en voyant Michelle Park, assise à côté de Kahn. *Bonjour Victor.* Qu'est-ce qu'elle fout là ? Mon cerveau tourne à plein régime sans trouver de réponse. L'ennemi me propose un café, puis referme la porte. Le colosse reste derrière, comme si je risquais de m'échapper.

Sur le papier, cette entrevue n'a rien d'étonnant. Je m'y étais préparé, bien avant les premiers articles sur Solaris. Mais la situation d'aujourd'hui diffère en plusieurs points de celle que j'avais alors envisagée.

1) Depuis l'invasion du Fouquet's, j'ai perdu tout sentiment de maîtrise. C'est manifeste : je sursaute à chaque bruit fort ou brutal, j'observe sans cesse ce qui m'entoure avec anxiété, mes cernes se creusent, mon teint pâlit à vue d'œil... Même mes cauchemars ont recommencé. De nuit comme de jour, c'est plus fort que moi, je replonge régulièrement vers l'abîme, là où toute la noirceur est planquée. Alors forcément, mon don d'illisibilité a dû en prendre un coup. Mon corps peut à nouveau me trahir, à tout moment. Et la configuration de l'entretien, ce matin, n'arrange pas les choses : tous les trois sont assis face à moi, alignés comme un jury, leurs yeux dans les miens, à portée d'empoignade... Dès les premières secondes, je m'efforce de tenir leur regard, en me répétant qu'ils n'ont rien contre moi, que je suis au-dessus de tout soupçon, encore et encore, comme un mantra.

2) On peut le dire, deux jours après les premiers articles : la fuite de Solaris dans la presse a eu des effets pour le moins décevants. En première page lundi, l'affaire a disparu de la plupart des unes quarante-huit heures plus tard. Ce matin, l'application qui me condense l'actualité du jour n'a déjà plus rien à en dire. Le journal *L'Économiste*, à l'origine de l'affaire, s'interroge même en page 5 : *Rapprochement GE-Venturial : beaucoup de bruit pour rien ?* Dans toutes les rédactions, on aborde le sujet avec des précautions de démineurs. On ne parle pas de scandale, plutôt de rumeur. Ni de rachat, plutôt d'alliance. On abuse d'euphémismes et de phrases au conditionnel. Si bien que le cours de l'action Venturial, qui perdait 3,2 % lundi matin, ne clôturait plus qu'à – 1,3 % le soir, et a encore récupéré 0,8 % depuis lors. C'est exactement ce que disait Constance : on travaille d'arrache-pied pour faire varier de 0,5 % un indicateur sur un tableur Excel.

Aussi, c'est pratiquement en position de force, après cet attentat raté, que David Kahn et Dorsay cherchent à en déterminer l'origine. Depuis la fuite, Stan n'est plus apparu dans notre open space, ni même à son bureau. Je n'ai reçu qu'un seul e-mail de sa part, hier, pour annuler une réunion : « *Désolé, gestion de crise.* » En dehors de ces quatre mots, je n'ai aucune idée de ce qu'il pense, aucun indice à me mettre sous la dent. Jusqu'à ce matin. Face à moi, son regard ne trahit aucune faille, aucune incertitude. Pour un peu, on dirait que la situation l'amuse.

3) Igor est convoqué juste après moi, à 9 heures. Dès que j'ai reçu son SMS, je me suis douté qu'on allait subir un interrogatoire séparé, façon dilemme du prisonnier. *Si tu dénonces ton complice, on ne détruit pas ta carrière...* J'aurais voulu l'appeler, pour qu'on accorde nos violons. Mais ç'aurait été comme avouer que j'avais des choses à me reprocher dans cette histoire. Alors, en fin de compte, je ne lui ai pas répondu – il ne sait même pas que j'ai rendez-vous. S'il me demande, je lui dirai que j'avais éteint mon téléphone.

En synthèse, je ne contrôle plus grand-chose. Le siège sur lequel je suis assis pourrait bien être celui de mon exécution. En désespoir de cause, mon application Dictaphone, déclenchée aux toilettes, enregistre tout depuis la poche de ma veste... On ne sait jamais. Mes interlocuteurs pourraient à tout moment se trahir, dire quelque chose de compromettant à propos de la fusac. On peut toujours rêver.

C'est parti. David Kahn commence par énoncer froidement les faits, comme le ferait un inspecteur de police. Le premier article publié dans *L'Économiste*. L'écho presque instantané des agences de presse. La même dépêche, copiée-collée dans une centaine de journaux en ligne. Les directeurs de Venturial et Global Energies, sommés de réagir publiquement. L'incertitude qui s'ensuit sur les marchés. Les chaînes d'information continue qui ressassent en boucle. La mise en danger de l'opération. Des faits gravissimes, précise-t-il, bien plus que le foutoir causé par mon Sonar en décembre. Je hoche la tête, tout en cachant mon visage dans la tasse que Dorsay m'a servie, de peur qu'on y lise que non, il n'est justement *rien* arrivé de grave, et c'est tout le problème.

Aussitôt, je suis à deux doigts de recracher mon café : l'ennemi n'a pas mis de sucre. Sans doute un message. C'est lui qui prend le relais, d'un ton plus accommodant :

— Au vu des informations confidentielles qui ont fuité, il y a forcément un informateur chez Global Energies, à Bercy, chez Venturial ou chez nous. Chacun mène donc sa petite enquête.

Le plus inquiétant, c'est qu'il s'exprime sans aucune gravité, avec un regard presque détaché. Pour lui c'est un jeu, qu'il est convaincu d'avoir déjà gagné. Kahn enchaîne, d'une voix décidément plus hostile. Ils me font le coup du gentil et du méchant flic.

— Comme tu le sais peut-être, Michelle ici présente dirige Qinoa Ventures et siège au comité d'administration de Qinoa Labs, le meilleur *data broker* du marché.

Stan ajoute, sur un ton de bonne nouvelle :

— Comme elle était sur Paris, je lui ai demandé un petit coup de main.

Ce n'est *pas* une bonne nouvelle. Le métier d'un *data broker* est d'aspirer toutes les données personnelles trouvables en ligne, pour construire un profil exhaustif et détaillé de chaque individu sur terre, qu'il revend ensuite à des annonceurs. Autant jouer au poker contre un adversaire qui voit toutes les cartes.

De plus Michelle Park, comme beaucoup d'Américains, possède une prédisposition pour l'art dramatique. Elle arrive à traduire, d'un seul mouvement de sourcil ou par une moue fugitive, le parfait florilège de sentiments qui sont attendus d'elle : depuis tout à l'heure, l'expression de son visage est tantôt préoccupée, solennelle, réprobatrice ou compatissante. Une sacrée performance, digne de l'Actors Studio.

— Qu'est-ce que ça t'évoque, que *L'Économiste* soit à l'origine de la fuite ?

C'est David Kahn qui pose la question. Profitant de sa tournure trop vague, je réponds :

— Pas grand-chose.

Dorsay reformule :

— Tu connais quelqu'un qui y travaille ?

Je réfléchis un instant, avant de mentionner Constance, bien obligé. Mais en tâchant de sourire, comme s'il était impensable qu'elle soit à l'origine du scandale.

— C'est quand même assez troublant, tu ne trouves pas ?

Je rétorque d'une moue qui se veut à la fois incrédule, pensive et détachée... Mais je sens bien que mes lèvres tremblent. Je n'ai clairement pas le talent de Michelle Park.

J'entonne mon mantra, *ils n'ont rien contre moi, je suis au-dessus de tout soupçon*. Jusqu'à preuve du contraire, aux yeux de Stan, Constance et moi sommes séparés, et en très mauvais termes. Il n'est pas censé savoir que nous nous sommes revus hier soir. Pas à propos de Solaris, d'ailleurs – il était plutôt question de nous. Le café initialement prévu s'est éternisé, devenant verre improvisé puis dîner romantique, en regardant la pluie tomber sur les passants. Un moment de grâce. Je l'avais rarement trouvée si belle. Comme si c'était notre premier rencard, j'ai eu l'impression de tout redécouvrir. Les grains de beauté dans son cou, l'odeur de son après-shampooing... On s'est dit de jolies choses, sans aller trop loin. J'avais envie de l'embrasser, oui, mais je me suis retenu. Je ne l'ai pas non plus invitée chez moi. Parce qu'elle aurait refusé. Parce qu'elle aurait eu raison. L'essentiel, après ces derniers jours, c'était de retrouver mon alliée, sa bienveillance et son regard sur moi... sans que nos peaux se touchent, même si elles en mouraient d'envie.

À son émotivité, j'ai compris que les événements du Fouquet's l'avaient autant bouleversée que moi. Quand je lui ai raconté la scène au téléphone, déjà, elle a paru terrifiée, comme si j'avais frôlé la mort. Je suppose que c'est ce qui l'a motivée à me revoir, à vouloir m'empêcher de sombrer peut-être. Il faut dire qu'à ses yeux, mon nouveau récit est imbattable : un jeune homme en pleine rédemption, agressé précisément pour avoir dénoncé ce que ses assaillants prétendaient combattre. Pour une fois, je suis du bon côté de la justice et de la morale.

Le Fouquet's, Kahn aimerait justement qu'on en parle :

— Il y a autre chose de troublant, c'est cette concomitance entre la fuite de Solaris et les événements de jeudi soir.

Aussitôt, Stan arrondit les angles :

— On n'arrive pas à complètement exclure que ces deux événements aient une même cause.

J'oublie de respirer, pendant quelques secondes. S'ils ont établi ce lien, c'est qu'ils ont dû voir le message d'Emmanuel Martin, celui d'Arthur Petit, et en déduire qu'il s'agissait d'une seule et même personne. J'avale une gorgée de café bien amer, pour brûler le début d'angoisse au creux de ma poitrine. *Ils n'ont rien contre moi, je suis au-dessus de tout soupçon.*

— Il se trouve que, sur les réseaux sociaux, on trouve des traces de la fuite bien avant lundi. Même avant jeudi soir.

Les yeux de David Kahn me fixent comme s'ils me tenaient. Il n'a pas l'air de comprendre. C'est précisément *à cause de* l'invasion du Fouquet's que la fuite de lundi matin n'a pas eu l'effet escompté – je m'en fais constamment le reproche. En publiant ce commentaire idiot, j'ai saboté ma propre stratégie : l'irruption des insurgés a profondément ému l'opinion pendant tout le week-end. Constance me racontait que lundi matin, en comité de rédaction, l'angle était clairement dessiné : dans ce contexte d'ultraviolence et d'insurrection, la presse avait la responsabilité de ne pas jeter d'huile sur le feu. Elle devait peut-être même avoir le *courage* de *prendre position.*

Tout directeur de publication connaît la règle n° 5 : *les faits importent moins que le récit qu'on en fait.* Un écureuil mort dans notre jardin peut être plus apte à nous intéresser que des gens qui meurent sur un continent lointain. Et une trentaine d'enragés saccageant un restaurant parisien nous terrorise davantage qu'une perte de souveraineté énergétique sur les prochaines décennies.

Un éditorialiste faisait directement l'amalgame hier entre tous ceux qui critiqueraient cette fusac et les insurgés du Fouquet's, tous décrits comme les « *mauvais perdants d'une époque* » qui « *ne reconnaissent pas la défaite idéologique de la gauche* », quoi que cela signifie. La presse regorge de ces faiseurs d'opinion professionnels, qui n'en cultivent eux-mêmes aucune, sinon celle qui confortera le mieux le fauteuil sur lequel ils sont assis. Peu importe leur compréhension du système, des jeux de stratégie sous-jacents à la marche du monde... Tant qu'ils s'appliquent à traduire l'actualité quotidienne en termes simples, digestes et profitables à l'espèce dominante, celle-ci leur garantit un salaire et une tribune.

Ironiquement, leurs articles sont si standardisés que le public percevra d'autant moins la différence quand un algorithme comme GhostWriter aura pris leur place. Ils auront programmé leur propre obsolescence.

Reste que, dans ce cas précis, c'est leur récit qui est en passe de l'emporter. Demain, ils écriront que le rachat de Venturial est un heureux présage pour l'attractivité de l'économie française. Après-demain, ils élèveront en martyrs les instigateurs du projet, après les violences intolérables dont ils ont été les cibles au Fouquet's. Samedi, ils raconteront même comment le plus héroïque d'entre eux a pris son courage à deux mains, le jour de son anniversaire, pour sauver un de ses collègues au péril de sa vie. Le public adorera cette histoire. Et mon plan aura piteusement échoué en une semaine à peine. Tout ça pour deux phrases postées sans réfléchir.

David Kahn m'énumère ensuite des noms que je connais bien – dont Arthur Petit, Emmanuel Martin – tout en scrutant minutieusement mon visage et, je crois, la poche où mon iPhone est rangé. L'étau se resserre. Je repense à toutes les précautions que j'ai prises pour me rendre intraçable – adresses e-mail, connexion VPN, suppression des cookies, adresse IP masquée. Était-ce suffisant ? Les *data scientists* de Qinoa ont-ils pu retracer mon identité autrement ? Michelle Park, elle, reste admirablement silencieuse. En dehors de tout ça. Alors qu'elle leur a fourni toutes les données qui vont causer ma perte.

— Ce qui a mis le feu aux poudres, c'est ce commentaire-là.

Kahn montre une capture d'écran. *Et pendant ce temps, au Fouquet's...* J'avale mon café, cul sec. La brûlure m'anesthésie la gorge et l'œsophage, puis l'estomac. Un instant je ne ressens plus qu'elle, c'est rassurant.

— L'auteur établit clairement un lien avec #StopSolaris, un hashtag qui a pris une ampleur considérable depuis ce soir-là.

Une maigre consolation, en effet : sur les réseaux sociaux, l'incendie a bien mieux pris que dans les journaux. Sans toutefois qu'on s'y préoccupe davantage de la vérité. La presse et Internet sont comme deux aimants se repoussant mutuellement, toujours à équidistance des faits : plus on édulcore le scandale d'un côté, plus on l'amplifie de l'autre, jusqu'à l'irrationnel. Il y aurait pourtant la place, entre ces deux polarités, pour une critique raisonnée. De la guerre économique qui se joue sous les radars. De l'intérêt que trouvent les banques d'affaires à favoriser ces manœuvres. Des montagnes de cash que va générer le licenciement des employés devenus redondants. De la façon pernicieuse dont les règles du jeu, telles qu'elles sont écrites, encouragent à ce genre de combines. De l'instrumentalisation de la Justice à des fins commerciales. De l'impuissance des États à éviter, ou même anticiper ces attaques... Mais puisque la mesure et la nuance ont déserté l'espace public, tout ce qu'on peut lire depuis lundi sur les réseaux sociaux, ce sont des pétitions pour la démission du président de la République, des demandes de mise en examen pour haute trahison, des rumeurs de sociétés secrètes, de nouvel ordre occulte et de réseaux pédophiles pour milliardaires… Avec ça, l'espèce dominante peut poursuivre longtemps sa partie d'échecs.

Kahn continue de réciter ce qu'il sait, à la manière d'un détective. La date et le contenu des réponses à mon commentaire. Les noms de ceux qui ont lancé l'appel à manifester devant le restaurant. À leur évocation, mon pouls s'accélère encore. J'ai littéralement passé la nuit, en rentrant du Fouquet's, à éplucher leurs profils, à visionner leurs photos dans l'espoir de reconnaître un seul d'entre eux. Sans succès. Si j'en crois Facebook, Maurice Brisson dînait ce soir-là dans un restaurant de La Rochelle, où il vit depuis qu'Alliance Hotels l'a licencié. J'aurais halluciné sa présence.

— Toujours avec nous, Victor ? demande Kahn, passablement agacé.

— Oui, je réfléchis… Tu penses que ça pourrait venir de chez nous ?

— Arrête ton petit jeu ! Tu as très bien compris où on voulait en venir.

Merde, j'ai dû me tromper de ton. Ma question lui a fait frapper du plat des mains sur la table. Je me cramponne aux accoudoirs, pris au piège. Il jette encore un œil à la poche de ma veste, mon souffle se raccourcit…

Et là, quelque chose en moi lâche prise. Un instant, je me dis qu'au fond, ce ne serait pas plus mal que tout s'arrête. Après tout, je surestime peut-être la gravité de l'échec. Je serais certes à jamais grillé pour le conseil, la banque et toutes les carrières notables, mais j'irais alors me planquer dans n'importe quelle boîte d'informatique, gagnerais un peu plus de 3 000 euros par mois, quitterais le boulot vers 18 heures et prendrais un mois de vacances en été. Affranchi du *game*, je pourrais aimer Constance au sens conventionnel du terme. On vivrait notre conte de fées de classe moyenne, comme mes parents, sans ambition trop grande ni espoir mal placé. Je me ringardiserais tranquillement avec l'âge, résigné donc en paix, et attendrais ma date de péremption en buvant du bon vin, dans des hôtels et restaurants présentant un rapport qualité-prix intéressant.

C'était peut-être inconsciemment mon plan, en écrivant ce message idiot depuis les toilettes du Fouquet's : un autosabotage, pour que l'espèce dominante me ferme ses portes et me donne une bonne raison d'en finir avec ce personnage qui, de plus en plus, prend le pas sur moi.

Hier soir, d'ailleurs, Constance m'a dit comment lui était venue l'idée de demander Victor Newman en ami. Facebook lui recommandait sans cesse mon faux profil, dans l'encart *Vous connaissez peut-être*. Au départ, elle n'y prêtait pas attention, mais la suggestion revenait si systématiquement qu'elle a fini par soupçonner que ce ne soit pas une erreur de ciblage, et par se créer un faux compte pour en avoir le cœur net. Quand j'y pense, je frémis encore... Trahi par un algorithme !

Le silence de David Kahn dure depuis si longtemps qu'un acouphène est apparu dans mon oreille gauche. Tout le monde semble en apnée, suspendu à son réquisitoire à venir. Mais c'est finalement Dorsay qui dégaine :

— On est pratiquement sûrs, mais on veut que tu confirmes : est-ce qu'Igor savait où la fête avait lieu ?

Je le fais d'abord répéter, par précaution, avant de pouvoir reprendre ma respiration. Les informations changent de sens et d'agencement. Les faits qui m'accablent sont subitement chassés par d'autres, à mon crédit. Ma rupture avec Constance, mais aussi l'amertume d'Igor de ne pas avoir été invité au Fouquet's, ma bonne idée de le mettre au courant du lieu, ou encore mon attitude passive, presque suicidaire, quand la marée noire a déferlé. Le mantra reprend : *ils n'ont rien contre moi*. Il faudrait que je sois fou pour avoir orchestré la fuite de Solaris et risquer de tout faire échouer trois jours avant, en me mettant moi-même en danger. *Je suis au-dessus de tout soupçon.*

— Je ne sais plus... C'est possible qu'il me l'ait demandé, oui. Pourquoi ?

L'ennemi commence à m'exposer leur version de l'histoire. Selon eux, Igor a été missionné par Tranchard.

— On s'en doutait mais tu me l'as confirmé sans le savoir, à New York.

Cette conversation sur le *rooftop*... Mon opération Transparence ne pouvait pas mieux tomber. Mon cœur, peu à peu, retrouve une cadence raisonnable.

— On sait qu'Igor a travaillé sur une version malveillante de TriggerPoint, pour créer un *bad buzz*. En partie depuis la banque. L'autre partie, probablement depuis chez lui.

J'ignore l'étendue des preuves dont ils disposent, mais si je suis convaincu d'une chose, c'est qu'Igor n'a *pas* utilisé TriggerPoint. Je crois plutôt qu'il a œuvré spontanément, sur un coup de tête, sans assumer complètement son acte. Sinon, il n'aurait pas allumé la mèche sur un groupe d'insurgés. Il aurait mieux visé, ciblé des cadres de Venturial en délicatesse avec leur direction, des experts du nucléaire soucieux de faire entendre leur voix, des députés ou sénateurs de l'opposition, des commentateurs cherchant à se faire inviter sur les plateaux télé... Quiconque pouvant y voir un intérêt pour son propre jeu, et jouissant d'une crédibilité suffisante pour que l'incendie prenne de l'ampleur. Quel gâchis, quand j'y pense... Il y avait un boulevard !

— On sait aussi qu'il a de la sympathie pour le mouvement des Gilets jaunes, martèle l'ennemi.

— C'est vrai, oui, mais enfin...

— Raison pour laquelle il a d'abord publié l'information sur Facebook. Puis on pense qu'il s'est rapproché de Constance pour lui confier le tuyau.

J'essaie d'interpréter ma partition le mieux possible. Le regard qui se perd dans le vague. Le soupçon qui succède au déni, et ainsi de suite. Le plus difficile reste de masquer mon soulagement.

— On l'a convoqué juste après toi, ajoute Stan. On va bien voir ce qu'il trouve à nous dire.

Je prends ma voix la plus neutre, la plus détachée :

— Franchement, s'il a réussi à me le cacher aussi bien, à moi qui passe mes journées avec lui, je ne vois pas comment vous allez lui faire avouer une chose pareille.

Je m'inquiète surtout de ce qu'Igor pourrait leur déballer, quand son tour viendra. Il pourrait tout à fait leur expliquer qu'on était inscrits sur les mêmes groupes, leur raconter comment j'ai soufflé sur les braises…

David Kahn s'agace, une fois encore, mais répond à peu près ce que je rêvais d'entendre :

— Qu'est-ce que tu crois, qu'on est au tribunal ? On ne va pas attendre de monter un dossier à charge. On en sait déjà suffisamment pour le virer et pour le rendre inembauchable dans tout Paris.

Il continue de me fusiller du regard, mais ça ne m'impressionne plus vraiment. J'ai frôlé l'abîme de si près que mon corps est insensibilisé.

— Quant à toi, il va falloir nous donner une bonne raison d'oublier que tu nous as mis ce bolchevique dans les pattes.

Cette fois, les deux autres ont l'air d'estimer qu'il en fait un peu trop. Intérieurement, je débouche le champagne. Si ma cooptation d'Igor est tout ce qu'ils ont à me reprocher, j'ai une chance inouïe. Pour faire bon poids, l'ennemi devient presque aimable.

À mon grand étonnement, il me parle de GhostWriter. Je suis pourtant certain de ne jamais avoir mentionné ce projet devant lui. A-t-il des traceurs sur mon poste de travail, une taupe dans mon équipe ? Peu importe... Sans doute faut-il le laisser m'espionner un peu pour gagner sa confiance. Stan dit qu'il a pris la liberté de parler de « nos » algorithmes à Michelle Park, qui prend aussitôt la parole. Le moins qu'on puisse dire, c'est qu'elle va droit au but :

— Ça te dirait de découvrir la Silicon Valley, Victor ?

Pour étayer sa question, elle me fait l'éloge de Qinoa Labs, son puits sans fond de données, toutes plateformes confondues : un peu comme si une entreprise réunissait dans un grand salon tous vos amis, vos ex, vos *fuck friends*, vos parents, vos frères et sœurs, votre patron, vos collègues, votre médecin de famille, vos anciens profs, tous ceux qui vous ont croisé au cours de votre vie, en leur demandant de raconter tout ce qu'ils savent à propos de vous – afin de dresser votre profil psychologique le plus fidèle et le plus complet possible.

— Quand je vois ce que vous avez réussi à faire en six mois ici, Stan et toi, je suis curieuse de voir ce que vous pourriez accomplir avec un stock de données illimité, dans la capitale mondiale de l'IA, en ayant les meilleurs geeks à votre disposition...

Son regard brille, sans trop en faire. Je pourrais arguer que l'ennemi n'y est pour rien, que tous « nos » algorithmes sont en réalité les miens. Mais l'intéressé me devance :

— Rien qu'avec TriggerPoint et GhostWriter, on a déjà une excellente base pour créer *la* référence mondiale de l'IoB.

L'IoB – *Internet of Behaviors* – est un terme de consultants pour désigner toutes les techniques utilisées par les entreprises pour comprendre, influencer et modifier le comportement des internautes grâce aux données dont elles disposent sur eux : en analysant leurs ressorts psychologiques, en leur affichant les informations sous l'angle qui leur convient le mieux, en les récompensant quand ils effectuent une *bonne* action – un achat, par exemple. Une dystopie pavlovienne visant à programmer chaque individu, selon son propre langage et ses propres règles, pour lui faire faire ce qu'on attend de lui. Le jeu humain par excellence. Et un marché d'avenir prometteur, dont il convient de parler avec un enthousiasme béat.

Pendant une dizaine de minutes, ils s'obstinent méthodiquement à me vendre le scénario qu'ils ont écrit pour moi. Après tout ce qui s'est passé, il va naturellement falloir « couper quelques têtes » à la banque. Dans ces conditions, il est peu probable que je garde mon poste et mon salaire – « le Board ne comprendrait pas ». Mais au fond, c'est un mal pour un bien, car la baie de San Francisco, « c'est un autre monde », spécialement conçu pour les gens comme moi. Là-bas, mon ascension peut devenir exponentielle. Là-bas, les petits génies dans mon genre ne dirigent pas des *open spaces* mais des empires : Bill Gates, Larry Page, Sergey Brin, Elon Musk, Mark Zuckerberg, Chris Murray... Un eldorado pour ingénieurs.

Mais la palme du meilleur argument revient à Dorsay : « Là-bas, jamais ce qui s'est passé au Fouquet's n'aurait pu nous arriver. »

Là-dessus, ils se décident enfin à me détailler leur proposition : il s'agirait de créer une filiale de Qinoa, dans laquelle Dorsay lui-même injecterait du capital et dont ils m'offriraient 10 %, chiffre qu'ils me présentent comme exceptionnellement généreux.

En temps normal, je négocierais. Mais je me sens comme miraculé.

— Et toi, David, tu serais d'accord pour nous laisser partir ?

Pour la première fois de la matinée, Kahn sourit. Dorsay répond pour lui :

— Disons que cette affaire le soulage d'un poids.

D'abord, bêtement, je crois qu'il parle de moi. Mais Kahn éclate de rire, avant d'ajouter :

— Un énorme poids, oui !

Soudain, je comprends un peu mieux le tableau d'ensemble. Grâce aux données de Qinoa – et peut-être à mon témoignage –, David Kahn va enfin pouvoir faire sauter Tranchard et devenir n° 2 de Goldman Stanley France, à seulement quarante-trois ans. Michelle Park va en profiter pour s'offrir quelques algorithmes prometteurs et créer une start-up à fort potentiel. Quant à Dorsay, il va gagner son billet pour San Francisco, en première classe, à la meilleure position possible pour reconquérir Anna Fourcade. Avec retard, je visualise toutes les parties d'échecs qui se sont jouées simultanément. Kahn se servant de Dorsay pour baiser Tranchard. Tranchard se servant d'Igor pour baiser Kahn. Moi qui me sers d'Igor pour baiser Dorsay. Dorsay qui se sert de moi pour baiser Anna. Je croyais être au cœur du jeu, je n'étais bel et bien qu'un pion dans la stratégie des autres. Celle de trois *young leaders* du Transatlantic Strategy Forum.

Dix minutes plus tard, l'ennemi me raccompagne à la porte, le regard plissé par un sourire invisible. Il ne le dit pas, ne le dira jamais, mais il avait certainement anticipé ce scénario dès le départ, en détroussant Tranchard du dossier Solaris. D'où son invitation au Forum, ses questions sur le *rooftop*, son empressement à jouer les entremetteurs avec Michelle Park... D'où mon sauvetage au Fouquet's. Il n'y a pas de miracle, pas de hasard. *Tout est stratégie*. Je divague peut-être, mais j'en viens même à me demander si je n'ai pas toujours su que Stan avait douze coups d'avance. J'ai peut-être si bien appris à me duper moi-même que j'ai inconsciemment fabriqué des faits pour me disculper. Ma rupture avec Constance : je l'ai cherchée. L'amertume d'Igor : je l'ai provoquée. La marée noire d'insurgés : je l'ai déclenchée. Mon attitude passive, presque suicidaire... Comment l'expliquer autrement ? Mon réseau de neurones a peut-être agi selon des logiques indéchiffrables à mes propres yeux, s'arrangeant en secret pour éviter le pire à ma place.

Au loin, dans le couloir, j'aperçois Igor qui marche vers moi, escorté de près par le colosse. Ma poitrine se serre à l'idée de devoir le croiser, lui dire quelque chose.

Dans ma poche, le dictaphone est toujours en marche. La décision m'appartient. Je peux toujours choisir l'option kamikaze, faire parvenir mon enregistrement à Tranchard, aux dirigeants de Global Energies, à des cadres de Venturial en délicatesse avec leur direction, à des députés ou sénateurs de l'opposition… Jeter toutes mes forces au grand jour, dans une ultime bataille. Lancer mes algorithmes à pleine puissance, pour faire pencher l'opinion. Profiter de ce que l'ennemi m'ait dévoilé toutes ses cartes, qu'il ait besoin de moi pour accomplir son plan. Exploiter la brèche. C'est peut-être ma seule chance avant qu'il devienne *too big to fail*.

Igor se rapproche, sa chemise déjà moite, son front perlant de sueur. J'imagine les questions que son regard me pose. Qu'est-ce que je fous là ? Que m'ont-ils dit ? Que doit-il dire ? Je pourrais, je devrais me montrer solidaire. Y sacrifier ma réputation, ma réussite, ma vengeance… En finir avec Victor Newman, rentrer dans le droit chemin. Monter une ONG, pour changer les choses. Me dire que cette histoire m'aura permis de me relever, de lâcher prise du passé, que la vie doit continuer – comme dirait Patrick, c'est ce que mon père aurait voulu. Ce serait clairement la *bonne* chose à faire, le *juste* choix.

Mais le monde est rempli de cocus irréprochables. Et c'est justement par la *morale*, la *justice* que l'espèce dominante vous baise. À trop vous préoccuper du bien et du mal, vous renoncez à vous salir les mains, à la battre à son propre jeu. Vos états d'âme l'arrangent bien.

Igor n'est plus qu'à deux mètres de moi. Prévoyant, il a emporté son propre café, sucré à son goût. Finalement, le mien n'a pas été si difficile à avaler. Je suis franchement désolé pour lui. C'est un type intelligent, fiable, honnête, la tête sur les épaules… Mais il ne comprend rien au *game*. Un expert, inadapté au monde des affaires. Si je n'étais pas intervenu, Tranchard l'aurait manipulé de la même façon. C'est un peu comme si je n'avais pas existé. Désormais, j'ai les mains liées : je ne vais pas lui faire des confidences, lui présenter mes excuses ou lui souhaiter bonne chance... Seulement lui adresser le seul regard envisageable. Froid, réprobateur.

Ça y est, je crois qu'il a saisi. Son visage se transforme tout à coup, aussi brusquement que celui de Marion l'autre soir. Dorénavant, il sait qu'il s'est fait baiser, à défaut de comprendre comment.

Quand nos corps arrivent à même hauteur, je suis presque rassuré que le vigile se dresse entre nous. Je devine aisément ce que ses yeux veulent me dire, me hurler peut-être. Dont un mot en particulier, une insulte familière qu'ils répètent en silence : « Collabo ».

VI

Octobre 2019

Surapprentissage

25

7 h 30. Je démarre mon rituel matinal accéléré, version Palo Alto. Ici, la marche du monde se veut plus rapide que partout ailleurs. La gestion du temps est essentielle. La technologie, indispensable : elle vous permet d'aller chercher ces précieuses secondes d'avance et d'arriver plus vite au futur – peu importe lequel – pour y planter votre drapeau.

Tous les moyens sont bons. La voix de mon application, par exemple, ne relate plus que des actualités qui me concernent de près. Je ne laisse plus les catastrophes lointaines – incendies, fonte des glaces, guerres – polluer mon attention. Les livres qui m'intéressent sont résumés en audiobooks au format digeste, à écouter pendant mon sport. Un quart d'heure me suffit pour en retenir les idées principales. Mon calendrier regroupe mes rendez-vous par proximité géographique, afin d'optimiser mes temps de trajet – mission facilitée par l'urbanisme de la Vallée, sorte de circuit imprimé dont les quartiers sont triés par fonction : business, loisirs, éducation, shopping... Une application me suggère quels exercices sportifs réaliser selon ma fréquence cardiaque et ma température cutanée, en cohérence avec ma routine hebdomadaire.

L'idée, c'est de minimiser le nombre de décisions que je dois prendre au quotidien. Éradiquer les pensées sans rapport avec mon objectif. À partir d'aujourd'hui, chaque détail compte.

8 h 30. Le campus de Qinoa, ma nouvelle base, s'étend sur une dizaine d'hectares, une cohorte de bâtiments bas et rectangulaires, tout en verre. Comme une tour de Manhattan ou la Défense qu'on aurait démembrée en cubes de quatre étages, dispersés sur une immense pelouse au milieu des pins. Si New York s'est construite à la verticale, la Silicon Valley s'étale à plat, sans démesure ni hiérarchie visible. Du ciel pour tout le monde, en principe. Et l'impression d'en être ici plus proche que partout ailleurs.

À l'entrée, je croise Lucia, la dame qui fait le ménage dans nos bureaux. Elle sort de la camionnette qui lui sert de maison, garée face à l'université Stanford et ses étudiants à 60 000 dollars l'année. Je donne trois coups de klaxon pour la saluer, tout sourire, à travers mon pare-brise. D'ici la fin de partie, aucun allié n'est à négliger. C'est à celui qui retournera le plus de pions pour les rallier à sa cause, comme au jeu d'Othello.

Au parking, après avoir garé ma Tesla Model S Plaid + blanche à côté de la noire de Stan, j'emprunte une trottinette électrique, en libre-service. Un code couleur enfantin m'indique la direction du bâtiment n° 12, pastille bleu ciel. L'air est doux, parfumé comme il devait l'être au jardin d'Éden. Je croise un essaim de geeks flottant sur le bitume à toute vitesse et sans un bruit. Puis un irréductible, qui se déplace encore à pied. J'observe nos reflets sur la façade vitrée du n° 3 – pastille orange – sans parvenir à ne pas me trouver ridicule en comparaison. Mais une voix intérieure, monocorde, m'assure que c'est lui qui a tort, qu'il est en retard sur le train de l'évolution.

8 h 45. Dans le hall d'accueil du n° 12, tous les meubles sont arrondis, colorés, comme à l'entrée d'une garderie. Derrière

l'hôtesse, un écran plat vante la richesse des bases de Qinoa Labs : plus de 650 millions de profils nominatifs, 3 200 variables en moyenne sur chacun d'eux, provenant de 1 317 sources de données différentes – 1 318, le temps que je passe le portique. Une kyrielle d'applications Facebook et Android sont rachetées ou développées ici chaque jour, dans l'unique but de collecter un maximum d'informations personnelles sur leurs utilisateurs : tests de personnalité, jeux, énigmes, sondages, utilitaires... Ajoutez-y les données qu'on achète aux sociétés de crédit, aux opérateurs télécoms, aux assureurs, aux pharmacies, aux centres commerciaux... Puis toutes celles aisément accessibles en ligne : cookies, réseaux sociaux, blogs, registres officiels... Et vous obtenez un trésor incomparable sur terre, filtré, agrégé, transformé, raffiné par des centaines de *data engineers*. Quand je passe devant l'écran chaque matin, ces chiffres me procurent un délicieux sentiment de puissance. Les données sont le nerf de la guerre et personne au monde n'est mieux armé que moi.

9 h 10, petit déjeuner. Chez Qinoa, la nourriture est à volonté... Tous les jours, une abondance de biscuits, céréales au miel et viennoiseries sont là pour éprouver ma volonté. Je dois être le seul de l'étage à se contenter de flocons d'avoine. Pas que le reste ne me fasse pas envie – si je m'écoutais, je viderais le buffet pour tenter d'éponger l'angoisse qui macère dans mon ventre – mais je redouble d'efforts pour reprogrammer mon organisme. Le podcast *Life Hacking* suggère de traiter le corps comme un enfant dissipé : je punis ses réflexes stériles – manger, somnoler – et congratule ses élans profitables – travailler, faire du sport... Je lui promets mille récompenses, s'il se tient à carreau pour la dernière ligne droite.

10 heures. J'arrive en salle Turing au dernier étage, vue panoramique sur tout Qinoa. Je me fais couler un expresso en attendant Stan et Chris Murray. Au mur, notre logo s'exhibe en lettres

mignonnes, rondes et bleu clair : Ayobi – IoB prononcé à l'américaine. Une filiale à l'image de sa typographie, joyeusement régressive, parfaitement inoffensive.

Officiellement, je suis au-dessus de l'ennemi dans l'organigramme, CEO – directeur général – quand lui n'est *que* CMO – directeur marketing. Dans les faits, je n'ai encore jamais pris de décision contre son avis, ni celui de Michelle Park. Cette dernière nous surnomme Wozniak et Jobs, en hommage aux deux cofondateurs d'Apple. D'un côté, le discret prodige, en charge des prouesses technologiques de la boîte. De l'autre, l'as du marketing, qui définit sa stratégie commerciale et son image. Ces surnoms m'agacent toujours un peu : chacun sait que Jobs a fini par prendre toute la lumière.

Je bois mon café sur le balcon, sous une lueur blanche, estivale. Un vent légèrement citronné me caresse la peau. Je m'autorise à lâcher prise une seconde. L'instant serait agréable, sans le *bip* lancinant du *hoverboard* qui signale son besoin de recharge électrique au pied du bâtiment.

Qu'importe, Stan et Chris arrivent déjà. En jean et sneakers tous les deux, ainsi que l'exige le *dress code* local. Une panoplie qui dénote sur l'ennemi tel un déguisement mal ajusté – un ex-consultant, ex-banquier, venu tenter sa chance dans le Nouveau Monde. Il lui a fallu des mois pour troquer sa Rolex contre une Apple Watch, comme en atteste la trace de bronzage à son poignet gauche. Un subterfuge de plus pour se fondre dans un moule qui n'est pas tout à fait le sien.

— Quelle évolution, depuis le Rainbow Room ! s'exclame Chris Murray en me serrant la main.

Il se rappelle de moi, c'est déjà ça. Depuis qu'on a traversé l'Atlantique, Stan n'a plus jamais reparlé de mon admission au Forum – je suppose qu'il n'en a plus besoin. Lui continue d'en être, bien sûr, et c'est par ce biais qu'il a convaincu le milliardaire de faire appel à nous. De loin notre client le plus prestigieux à ce jour. Et une pièce centrale du jeu d'Othello qui m'oppose à l'ennemi : le premier qui saura le rallier à sa cause héritera mécaniquement de ses *followers*, une foule d'autres pions à son avantage. Stan a quelques encablures d'avance, mais je n'ai pas dit mon dernier mot. En attendant, c'est lui qui déroule son pitch :

— Notre mission, pérore-t-il, consiste à créer des armes de persuasion massive en exploitant les données de Qinoa.

À chaque formule, je guette la réaction de Chris Murray. J'ai en mémoire ses discours sur l'obsolescence du modèle, l'ignorance sélective... Nous perçoit-il comme une part du problème ou de sa solution ? Curieusement, j'ai peur de le décevoir. Je redoute son jugement comme autrefois celui de mon père.

— Notre offre se décline en trois produits : TriggerPoint, GhostWriter et le petit dernier, SuccessModels.

Stan présente ma dernière créature, mon algorithme-prodige, capable de modifier en temps réel le visage d'une publicité pour l'adapter aux goûts et préférences de l'utilisateur. Accessoirement, une brique essentielle de mon plan pour l'anéantir.

— Aujourd'hui, quand une marque de soda lance une campagne de promotion sur Instagram, elle montre la même photo à tout le monde : un modèle jeune, sportif et souriant, posant fièrement avec sa bouteille. Pourtant, les données prouvent que John, vingt-huit ans, serait plus sensible à un homme d'affaires énigmatique, regardant l'horizon sans sourire. Tandis qu'une autre utilisatrice, Jessica, préférerait pour sa part une femme noire de quarante ans, ronde et bien dans sa peau. Eh bien grâce à SuccessModels, on va pouvoir prédire le personnage idéal de chaque internaute, et le lui présenter dans le décor, l'attitude et le style qui lui correspondent le mieux. Notre algorithme peut même transformer simultanément l'expression faciale du modèle, en fonction de l'humeur de la cible. Chacun ses goûts, chacun son reflet, chacun son soda !

Chris Murray fronce légèrement les sourcils, l'exemple qu'a choisi Stan doit lui sembler trop mercantile. Je prends le relais :

— Bien sûr, ça ne s'applique pas qu'à la publicité. Sur Internet, le marché de la persuasion est infini, tout est sujet à controverse, même le réchauffement climatique ou la forme de la Terre. Chaque jour un nouvel influenceur, une nouvelle tribu cherche à propager ses croyances et sa vision du monde en prétendant détenir la vérité. Notre conviction, chez Ayobi, c'est que cette guerre des récits se gagnera sur le terrain des images.

Les mots, trop facilement galvaudés et détournés de leur sens, ont perdu leur pouvoir. Mais les images, elles, n'ont que des interprétations : on ne peut pas les contredire. Le but du jeu, c'est de maîtriser l'histoire qu'elles racontent en secret, à l'abri du langage. Montrer, plutôt que démontrer. Insinuer, plutôt qu'argumenter.

— *Show, don't tell* : le slogan de SuccessModels.

Chris hoche vigoureusement la tête : j'ai dit ce qu'il voulait entendre. Victor 1, Stan 0.

10 h 30. À son tour, le milliardaire nous explique son projet : Green New World, GNW pour les intimes, *le plus gros Super PAC jamais créé sur le thème de l'écologie*. Aux États-Unis, encore plus qu'ailleurs, la politique est une question d'argent. Pour propager ses idées, il faut en payer le prix. Toute personnalité, entreprise ou lobby souhaitant changer les choses – ou s'assurer au contraire qu'elles ne changent pas – se doit d'avoir un Super PAC, un fonds pour financer des campagnes et influencer l'opinion. En se payant les services d'une boîte comme Ayobi.

— Je ne suis pas un grand fan des réseaux sociaux, mais l'affaire Cambridge Analytica m'a définitivement convaincu de m'y mettre. Si on abandonne ce territoire aux climatosceptiques et aux ultra-conservateurs, les algorithmes continueront de nous éloigner chaque jour un peu plus de la raison, des faits scientifiques…

Avec Green New World, Chris Murray veut *en finir avec le mythe de la croissance infinie* et promouvoir *un modèle de civilisation compatible avec les limites physiques de notre planète*. Il y a personnellement injecté 3 millions de dollars, avant d'aller persuader d'autres milliardaires de la Silicon Valley d'y contribuer. Dont Peter Cooks, le fondateur et principal actionnaire de Qinoa.

— On doit arrêter de valoriser des comportements, des industries qui nous détruisent à petit feu. Exiger que nos modèles et nos calculs de PIB intègrent les externalités négatives de nos activités – pollution, empreinte carbone, impact sur la biodiversité… Et surtout, reboucher le trou noir de la finance, qui siphonne toute la valeur.

Sa ferveur pourrait rappeler les monologues d'Igor. Mais dans sa bouche à lui, les mots pèsent davantage. Je bois ses paroles, conscient d'assister peut-être à la genèse d'un projet qui va changer le monde.

Assez vite, Stan lui propose une combinaison de nos trois produits, pour afficher à chaque utilisateur un montage illustrant les désastres écologiques auxquels il est le plus sensible – fonte des glaces, espèces en voie d'extinction, migrations climatiques – sous-titré d'un texte adapté à ses croyances, entrecoupé de photos modifiées par SuccessModels pour maximiser son empathie, son indignation. Naturellement, l'ennemi présente ce procédé comme aussi fiable qu'un test ADN. Ce n'est pas tout à fait vrai. Le piège, c'est l'*overfitting* – ou surapprentissage. Quand l'algorithme extrapole à partir d'observations trop fragmentaires. Comme un enfant qui, n'ayant vu dans sa vie que trois hommes chauves, tous vêtus d'un costume bleu marine, en déduirait que *tous les hommes chauves portent un costume bleu marine*. Il arrive ainsi que SuccesModels tombe dans un cliché raciste ou sexiste – au même titre que certains adultes – en prenant ses biais pour des généralités. Mais on arrive toujours à s'en rendre compte à temps pour supprimer les publicités concernées avant que l'incendie ne prenne.

12 h 30. Stan m'annonce la nouvelle vers la moitié de son burger : quand il a raccompagné Chris à l'accueil, celui-ci lui a proposé d'être le porte-parole officiel de son Super PAC. Il devra donner des interviews, répondre aux sollicitations de la presse… Bref, consacrer moins de temps à Ayobi.

— Mais c'est la meilleure vitrine dont on puisse rêver, ajoute-t-il pour me convaincre. L'occasion idéale d'associer notre image à celle d'un projet d'avenir, humaniste et positif.

J'ai beau chercher, pas d'ironie dans son regard. N'importe qui pourrait jurer qu'il est sincère et qu'il se sent profondément concerné par le combat de Green New World… Mais je ne suis pas n'importe qui, je connais mon ennemi comme moi-même. Et j'en fais le serment, Chris ne sera pas son nouveau pion, sa nouvelle victime. Je dévoilerai son imposture avant qu'il puisse lui nuire.

— Et puis, je suis à l'âge où ce genre d'occasions ne se manquent pas.

Voilà qu'il cherche encore à m'apitoyer sur sa quarantaine qui approche. À l'entendre, il vaudrait mieux avoir brûlé un maximum d'étapes avant cet âge fatidique, après quoi la musique s'arrête – les positions se figent. Mais ça ne prend pas. Je sais que les gens comme lui ne plafonnent jamais. Mon erreur principale, sur Solaris, a été de le sous-estimer. Ça ne se reproduira plus. La seule raison pour laquelle il ne m'a pas sorti du jeu à l'époque, ni depuis que nous sommes ici, c'est qu'il a besoin de moi. Sa réussite dépend toujours de mes algorithmes… comme la mienne lui doit à peu près tout. C'est cette interdépendance qui rend le jeu si difficile à lire. Chacun de nous peut légitimement se croire maître et n'être en réalité qu'un pion dans la stratégie de l'autre. Mais ce voile d'ambiguïté va se lever. Bientôt, il y aura un vainqueur et un perdant.

Cette fois, plus question d'une offensive téléguidée. Me servir d'Igor et de Constance était non seulement contestable d'un point de vue moral, mais surtout hasardeux d'un point de vue tactique. C'est à moi d'agir seul, en maîtrisant tous les paramètres.

13 h 40. Au café, l'air de rien, je lui demande des nouvelles d'Anna. Il reste pudique, comme d'habitude à son sujet. Son débarquement héroïque n'a pas suffi à la reconquérir, mais sa détermination reste entière : en quête de rédemption, Stan se tient à carreau depuis des semaines, en deviendrait presque un *mec bien*, ne parle plus des femmes qu'au passé, se remémorant quelquefois ses conquêtes à voix haute, en ancien combattant. Sans doute voit-il en Green New World une nouvelle occasion de s'afficher du bon côté de la morale. C'est désormais son job à plein temps, la raison pour laquelle il se lève le matin : se racheter aux yeux d'Anna. L'autre jour à propos d'elle, il s'est montré particulièrement poète :

— J'aurais dû quitter le *game* dès que je l'ai rencontrée, j'avais touché le pactole ! Mais c'est comme à la Bourse ou au poker : tu veux voir jusqu'où tes gains peuvent monter, et quand tu comprends que ça n'ira jamais plus haut, il est trop tard.

Il a beau dire, je suis persuadé que le démon du jeu reste en lui. La possibilité d'une rechute n'est jamais loin. Ça pourrait lui reprendre à tout moment, comme une envie pressante. Sa chance à lui, c'est qu'on ne croule pas sous les tentations. La Silicon Valley promet l'abondance en tout, sauf en jolies filles – sans doute la raison pour laquelle le *dress code* y est si relâché. Il n'y a qu'à regarder autour de nous : 80 % d'hommes au bas mot, déjeunant en tête à tête avec leur MacBook.

14 heures. Je ferme la porte double vitrée de mon bureau, pour que personne ne m'entende. Constance apparaît à l'écran, ponctuelle et souriante. Nos appels sur Zoom sont une tradition hebdomadaire, tous les jeudis. Les contours de sa chambre, plongés dans la pénombre – il est 23 heures à Paris –, ravivent d'agréables souvenirs.

À mon départ en avril, nous nous étions quittés bons amis. Mais peu à peu, la distance nous a rapprochés : à force de mots tendres, nos corps se sont rappelés l'un à l'autre. En juillet pour son anniversaire, j'ai donc retraversé l'Atlantique en sens inverse, le temps d'un week-end. J'avais tout organisé : apéritif aux Buttes-Chaumont, dîner au Pré Catelan, nuit chez elle… Tout un monde retrouvé, avec sa panoplie de petits bonheurs. C'est simple : nos peaux ne se sont plus quittées pendant quarante-huit heures.

— Quand est-ce que je pourrai venir te voir ?

Depuis, elle pose toujours une ou deux questions de ce genre. Je réponds : « Février, pour mon anniversaire. » Simple précaution : si tout se passe comme prévu, je la rejoindrai bien avant, dans quelques semaines tout au plus. Je débarquerai par surprise, en héros victorieux, enfin libre de lui raconter mon odyssée sans avoir à mentir. Pourquoi je suis devenu cet homme-là. Pourquoi j'ai dû profiter d'elle, au détriment de sa carrière – ses révélations sur Solaris l'ayant affublée d'une image de *lanceuse d'alerte* au sein de sa rédaction, qui ne l'entend pas comme un compliment. Pourquoi le jeu en valait toutefois la chandelle. Et pour lui prouver que *son* Victor n'a jamais disparu, je lui montrerai le seul objet que j'ai rapporté de Paris cet été : le soutien-gorge cerise qu'elle portait le soir de nos retrouvailles et que je garde précieusement, depuis, sous mon oreiller.

Mais en attendant, je préfère la savoir à distance. Sa présence générerait des interférences, de la distraction. L'opération Solaris aurait été nettement plus efficace si je n'avais pas espéré la reconquérir en parallèle. Mieux vaut bien compartimenter les choses. À Palo Alto la guerre et la stratégie, à Paris l'amour et l'insouciance. En partant du Vieux Continent, j'ai laissé ma vraie vie là-bas, pour qu'elle m'y attende.

Régulièrement, sur Zoom, Constance mentionne Igor. Il leur arrive de se voir, boire un café, peut-être une bière. J'imagine ce qu'il doit lui dire sur moi, *Tu devrais te méfier, il te manipule* – je pourrais difficilement lui en vouloir. Lui aussi a monté sa start-up, comme quoi tout arrive. Celle-ci promet de rémunérer les internautes en contrepartie de leurs données personnelles. Une opposition frontale à mon activité, bien sûr. Sans la gratuité de cet or noir, la moitié de la Silicon Valley ferait faillite en quelques semaines, dont Ayobi. Mais Igor échouera, pour la même raison que tous les autres avant lui : si les boîtes comme la mienne devaient payer pour espionner les internautes, ceux-ci devraient en contrepartie payer leur messagerie, leurs échanges de selfies, leurs tutos cuisine et leurs vidéos porno... Personne ne veut d'une chose pareille.

N'empêche que sur les photos, Igor paraît transformé. Il s'est laissé pousser une barbe de trois jours et son regard a cette lueur que je connais bien, éteinte et brûlante à la fois. En interview, je le trouve moins idéaliste et moins franc, plus apte à réussir. À Paris, sa start-up vient de lever 500 000 euros : ce n'est certes pas grand-chose mais, pour lui, c'est du jamais-vu. Et je me dis que c'est un peu grâce à moi, s'il s'affirme et devient une meilleure version de lui-même. Igor n'a jamais été consultant ni banquier, c'est un innovateur, insatisfait du monde tel qu'il est. En le rendant inemployable et en attisant sa révolte, je lui ai rendu service.

Je jurerais du reste l'entendre lui, quand Constance se met à critiquer les entreprises de la Silicon Valley, à parler de capitalisme de surveillance ou de manipulation des masses... Je réponds qu'elle exagère, en me félicitant qu'elle ne soit pas là pour voir ce que je fais au quotidien. Derrière l'écran, je peux filtrer l'information. Cet après-midi, je lui parle essentiellement de Green New World et ça lui fait plaisir. Pour un peu, on dirait qu'elle est fière de moi.

16 heures. Entretien d'embauche avec Ethan, surdoué Asperger de vingt-deux ans, dont cinq chez Amazon. J'en reçois des comme lui chaque semaine : des magiciens des réseaux de neurones convolutifs, des tueurs en systèmes de récompense, des mordus de réseaux antagonistes génératifs... Des *petits génies* du monde entier, venus fouler la Terre promise. D'anciens gamins précoces ayant un jour voulu, comme moi, maîtriser une science incompréhensible qui allait conditionner nos vies futures.

À voir défiler ces types qui, à peine pubères, sont déjà considérés comme des pointures mondiales dans leur domaine, j'ai quelquefois du mal à me sentir légitime. Il faut dire que ces dernières années, j'ai davantage étoffé mon profil sur LinkedIn que sur GitHub ou Stack Overflow. Face à Ethan, il me faut plusieurs recherches Google pour pouvoir suivre. Mais je finirai sans mal par le convaincre de bosser pour moi, comme tous les autres. J'ai recruté comme ça toute une armée d'élite. Une légion de geeks avec des salaires annuels à six chiffres, nettement supérieurs à ceux des commerciaux qui travaillent pour Stan. Il était écrit quelque part que je vengerais mon père ici, dans la seule région du monde où les ingénieurs ont plus de valeur que les hommes d'affaires.

Le mieux payé de tous, c'est Wilson, un autodidacte barbu de quarante-deux ans, portant toujours un T-shirt noir sur lequel est inscrit le nom d'un groupe de heavy metal différent, et se désaltérant uniquement avec des boissons énergisantes. Le seul employé d'Ayobi qui soit né aux États-Unis. À vrai dire, Michelle Park ne m'a pas trop laissé le choix sur son recrutement : « Il a conçu toute notre architecture et celle de nos filiales, tu ne trouveras pas mieux. » Son job consiste à rendre invisibles toutes les contingences techniques susceptibles de causer l'effondrement d'une boîte comme la nôtre : réseau, cybersécurité, cloud... Ses faits d'armes chez Qinoa lui valent d'échanger régulièrement avec Peter Cooks – que ni Stan ni moi-même n'avons encore rencontré – ou encore d'être mieux rémunéré que nous... et mieux qu'un ministre, accessoirement.

17 heures. Seul à mon bureau, j'explore encore une fois la Matrice, en quête d'une information qui m'aurait échappé. C'est Wilson, justement, qui m'a appris l'existence de cette base de données cachée, protégée par un mot de passe et nommée *matrix_db* en hommage au film avec Keanu Reeves. Un midi, il est entré dans mon bureau sans frapper : « J'ai parlé à Peter [il voulait dire Peter Cooks], il te laisse voir la Matrice pendant trois mois, pour affiner ton ciblage sur le projet de Murray. » J'ai demandé de quoi il s'agissait. Il a haussé les épaules, avant d'ajouter : « C'est plus ou moins légal, donc tu ne dois en parler qu'à Stan et à personne d'autre... Et surtout pas par e-mail, compris ? » Parfois, c'est à se demander qui de nous deux est le patron de l'autre.

Je me rappellerai toujours ma première connexion, il y a dix jours, grâce aux codes qu'il m'avait inscrits sur un Post-it. Mes yeux écarquillés devant l'écran, la bouche ouverte, comme face au trésor d'Ali Baba. Et encore : il m'a fallu plusieurs jours pour saisir l'incommensurable valeur des données qui s'offraient à moi. Des billions de conversations privées, en provenance d'applications de messagerie que tout le monde utilise – et dont Qinoa détient 5 %. Des pétaoctets de logs techniques permettant de retracer, à la milliseconde près, le parcours de chaque internaute au monde sur certains des réseaux sociaux les plus populaires – et au conseil d'administration desquels siège Peter Cooks. L'intégralité des conversations d'une App de rencontres que le milliardaire vient de racheter. Et tant d'autres richesses encore. Un don d'omniscience inavouable, inestimable. J'en ai eu la chair de poule, et même les yeux humides.

Ma victoire était plausible, elle est devenue quasi certaine.

Bien sûr, je n'ai jamais rien dit à Stan. Bien utilisée, cette arme pourrait m'être aussi fatale qu'à lui. En se faisant aider par un geek, il pourrait relier toutes mes identités entre elles : Victor Newman, Emmanuel Martin et les autres… Dès lors, il pourrait simplement tout *voir*. Le faux profil bavarois que j'ai créé pour l'espionner, dès 2012. Les copier-coller des carnets de mon père sur les groupes de Gilets jaunes. L'historique des filles que j'ai séduites, des alliances que j'ai nouées, des feux que j'ai tenté d'allumer. Toute ma stratégie résumée, donc anéantie, en une centaine de mégaoctets.

Pour ne pas attiser sa méfiance au bureau, j'y ai passé des nuits blanches. L'œil happé, captivé par l'histoire privée de l'ennemi : ses conquêtes, ses tactiques, ses amours, ses faiblesses. J'en ai appris davantage en dix jours qu'au cours des huit dernières années. J'ai tout pris en note sur mon iPhone, consignant ses moindres faits et gestes. Je peux désormais savoir tout ce qu'il sait, et tout ce qu'il ignore.

19 heures. Sur la trottinette qui me raccompagne au parking, je sens monter quelque chose entre le trac et le scrupule. Je pense à Constance, au fantôme d'Igor, aux cinq appels manqués de ma mère, à ce que je m'apprête à faire, et ces pensées forment ensemble une mixture peu digeste.

Je prends une longue inspiration. Ce n'est pas le moment de flancher.

Les émotions sont comme des appâts – le type de *Life Hacking* en parlait ce matin. Le piège, c'est de mordre à l'hameçon. Douter, hésiter, ressasser, culpabiliser, le corps a comme ça toute une batterie de réflexes stériles, à ignorer. Seul compte l'objectif, lui seul donne un sens à votre histoire. Le mieux que je puisse offrir à Constance, à ma mère et même à Igor, c'est ma réussite : leur prouver que je n'ai pas fait tout ça pour rien. Une fois l'ennemi battu, ils comprendront.

20 heures. Comme tous les jeudis soir, Stan et moi prenons un verre au bar de Cypress Creek, notre cossue résidence pour cadres de la tech, en plein sur Sand Hill Road. Un petit paradis privatif aux prestations haut de gamme – piscine, jacuzzi, salle de sport. Le loyer de 4 500 dollars, pour notre duplex en dernier étage, est intégralement pris en charge par la société. Sur la terrasse du bar à cocktails, en bord de piscine, certains sont encore en maillot de bain. Ici, quand arrive l'automne, on ne songe qu'à se découvrir quand tout le pays se rhabille. L'air nocturne est estival, chargé des mêmes effluves citronnés que celui du jour.

Passé dix minutes, deux filles joliment apprêtées s'installent à la table voisine et commandent un mojito mangue. L'ennemi se laisse distraire, ses regards le trahissent. Quand elles engagent la discussion, il hésite pour le principe mais ses automatismes l'emportent et après quelques échanges, il leur propose de se joindre à nous. La plus blonde s'appelle Erin et l'autre, Lara. Elles étudient à Stanford mais sont amies depuis le lycée. Le frère d'Erin est barman dans la résidence mais apparemment il n'est pas là ce soir. La discussion se prolonge ainsi, futile et innocente. Elles nous décrivent les boulots qu'elles font pour payer leurs études. Le vendredi soir, elles sont *eye candies* : des start-up les invitent à leurs soirées pour qu'elles fassent semblant de s'y amuser et de s'intéresser aux geeks sur place. Dans cette région, la surabondance d'informaticiens mâles, introvertis et bien payés nourrit toute une industrie de la séduction programmée. Si une jolie fille vous parle en soirée, il y a une chance sur deux pour que ce soit son métier.

— Bon, avouez... Vous travaillez ce soir, pas vrai ?

Ma réplique fait rire tout le monde. L'habitude revient vite. Sans grande surprise, l'ennemi a jeté son dévolu sur Erin. Il faut dire qu'elle ressemble beaucoup à Anna, en plus jeune. Son regard comme ses reparties transpirent l'intelligence : un excellent choix. Stan a bien compris qu'il lui plaisait mais semble partagé, entre l'euphorie de retrouver ses réflexes et la peur d'une rechute inconsidérée. J'ai même l'impression qu'il se méfie. L'air de rien, il lui a déjà demandé sa date de naissance, ce qu'elle étudiait à Stanford... Pour un peu, il va bientôt vouloir voir sa carte d'identité. Les réponses qu'elle lui donne, douces et piquantes à la fois, finissent toutefois par dissiper ces quelques préventions. Dès lors, je retrouve mon partenaire de jeu qui, après six mois de pause, n'a semble-t-il rien perdu de ses talents pour la séduction. Les yeux d'Erin brillent déjà sans effort, quand ceux de Lara m'observent encore.

21 h 30. Tout le monde en est à son quatrième cocktail – sauf moi, qui entrecoupe à l'eau gazeuse. Stan est complètement sous le charme d'Erin, qui lui fait le coup des négations : *tu ne me fais aucun effet, on n'irait pas très bien ensemble, je ne vais pas tarder...* Tandis que son corps, bien sûr, laisse entendre l'inverse. L'ennemi connaît la partition par cœur, cette danse, ce va-et-vient dont il maîtrise tous les dosages.

22 h 30. Par simple curiosité, les filles ont demandé à quoi ressemblait le dernier étage de la résidence. Après un selfie de groupe sur notre terrasse et un dernier verre, Erin a voulu visiter la chambre de Stan et n'en est plus ressortie. À présent, Lara est assise sur mon lit, jambes croisées. En attente. Je lui fais comprendre qu'il ne se passera rien, car je suis amoureux d'une autre. Sa déception, son air attendri la rendent plus adorable encore, mais je garde mon désir bien à distance. Le corps finit toujours par nous trahir. L'ennemi devrait le savoir.

Lara aurait sans doute préféré être à la place d'Erin, en ce moment même. Je peux le comprendre. D'ailleurs, au milieu de la discussion, je demande si elle a déjà partagé un homme avec son amie. Elle rougit, ne dit pas non. Me montrant exceptionnellement ouvert d'esprit, je lui assure que Stan y serait favorable. Il lui faudrait juste toquer à sa porte, et sans rien dire il comprendrait, s'occuperait du reste. Elle ne sait pas comment réagir, mais je vois que l'idée germe dans son regard, qu'il me suffirait de l'encourager un peu. C'est contre-intuitif, et presque douloureux, de voir une aussi jolie fille en minijupe sur votre couette et de l'envoyer dans les bras de votre adversaire. Mais c'est le jeu. Il faut parfois savoir sacrifier une position favorable, pour gagner la guerre.

26

Dans l'auditorium, chacun se presse de retrouver son fauteuil rouge. Stan et moi sommes installés au deuxième rang, parmi les VIP. Je lui demande combien de cartes de visite il a obtenu pendant l'entracte. Il répond « Six ou sept », sans me retourner la question. Tant mieux, car j'en ai récupéré trois seulement, et de moins gros poissons que lui : il me montre celle d'un VP de Google, une autre d'Apple... Pour faire bon poids, il ajoute :

— J'ai croisé Chris, qui m'a offert deux places pour le Reboot Institute, le week-end du 19. Ça te dit ? Apparemment, il y aura du beau monde.

J'ignore ce qu'est le Reboot Institute mais, en termes de beau monde, le TEDx SiliconValley place déjà la barre assez haut. Une foule prestigieuse se presse ici pendant deux jours, pour écouter les conférences et *networker* pendant les pauses. L'édition de cette année se tient à l'université Stanford, incontestablement *the place to be* de ce mois d'octobre. Et l'endroit rêvé, surtout, pour se faire de nouveaux alliés. À la prochaine pause, je devrai mettre les bouchées doubles.

Pour l'heure, les lumières s'éteignent et les discussions s'atténuent. Sur scène, les projecteurs se braquent sur le rond de moquette rouge où vont se succéder les orateurs. Dans deux heures, c'est moi qui m'y tiendrai. Sur les brochures et kakémonos, ma photo – en noir et blanc, souriant à peine et regardant ailleurs – figure en seizième position, après celle de pointures comme Elon Musk, Peter Cooks ou Chris Murray. Michelle Park a tranché en ma faveur au dernier conseil d'administration : « En tant que CEO, c'est Victor qui doit être le visage d'Ayobi. » Stan a franchement fait la gueule, c'était savoureux. Pour une fois c'est donc Wozniak, et pas Jobs, qui va prendre la lumière.

Pour l'occasion, j'ai pris un coach d'éloquence. Il m'a demandé de lister les trois messages clés que le public devait retenir de mon discours. Ça n'a pas été difficile. Message n° 1 : *Ayobi est une future licorne* – comprendre, une start-up valant plus d'un milliard de dollars. Message n° 2 : *J'en suis la tête pensante, le cerveau qui se cache derrière ses prouesses* – comprendre, Stan a beau s'attribuer leur crédit, ce sont *mes* algorithmes, inspirés de *mon* expérience et des leçons que *j'ai* tirées du *game*. Et par conséquent message n° 3 : *Je suis la seule personne indispensable chez Ayobi*. Si l'ennemi venait à nous quitter, ça n'affecterait pas la valeur de la boîte. De loin le message le plus important à faire passer.

Après Solaris, je ne survivrai pas à un autre pétard mouillé. Aussi, avant de lâcher ma bombe, je dois m'assurer qu'elle causera un maximum de dégâts. Que Stan n'aura pas d'alliés assez puissants pour étouffer sa déflagration. Que personne ne le jugera *too big to fail* et n'orchestrera son sauvetage. Qu'il n'aura pas non plus assez d'influence pour m'entraîner dans sa chute. Anticiper tout ce qui pourrait dysfonctionner, tous les futurs possibles. Éliminer toute incertitude avant de passer à l'action.

Ce jeu-là exige de la patience. Il m'en a déjà fallu beaucoup. Combien de filles j'ai dû contacter, combien de conversations et d'erreurs de casting, avant de tomber sur deux perles comme Erin et Lara… En découvrant leur profil sur SeekingArrangement

– une App répertoriant les *sugar babies* de votre région – j'ai tout de suite ressenti l'évidence. C'était comme tomber amoureux. Elles correspondaient toutes les deux parfaitement aux standards esthétiques et intellectuels de l'ennemi, que je connais désormais par cœur. Sur toutes ses photos, la similitude entre Erin et Anna était frappante. Son amitié avec Lara ouvrait des options scénaristiques intéressantes. Et surtout, contrairement à ce qu'affirmait leur profil, une exploration des bases de données de Qinoa m'a rapidement permis d'établir qu'elles avaient dix-sept ans, soit un an de moins que la majorité sexuelle en Californie – le critère principal. Sans doute le seul point sur lequel elles ont eu à nous mentir, ce jeudi 3 octobre.

Règle n° 9 : *la compétition se joue sur le terrain des affaires, mais se gagne en dehors*. Pour s'en convaincre, il suffit de relire l'historique des scandales politico-financiers aux États-Unis. Collusions, délits d'initiés, trafics d'influence, conflits d'intérêts, évasion fiscale : le choix est vaste mais l'efficacité douteuse. À moins d'une ampleur exceptionnelle, ces pratiques sont plus ou moins passées dans les mœurs et, de nos jours, rares sont les carrières qui se brisent pour si peu. Non, pour une efficacité maximale, c'est documenté, démontré, mille fois vérifié : rien ne vaut une sordide affaire de fesses.

Il a fallu tout gérer par message, pour garder l'anonymat. Me faire passer auprès d'Erin et Lara pour un généreux investisseur, souhaitant offrir une surprise à ses associés. Leur envoyer nos photos. Demander une *girlfriend experience* : inutile d'expliciter le caractère tarifé de la relation. Leur faire livrer des talons aiguilles comme les consultantes en raffolent, le rouge à lèvres et le parfum préférés d'Anna, ainsi qu'un collier bohème comme celui qu'elle portait sur ses photos de vacances avec l'ennemi, en Sicile. Leur suggérer d'être douces et piquantes à la fois. Leur prodiguer des conseils pour nous séduire, comme le coup des négations : Anna écrivait beaucoup de messages de ce genre à Stan, au début de leur relation.

Les modeler à son souvenir et à son goût, comme des madeleines de Proust. Atteindre un même niveau de personnalisation qu'avec SuccessModels. Puis leur faire signer un accord de confidentialité numérique – « *la procédure standard, nos juristes ont l'habitude* » – et cacher les fils, pour que la rencontre ait l'air magique.

À vrai dire, je ne m'attendais pas à ce que tout se passe à ce point comme prévu. La vérité, c'est que le comportement des gens est beaucoup moins incontrôlable et imprévisible qu'on le croit. Il suffit de bien les connaître et d'activer les bons leviers. Ne rien laisser à la chance et au hasard.

La salle applaudit. Un jeune type vient d'apparaître sur scène, pour nous convaincre en neuf minutes que sa start-up est sur le point de réinventer le tourisme. *Applaudissements*. Un autre arrive, nous annonce qu'il va disrupter l'automobile. *Applaudissements*. Un troisième nous jure qu'il va révolutionner l'assurance. *Applaudissements*. Tous ceux qui se succèdent sur le disque de moquette rouge sont formels : la technologie nous donne le pouvoir – donc le devoir – de tout ubériser. Aucune forme d'activité humaine n'a encore trouvé sa forme optimale, sa version définitive. Villes intelligentes, véhicules autonomes, justice prédictive, tourisme spatial, santé connectée, tout y passe… Chaque CEO présente sa start-up comme le futur Apple, une poule aux œufs d'or dont la valeur se décuplera chaque année.

Dans le public, les arbitres de ce concours de beauté sont les VC – *venture capitalists*, l'équivalent local des banquiers d'affaires. Ici, pour s'enrichir, on n'investit pas sur le patrimoine ou les vieilles pierres. C'est le futur qu'on se partage, sous forme de prophéties entrepreneuriales, sur lesquelles on place ses millions comme on planterait son drapeau, en sachant qu'une infime portion d'entre elles se réaliseront et généreront des profits record. Le jeu sur scène consiste donc à attiser la FOMO de ces investisseurs, en leur promettant qu'un nouveau monde est sur le point d'advenir et que les places seront chères – mieux vaut réserver la sienne dès aujourd'hui.

Mais à force de discours copiés-collés, cette liturgie techno-béate devient un brin monotone. Comme à la messe, il est inévitable de piquer un peu du nez. Le dos calé dans mon fauteuil, les yeux mi-clos, je me replonge dans mes rêveries habituelles.

Ces temps-ci, mes songes se précisent. Je cours toujours sur cet escalier, interminable, apparemment infini. Autour de moi, des dizaines de Victor en costume-cravate se bousculent, enragent, paniquent ou désespèrent de n'avoir toujours aucune idée de leur destination. Des adversaires à battre, mais aussi des compagnons de route, qui viendront bientôt à manquer. Derrière nous, les vagues en engloutissent par centaines. D'étage en étage, les concurrents se raréfient. Et le niveau de l'eau, qui continue de monter à vue d'œil, dissuade franchement de s'arrêter pour leur rendre hommage, ou même pour réfléchir. Alors je cours, je vole, sans me retourner. Le pas toujours plus leste, le corps plus léger. Avec l'intime conviction que je suis l'élu, le Victor optimal, désigné par la sélection naturelle pour parvenir au dernier étage du monde. Après avoir semé tous les autres.

Une salve d'applaudissements plus nourrie que les précédentes me réveille de ma torpeur. Chris Murray s'avance sur scène, à l'aise comme s'il venait ici tous les jours. La même allure de geek mal fagoté que les orateurs précédents, mais un charisme et une présence incomparables. Comme me l'a conseillé mon coach, il débute par un peu de storytelling :

— Ce matin avant la conférence, je me promenais dans Stanford. J'ai d'abord vu des étudiants prendre une trottinette électrique pour avancer de cinquante mètres, le nez collé à leur écran comme si rien n'existait autour d'eux.

Au même instant, on projette derrière lui un extrait du film *Wall-E*, montrant des humains obèses avachis sur des fauteuils mouvants, les yeux rivés à leur écran individuel.

— Puis je suis arrivé dans cet auditorium et j'ai entendu parler de voitures autonomes, de reconnaissance faciale et de prédiction des crimes.

Cette fois, c'est un extrait de *Minority Report* qui apparaît dans son dos. Puis il établit encore d'autres parallèles de ce genre – *Blade Runner*, *1984*, *Le Meilleur des mondes* – avant d'en venir au fait :

— Comment se fait-il que nos innovations technologiques évoquent à ce point des dystopies écrites pour nous mettre en garde ?

Pendant son discours, je m'amuse à déchiffrer les messages clés que Chris veut faire retenir au public. Message n° 1 : *La Silicon Valley a perdu sa boussole.* Tout ce qu'elle invente est à double tranchant. En créant Twitter, elle a créé Trump. En créant Facebook, elle a créé Cambridge Analytica. En repoussant les limites de l'intelligence artificielle, elle a repoussé celles de la surveillance et de la manipulation des masses. Message n° 2 : *Il nous FAUT une boussole, un modèle de civilisation souhaitable vers lequel nos progrès doivent tendre.* Sinon, il suffira d'un rien pour que le rêve siliconien d'émancipation de l'homme par la technologie ne dévisse en cauchemar. Message n° 3 : *Il y a urgence car, sous couvert de nous offrir de nouveaux pouvoirs, chaque technologie nous rend un peu plus dépassés par le monde qu'elle dessine à notre place.* Puis il clôt son discours par une touche plus personnelle, comme me l'a conseillé mon coach, en évoquant ses deux filles et le monde qu'il aimerait leur laisser. Ému, il n'arrive pas à réprimer totalement un trémolo dans sa voix. Je sens monter cette marée chaude et familière en moi, par empathie, mais je ne mords pas à l'hameçon.

Bientôt les lumières se rallument : c'est la pause. Les gens se lèvent en applaudissant sans qu'on puisse réellement savoir s'il s'agit d'une standing ovation ou s'ils sont simplement pressés de sortir prendre l'air.

Pendant que Stan s'en va féliciter Chris en coulisse, je me précipite dans le hall pour rattraper mon retard de *networking*. Je cherche en priorité le contact avec les VC – reconnaissables à leurs airs d'adultes et leur chemise rentrée dans le pantalon. La plupart des *venture capitalists* ont leur siège sur Sand Hill Road, à côté de la résidence Cypress Creek : un bon moyen de briser la glace. Une fois la discussion lancée, je leur demande ce qu'ils ont pensé des discours. La première réponse donne toujours le ton. Il y a ceux qui encensent Chris Murray, son courage, ses mots justes... et il y a les autres. L'actionnaire principal de CrimePredict, par exemple, estime que le milliardaire a « beau jeu de critiquer le capitalisme, maintenant que sa fortune est faite ». Celui de FaceScan rebondit, plus goguenard : « Moi, il m'a convaincu, je plaque tout dès ce soir et je vais chez Greenpeace. » Un investisseur historique de Lime et Uber paraphrase Patrick : « J'aime beaucoup Chris, mais il donne trop de leçons de morale aux gens. » Un autre encore, au capital d'une palanquée de start-up à la pointe de l'intelligence artificielle, a comme moi perçu l'émotion dans la voix du milliardaire : « J'ai trouvé ça franchement embarrassant. » Avant de m'assurer qu'« on ne battra pas les Chinois avec de bons sentiments ». Je hoche la tête, en souriant.

À Palo Alto, la guerre des récits fait rage comme partout ailleurs. D'un côté, de nombreux actionnaires et transfuges d'Amazon, Facebook, Apple ou Google deviennent lanceurs d'alerte et, comme Chris Murray, clament que les géants du Web ont trahi leurs idéaux fondateurs et militent pour un changement de modèle économique – leur fortune ne doit plus être indexée sur leur accumulation de données personnelles. De l'autre, les partisans d'un capitalisme pur et dur – libertariens, transhumanistes et techno-optimistes de tous bords – se regroupent en chapelles pour vilipender ces Cassandre hostiles au progrès qui voudraient scier la branche sur laquelle ils sont assis, ralliant à leur cause tous ceux qui ont intérêt à ce que la fête continue. Et comme pour tout conflit, chacun est tôt ou tard sommé de prendre position pour un camp ou pour l'autre, en fonction des start-up sur lesquelles il a parié, du sens du vent, de ce qu'en pense son réseau puis, en ultime recours, de son opinion personnelle.

Ma position à moi, bien sûr, consiste à n'en avoir aucune. Cette guerre des récits profite à Ayobi, donc à ma cause. Je tâche seulement de susurrer les mots justes à chaque oreille. Mon personnage est parfaitement soluble dans toutes les visions du monde. J'agis à la manière de SuccessModels : un miroir intelligent, toujours orienté de sorte à convertir mon vis-à-vis. Michelle Park a repéré ce talent chez moi dès nos premières conversations à New York, cette aptitude à changer de récit sur commande. Une qualité fondamentale, pour être CEO : en fonction de l'interlocuteur, vous devez savoir pitcher votre start-up avec autant de cynisme que de candeur. Aux VC, parler du coût d'acquisition d'un utilisateur ou de monétisation des données, tout en racontant au public une histoire parallèle, romantique, sur la mission que vous vous fixez. Avec Facebook par exemple, Zuckerberg veut *rendre l'humanité plus ouverte et connectée*. Avec Google, Brin et Page veulent *rendre la connaissance accessible partout sur terre*. Et moi, avec Ayobi, je veux *rendre la réalité plus proche de nos rêves*. Personne ne doit jamais savoir auquel de ces deux récits vous croyez le plus. On doit toujours vous trouver aussi convaincant, aussi sincère en Victor Laplace qu'en Victor Newman. Vous existez simultanément dans ces deux états parallèles. Un être quantique.

Alors que je commence à me sentir euphorique, avec mes cinq cartes de visite glanées en un quart d'heure, l'ennemi fait son apparition dans le hall et sa valeur déforme instantanément l'espace-temps. Avec lui se trouvent trois pièces maîtresses de notre partie d'Othello. Chris Murray, logique. Mais aussi Anna Fourcade – qui a pris une telle dimension chez Facebook qu'elle appartient désormais au gratin de la Valley. Et surtout Peter Cooks, que je m'étais juré de rencontrer le premier ! Ma mâchoire se crispe et dès lors, je n'entends plus rien de ce que dit mon interlocuteur, un VC pourtant bien placé chez Sequoia Capital – à quoi bon réseauter, si l'ennemi peut compter sur de tels alliés ? Et si Peter Cooks lui parlait de la Matrice ? Ce serait la fin. Peut-être est-ce déjà fini, sans que je le sache encore. Peut-être qu'Igor avait raison depuis le départ : *ces types-là sont intouchables*. Je me surprends à marmonner, d'un ton grave et solennel :

— Personne n'est intouchable.

J'envoie mes émotions à distance, sans me laisser appâter. Ce n'est pas parce que Stan s'affiche aux côtés des VIP qu'ils sont nécessairement du même camp. À cette altitude, on ne distingue plus les amis des adversaires. D'ailleurs avec Anna, en y regardant bien, il se comporte moins à la manière d'un allié que d'un courtisan. Même à distance, ça crève les yeux qu'il cherche trop son regard, son approbation. Comme si le fait qu'elle lui échappe encore lui faisait oublier tout ce qu'il sait du *game*, toutes les règles qu'il m'a inculquées. Avec Peter Cooks, ses échanges sont plus affirmés, mais n'ont pas la même familiarité qu'avec Chris Murray. Manifestement, ils font encore connaissance. Pas encore de quoi le rendre *too big to fail*.

Je me ressaisis. Rien n'est joué. L'important pour l'heure c'est de réussir mon discours, faire bouger les lignes. Personne ne peut s'attendre à ce que je vais présenter, pas même Stan. J'ai tout fait pour garder la surprise – et un coup d'avance.

Une demi-heure plus tard, j'assiste à l'entrée sur scène de Peter Cooks, sur un écran depuis les coulisses, à moitié tétanisé par le stress de devoir bientôt prendre sa place. Dès son arrivée sur le rond de moquette rouge, un silence religieux s'empare de la salle. De tous les techno-évangélistes de la Vallée, il est le plus écouté, le plus estimé. Celui dont les prophéties se sont le plus souvent réalisées. Celui qui, ces vingt dernières années, a plus atteint le saint des saints – l'introduction en Bourse triomphale – que n'importe qui d'autre. Contrairement à son ami Chris Murray, qu'on a pris l'habitude d'entendre, sa parole est rarissime – une ou deux apparitions publiques par an, maximum –, ce qui ajoute encore à sa valeur. On peut du reste s'en rendre compte à son absence de sourire, de charisme et même d'expression faciale. À son élocution, aussi, monocorde et sans relief – pour un peu, la voix qui me résume l'actualité chaque matin paraîtrait plus humaine. Pourtant ses biceps gonflés, sa peau lissée par quelque molécule miraculeuse et sa coupe de cheveux, vaguement à la mode, tendraient à faire illusion quant à sa maîtrise des apparences. Mais ce sont ses gestes qui le trahissent, comme un automate en cire : plus vrai que nature et cependant incapable de s'animer correctement. Son cerveau semble avoir dix coups d'avance sur son corps, en constant rattrapage. Parfois, le débit de sa voix se désynchronise du rythme de ses pensées et il bute sur une syllabe, la répète plusieurs fois puis finit par se taire, vaincu, le temps que le bug se corrige. Je m'amuse alors à penser que la personne devant nous n'est *pas* Peter Cooks et que le milliardaire a créé une intelligence artificielle à son effigie – pas encore totalement au point – pour monter sur scène à sa place.

En dépit du vacarme en coulisse et du compte à rebours en chiffres rouges qui préfigure mon entrée sur scène, son discours réussit néanmoins à captiver mon attention. De sa voix robotique, le fondateur de Qinoa délivre un monologue parfaitement limpide, cohérent, sans aucun support visuel ni trac visible. Message n° 1 : *L'économie mondiale repose sur le crédit : il suffit que ses mécanismes se grippent et tout s'effondre, comme en 2008.*

Message n° 2 : *Le crédit repose sur la confiance en l'avenir : une banque prête de l'argent parce qu'elle croit à un futur meilleur, sur lequel elle touchera des intérêts.* Message n° 3 : *Notre confiance en l'avenir repose sur nos innovations technologiques.* Donc l'économie mondiale repose sur nos innovations technologiques, CQFD. Et il incombe à la Silicon Valley de montrer la voie, comme Florence à la Renaissance ou Paris au siècle des Lumières.

Contrairement à 99 % des gens présents, Peter Cooks vit dans la baie de San Francisco depuis l'invention du microprocesseur : l'an zéro. Il a vu naître la première bulle internet, quand on pouvait devenir millionnaire en créant un site de nourriture pour chiens, puis l'a vue mourir au début des années 2000, des hordes de gens se retrouvant fauchés en aussi peu de temps qu'ils étaient devenus riches. Alors que les capitaux désertaient la région, lui et quelques autres y sont restés, revendant leurs start-up à de naïfs magnats de la côte Est. Ensemble, ils ont fait le serment de bâtir une version 2.0 de l'utopie siliconienne, plus ambitieuse et plus résiliente. Une corne d'abondance dont les fruits ne seraient jamais plus accaparés par Wall Street et l'ancien monde. Une enclave affranchie des limites physiques, où la croissance exponentielle serait éternellement possible.

Très vite, Cooks a été parmi les premiers investisseurs à croire en Facebook, Twitter, Airbnb, Uber, Snapchat, Pinterest, Instagram, LinkedIn, WhatsApp... En à peine dix ans, la Silicon Valley est redevenue l'usine à succès planétaires qu'on connaît, et Internet ce fabuleux déversoir où on peut devenir millionnaire en publiant des vidéos de son chat.

Aujourd'hui modèle à suivre, Cooks publie des best-sellers expliquant comment devenir, comme lui, un *growth hacker* – pirate de la croissance. Considéré comme un guide spirituel de cette vallée, il a pour mission de faire sens des milliers de prophéties autocentrées qu'on y profère chaque jour pour en extraire des mythes collectifs et une religion commune à toute la baie de San Francisco. Sa parole trace un chemin, dessine un horizon, une cohérence entre toutes nos échappées solitaires.

Après m'avoir équipé d'un micro-cravate, le régisseur m'annonce que c'est à moi dans une minute. Montée d'angoisse. J'avais oublié que mon discours était à ce point imminent. Soudain, je me prends à envier l'apathie et l'atonie du milliardaire, tandis que le sien se termine.

Un instant plus tard, me voici fatalement seul, au milieu d'une flaque de moquette rouge. J'ai croisé Peter Cooks avant d'entrer sur scène : il ne m'a même pas regardé. Sait-il au moins que je dirige une de ses filiales ?

La salve d'applaudissements qui lui était destinée s'est en tout cas tarie depuis plusieurs secondes. Soudain plongée dans l'ombre, la foule paraît menaçante. La difficulté de s'adresser à trois cents personnes en même temps, c'est que le coup du miroir ne fonctionne pas. Impossible d'étudier les attentes de chaque cible, d'offrir à chaque regard ce qu'il voudrait voir. Il faut viser à l'aveugle. Comme privées de leurs sens, mes pensées se dispersent à toute vitesse. Je me rappelle les conseils du coach : imaginer un visage à fixer, au milieu de la salle. J'inspire un bon coup, je fais le vide. Constance apparaît vers le cinquième rang. Plus rien n'existe à part elle et moi, le prompteur et ma voix qui résonne dans l'obscurité.

— Vous avez entendu beaucoup de discours aujourd'hui, alors, pour le mien, j'ai choisi de faire court. Vous allez comprendre pourquoi.

Comme prévu, je commence par expliquer le test de Turing, conçu par le père de l'intelligence artificielle : une personne échange des messages avec un interlocuteur secret et doit deviner s'il s'agit d'une IA ou non. Si l'algorithme réussit à se faire passer pour humain, il valide le test.

— Comme disait Turing, c'est un jeu d'imitation : le but est de duper l'intelligence humaine. Imiter jusqu'à tromper, c'est aussi ce qu'a réussi Deep Blue contre Kasparov, en 1997.

Face à moi, j'imagine le regard bienveillant de Constance et son sourire moqueur quand je lui raconte mes *trucs de geek*.

— Or, ces dernières années, on réalise que le plus difficile à imiter, mais aussi à duper chez un être humain, ce n'est pas son *intelligence* mais son *regard*.

Il a fallu seulement trois ans pour que la machine de Turing décrypte le chiffrement des communications nazies. Mais il a fallu un demi-siècle et des avancées considérables pour qu'un algorithme puisse reconnaître une simple photo de chat, de chaise ou de voiture avec autant d'efficacité qu'un enfant de trois ans. Car le regard humain, merveille technologique, perçoit une foule d'informations qui ne transparaissent jamais dans nos discours ou nos messages. La communication passe avant tout par les yeux.

— Sur Snapchat, Instagram, YouTube, les images ont déjà remplacé l'écrit. Dorénavant l'information s'échange à l'oral, face caméra.

Chris Murray a évoqué cette absurdité écologique dans son discours : on pourrait stocker toute la connaissance humaine contenue sur Wikipédia sur cinq DVD seulement – presque aucune empreinte carbone –, mais puisqu'on incite chaque internaute à se filmer en ultra-haute définition pour exprimer à tout moment son point de vue, on a constamment besoin de débits plus rapides et de *data centers* plus volumineux.

— Alors, chez Ayobi, on s'est lancé le défi de créer la première IA qui réussit *visuellement* le test de Turing.

Quelques murmures succèdent à mon annonce – j'ai réussi mon effet. Le monde s'apprête à découvrir la version 2.0 de SuccessModels : *In Motion*. Le premier algorithme capable de changer en temps réel l'apparence d'une personne en vidéo

– son visage, son style, ses émotions – en fonction du profil de la cible. Le tout avec un réalisme à couper le souffle, en ultra-haute définition. Un chef-d'œuvre développé dans le plus grand secret, avec mes geeks les plus talentueux. Pour l'occasion, j'ai ressorti du placard mon vieux projet d'école d'ingés visant à remodeler le visage de Marion pour la faire passer de l'amour à l'indifférence. À l'époque déjà, il me suffisait d'un rien pour modifier une expression faciale. Aujourd'hui, grâce aux progrès des *deepfakes* et de l'intelligence artificielle, c'est encore plus facile.

— Mais vous connaissez le proverbe : *une image vaut mille mots*. Alors comme promis je me tais, et vous laisse regarder ce clip.

Sur le grand écran derrière moi, on projette une publicité pour une marque de jeans. Un scénario classique : un homme, une femme, beaux et athlétiques, courent l'un vers l'autre, torse nu, sur des toits d'immeuble. Zoom sur leurs jambes fuselées, leurs dos sculptés, leurs fesses moulées dans leurs pantalons neufs. Puis ils se rejoignent et s'enlacent devant le soleil couchant. Focus sur leurs jeans, affichage de la marque. Simple, efficace. Sauf qu'à cet instant précis la vidéo se met sur pause, rembobine puis repart, avec deux nouveaux personnages. Un autre homme, une autre femme. Deux autres corps, deux autres visages. Je précise :

— Les gens que vous voyez à l'écran ne sont pas des acteurs. Ce sont des modèles générés en temps réel par nos algorithmes.

Quelques personnes applaudissent, mais la confusion demeure. Ils n'ont encore rien vu. J'affiche le trombinoscope des participants au TEDx et tire au sort une première photo.

— Prenons l'exemple de Nathan, parmi nous aujourd'hui…

J'affiche la photo dans un coin de l'écran. Aussitôt, l'homme torse nu dans la publicité prend ses traits, sa morphologie.

— Mettons qu'à partir de son comportement, nos algorithmes aient observé que Nathan était secrètement amoureux de…

Je tire au sort la photo d'une femme, elle aussi dans le public.

— ... Brenda, ici présente !

J'affiche sa photo dans un autre coin de l'écran. Dans la publicité, Nathan et Brenda courent déjà l'un vers l'autre sur les toits, puis s'enlacent devant le soleil couchant. Les rires font résonner la salle, les applaudissements s'intensifient. Je lâche quelques *punchlines* faciles :

— Nathan ne veut pas d'un jean, il veut qu'on lui raconte une histoire.

Peu à peu, l'excitation gagne le public. Je tire au sort un nouveau visage.

— Changeons d'exemple et prenons Kyle, qui veut s'acheter une voiture.

À l'écran s'affiche une nouvelle publicité : un jeune homme conduit une berline au milieu des gratte-ciel, de nuit, une jolie brune à son côté.

— Nos algorithmes ont détecté que ce qui allait influencer le choix de Kyle, c'était avant tout l'avis de son père... Michael.

J'affiche la photo d'un homme plus âgé, toujours issu du public. L'image de la publicité s'adapte aussitôt : Kyle conduit la berline et Michael remplace la jolie brune sur le siège passager. Nouveaux éclats de rire.

— Leur tradition, c'est d'aller aux matchs de base-ball ensemble.

J'étouffe un trémolo dont j'ignore l'origine. Kyle et Michael roulent à présent de jour aux abords d'un stade, encerclés de supporters.

— Et nos algorithmes ont appris qu'aujourd'hui, Kyle est contrarié car il s'est justement disputé avec son père au téléphone.

Dans la publicité, le visage de Michael s'adoucit, pour exprimer un subtil mélange d'amour et d'indulgence, quelque chose comme *Je te pardonne, mon fils, oublions tout ça*, après quoi le logo de la berline s'affiche. Des cris de félicitations jaillissent du public. Pas besoin de leur faire un dessin, c'est un *game changer*. Pour le marché de la publicité, celui de la communication politique... Pour la guerre des récits, au sens large.

Par exemple : pourquoi prendre le risque de filmer votre ennemi dans une situation compromettante, quand vous pouvez recréer la même scène artificiellement sans qu'aucun œil ne puisse faire la différence ? Pourquoi devenir le coupable idéal – étant le seul à pouvoir poser une caméra dans sa chambre – quand vous pouvez diriger son soupçon sur n'importe lequel de vos geeks maîtrisant cette technologie ? Il ne vous reste plus qu'à lui trouver un mobile crédible.

Le mode opératoire est simple.

1) Prenez n'importe quelle *sex tape* avec un décor similaire. Intégrez-y le visage de Stan, puis ceux d'Erin et Lara. Faites-leur prendre l'émotion de votre choix – ingénuité, fragilité, candeur... L'ennemi pourra toujours arguer que ces images sont fausses : les faits, eux, sont véritables, alors faites-en le récit qui vous plaît. Les gens croiront plus volontiers ce qu'ils voient de leurs yeux que les mots d'un homme sali par l'image.

2) Désignez vos pièces maîtresses, celles qui détermineront *in fine* le sort de l'ennemi : Michelle Park au nom d'Ayobi, Peter Cooks au nom de Qinoa, Chris Murray au nom de GNW et Anna Fourcade en son propre nom. C'est comme allumer un feu, si au moins trois bûches sur les quatre prennent – en choisissant de le sacrifier sous la menace du scandale –, Stan est fichu.

3) Déterminez le terrain sur lequel vous allumerez la première braise. Il vous faut des brindilles, du petit bois, bien à l'écart de vos pièces maîtresses. L'incendie doit monter en puissance à leur insu, ne s'étendre à elles qu'une fois incontrôlable. En ce qui me concerne, Twitter cochait toutes les cases : j'y ai créé quelques dizaines de *bots* et de faux comptes me permettant de cibler à la fois les climatosceptiques – de fait hostiles à Green New World – et les fanatiques de Trump fantasmant sur un complot de la Silicon

Valley à son encontre – de fait hostiles à Facebook et Qinoa. Bien sûr, assurez-vous que le terrain choisi soit compatible avec le mobile de votre bouc émissaire.

4) Scénarisez la fuite à l'avance. Ne laissez rien au hasard. Assurez-vous de scandaliser vos cibles au maximum, à chaque étape. Utilisez TriggerPoint pour identifier les éléments de langage auxquels elles seront le plus sensibles. Souvenez-vous : *les faits importent moins que le récit qu'on en fait.* Découpez votre histoire en épisodes, à la façon d'une série policière, chacun dévoilant un peu plus le coupable et l'ampleur de son crime. Utilisez vos *bots* comme des acteurs dont vous maîtrisez le texte et l'interprétation à la seconde près.

Épisode 1 : témoignage de S., étudiante à Stanford, sous anonymat. Elle s'inquiète à propos de sa colocataire – mineure, blonde et chrétienne, « *un ange* ». Celle-ci a découché la nuit du jeudi 3 octobre – « *ça ne lui arrive jamais* » – et lui dit avoir rencontré deux fondateurs d'une licorne réputée – « *l'un d'eux avait plus du double de son âge* ». Depuis ce soir-là, elle n'est plus la même, « *elle a perdu son innocence et sa joie* ».

Épisode 2 : témoignage de L., à Stanford elle aussi. Elle était à Cypress Creek ce soir-là, avec son amie E. : un paradis luxueux « *qui allait vite se transformer en enfer* ». Ces deux Français, S. et V., lui paraissaient « *des gens bien* » au départ mais, à mesure que la nuit avançait, ils ont dévoilé leur vraie nature, sont devenus sexuellement entreprenants – « *V. a même demandé si nous étions des professionnelles* ». À force de cocktails à 18 dollars et de mots tendres, le piège s'est refermé sur elles. S. avait l'âge d'être leur père. Cette nuit-là, il a profité de leur inexpérience et laissé sur elles une « *empreinte indélébile* ».

Épisode 3 : pour étayer son témoignage, L. *tweete* le selfie que Lara a pris de nous quatre, sur la terrasse – je lui avais demandé de me l'envoyer quand nous étions dans ma chambre.

Épisode 4 : un autre faux profil, celui-ci résidant à Cypress Creek, nous reconnaît sur la photo. Il donne nos noms de famille et celui de la boîte pour laquelle on travaille. En tant que porte-parole de Green New World et plus lourdement accusé par le témoignage de L., Stan est particulièrement ciblé. « *Enfin les gens vont voir le vrai visage de ces écolo-nazis dépravés qui donnent des leçons de morale aux bons Américains.* » Mis sous pression, Chris Murray est obligé de se désolidariser de l'ennemi.

Dernier épisode : témoignage de votre bouc émissaire, un employé d'Ayobi accroc aux boissons énergisantes. Il a « *longtemps hésité avant de publier cette vidéo* », qui risque de compromettre sa carrière. Mais il est en mesure de prouver ce qui s'est passé cette nuit-là – « *ne me demandez pas comment* » – et ainsi de s'assurer que ce genre de drames n'arrivera plus jamais. « *Âmes sensibles s'abstenir.* » Et là, mon chef-d'œuvre entre en scène, relayé sur Twitter. Des images qu'on ne peut pas contredire. Un coup de grâce en ultra-haute définition.

À ce stade, en toute logique, l'incendie deviendra incontrôlable. Pour quiconque entretenant des relations avec l'ennemi, la seule option restera de s'écarter du combustible, de l'isoler pour circonscrire l'embrasement. Après Murray, tous ceux dont l'avis pèse – Michelle Park, Peter Cooks, Anna Fourcade – devront s'en débarrasser comme d'un souvenir encombrant : « N'y vois rien de personnel, on ne peut pas faire autrement. » Un courant d'air et *clac*, l'espèce dominante lui fermera ses portes. La bulle #Dorsay éclatera, irréversiblement.

Quant à moi, qui n'aurai pas commis l'irréparable avec Lara tandis que tout semblait orchestré pour me compromettre également, je sortirai renforcé du scandale. Un CEO solide et fiable, une valeur sûre. Je prendrai la défense de Green New World et mettrai tous mes algorithmes au service de cette cause : en moins d'un mois, plus personne n'associera l'image de Stan à celle de Chris Murray.

Et bientôt, privé de mon partenaire de toujours, dégoûté par la funeste machination dont il aura été victime, j'aurai beau jeu de revendre mes parts d'Ayobi pour retourner vivre à Paris.

5) Une fois que tout est prêt, attendez le bon timing pour allumer la mèche. Assurez-vous que toutes les conditions soient réunies, que votre message n° 3 soit bien passé : que toute la Vallée vous perçoive comme le seul dirigeant indispensable d'Ayobi. Que personne d'important n'ait le moindre remord à voir Stan disparaître.

Sur ce point, je ne suis plus très loin du but.

Sur l'écran derrière moi s'affiche le logo de SuccessModels suivi du slogan : « *Show, don't tell.* » Le public se lève. Je salue, comme au théâtre. Cette fois, c'est sûr, il s'agit bien d'une standing ovation, et c'est à moi qu'elle est destinée. Laplace se dit que Murray l'aurait davantage méritée. Mais Newman répond aussitôt que le mérite, bien sûr, n'a rien à voir avec tout ça.

27

À 20 h 10 elle arrive enfin. Je le sais, pourtant, qu'il ne faut jamais être à l'heure à ce genre de rendez-vous ! Grisé par l'enjeu, j'étais à 19 h 57 devant The Wine Room, une petite œnothèque au style hispanique au cœur de Palo Alto. Treize interminables minutes à l'attendre, comme un con sur ma chaise haute. J'ai choisi de m'asseoir au comptoir, pour qu'on soit côte à côte. Ne pas donner l'impression d'un rencard – pas tout de suite.

Elle me fait la bise, à la française. Mon agacement causé par son retard s'atténue quand je vois qu'elle a rougi ses lèvres et noirci ses paupières... Cette fois, c'est la bonne. Après avoir éconduit Laplace au Pré Catelan, puis snobé Newman rue du Temple, Anna Fourcade va découvrir ce soir un nouveau Victor, une synthèse. Un être quantique, apte à changer de récit sur commande. Un stratège romantique, un cynique idéaliste, un tueur au cœur tendre... Une énigme qu'on cherche irrésistiblement à résoudre.

Pas question de coucher avec elle, bien sûr – techniquement, c'est déjà fait. C'est autre chose que je dois conquérir, de bien plus précieux que son corps. Je veux gagner la préférence de son regard, territoire cher aux yeux de Stan. Le retourner en ma faveur. Sentir qu'elle me considère, qu'elle me veut, qu'elle m'admire. Confisquer à l'ennemi son estime et tout espoir de la reconquérir.

Après mon discours au TEDx, déjà, elle me dévisageait d'une façon nouvelle. Des gens qui ne m'avaient jamais adressé la parole ont fait la queue pour me congratuler, dont la grande Anna Fourcade. Jamais elle ne m'avait fait ces yeux-là. Pris de court, je l'ai surtout écoutée parler. Elle a proposé qu'on déjeune et j'ai suggéré de dîner à la place, au prétexte de journées chargées. La séduction, c'est comme le vélo...

— Tu me conseilles quoi, Victor ?

Je connais mal les vins californiens. Heureusement, les cépages sont un peu les mêmes qu'en France, alors je peux soliloquer sur les tanins et l'acidité du cabernet sauvignon, la rondeur du merlot... Je retrouve ses yeux couleur lagon, son archipel de taches beiges. La légère asymétrie de sa bouche aussi, quand elle sourit. Et surtout son odeur... Celle de la femme au masque de lapin blanc, dont je garde le souvenir à distance. En un quart d'heure, on échange plus de mots qu'au cours des six derniers mois. Il faut dire que Stan s'est toujours bien gardé de jouer les entremetteurs.

Si le rendez-vous de ce soir est aussi crucial, c'est que depuis hier, Erin et ce dernier s'écrivent des messages, sur WhatsApp. Je m'en suis rendu compte ce matin, en consultant la Matrice. Il l'a recontactée vers 16 heures, elle a tout de suite répondu. J'avais pourtant inclus, dans le contrat que Lara et elle ont signé, une clause leur interdisant toute relation suivie. Il faut croire que l'ennemi lui a plu davantage que prévu. Plus grave encore, à cause du chiffrement en vigueur depuis peu sur l'application, je ne peux rien savoir du contenu de leurs échanges... Lui a-t-elle parlé du mystérieux donateur ayant orchestré leur rencontre ? Combien de temps avant qu'elle le fasse ?

Aussitôt que j'ai su, j'ai activé mon plan d'urgence. Comme aux échecs, j'ai fait diversion : je suis parti voir Stan dans son bureau, *Je peux te parler deux minutes ?* L'air préoccupé, je lui ai exprimé toutes mes inquiétudes à propos de Wilson, qui non seulement nous méprise ouvertement tous les deux, mais qui surtout cache de moins en moins ses opinions politiques – marquées très à droite et libertariennes – ainsi que son profond désaccord avec le projet de Chris Murray, qu'il dénigre haut et fort. Je l'entends régulièrement dans l'open space qualifier le milliardaire de *gauchiste* ou de *pastèque* : un communiste déguisé – vert à l'extérieur, rouge à l'intérieur – utilisant l'écologie comme un prétexte pour nous dégoûter du capitalisme. Sans hésiter, j'ai parlé de « risque fort » : si Wilson décidait de saboter notre projet pour Green New World, nous serions des cibles de choix – lui plus encore que moi, en tant que porte-parole. Notre CTO – *chief technical officer* – aurait en outre un pouvoir de nuisance assez colossal, avec toutes les données personnelles auxquelles son rôle lui donne accès. J'ai même suggéré d'en alerter Michelle Park.

La réaction de l'ennemi m'a plutôt rassuré. Il a pris la menace au sérieux tout en semblant ignorer celle qui planait en réalité sur lui. Ses questions m'ont suggéré qu'il n'avait aucune idée qu'une base de données comme la Matrice pouvait exister. Ou peut-être a-t-il voulu me le faire croire ? Quoi qu'il en soit, le compte à rebours a commencé. Chaque jour de plus est une nouvelle occasion pour lui d'échanger avec Erin, de se rapprocher d'elle et, pour moi, d'être un peu moins au fait de ce qu'il sait, de ce qu'il ignore. Le temps, c'est clair, n'est plus mon allié.

Aussi, j'ai déjà programmé ma séquence d'attaque : sauf contre-ordre de ma part, mon algorithme s'exécutera le week-end prochain, lorsque nous serons au Reboot Institute. Pendant trente-six heures, il enverra automatiquement les bons tweets, au bon timing, à partir de comptes prédéfinis. Ainsi, tandis que l'incendie se propagera en silence, je n'aurai qu'à trinquer avec Stan, blanc comme neige – Wilson apparaissant comme le coupable idéal.

Anna, justement, trinque « à nos retrouvailles ». Sur mes conseils, elle a commandé un merlot. Nos premiers échanges sont à la bonne température. Nos corps, à la bonne distance.

— Quand je t'ai vu débarquer sur scène, dit-elle, j'ai failli ne pas te reconnaître.

Je le prends comme un compliment.

— Au fond, on n'a jamais vraiment eu l'occasion de faire connaissance.

— C'est vrai. On attendait sans doute de se retrouver à l'autre bout du monde.

Comme je l'espérais, un jeu de séduction s'instaure d'emblée. Je tâche de me hisser à son niveau. Pour maximiser mes chances, j'ai modelé mon personnage au plus près de ses préférences. Grâce à SuccessModels, j'ai pu analyser les types d'hommes qu'elle aimait voir à l'écran – leur visage, leur style, leur posture… D'où ma barbe un peu plus fournie que d'habitude, mon jean camel et ma chemise noire entrouverte. Mes algorithmes sont mes meilleurs alliés, je ne cherche plus à comprendre leurs raisonnements ni à m'expliquer leurs recommandations. Je leur fais tout simplement confiance.

En connectant ma fonction *pRank()* à la Matrice et en adaptant son code, j'ai également calculé ce que j'appelle le *ProfileRank* d'Anna. En fonction d'une centaine de variables issues de ses données personnelles – temps passé sur chaque profil ou publication, empressement à lire un message ou prendre un appel en fonction de son interlocuteur, nombre de recherches et de mentions à propos de chaque homme de son entourage –, l'algorithme peut estimer très précisément la valeur de chacun dans son regard. Je sais ainsi qu'avant le TEDx, j'étais trente-neuvième de son classement avec 8.32, et que je suis maintenant douzième avec un score de 9.11 – un gain de 27 places en dix minutes, sans doute un record. Ce soir, mon but est non seulement de passer devant Stan, septième avec 9.28, mais d'entrer dans son top 5, où ne figurent que des profils similaires au mien : des geeks ayant réussi dans les affaires, des innovateurs plutôt que des imitateurs, des Wozniak plutôt que des Jobs… La seule différence étant qu'ils sont tous millionnaires, au bas mot. Mais je crois en mes chances. Anna veut quelqu'un qui lui ressemble : un *misfit* devenu *modèle*. J'ai le profil.

Pour l'heure, elle parle de notre première rencontre, sur la terrasse du Pré Catelan. Je m'en souviens comme si c'était hier.

— Tu donnais l'impression de réfléchir intensément avant chaque phrase.

« Tu » désigne ici Laplace. Je souris, par autodérision. Elle ne mentionne pas Constance, assise entre nous ce soir-là.

— Maintenant, tu fais se lever trois cents personnes dans un amphithéâtre. Un sacré chemin parcouru, en seulement deux ans !

« Tu » désigne ici Newman. Je souris, par modestie. Dans son regard, mon personnage a pris de l'étoffe. Il arrive que le système vous félicite comme ça, par voie de messagers, d'avoir suivi la route qu'il encourageait à prendre.

Ça commence le premier jour en école d'ingénieurs, après deux ans de torture en prépa, quand un directeur un peu fat déclare sans réfléchir, à vous et tout un amphi, que *vous faites dorénavant partie de l'élite de la nation*. Vous avez à peine vingt ans… Puis il y a ce coup de fil, qui vous annonce que B&G vous a choisi, parmi plus d'un millier de candidats. On dit que vous avez fait forte impression. Vous vous sentez un peu exceptionnel, forcément. Ensuite vient la première fille qui tombe amoureuse de votre personnage, en costume et sur scène, dans un décor raffiné, entérinant votre légitimité. Cette fois c'est sûr, ce n'est plus un hasard si la réussite vous sourit aussi souvent : vous la méritez. Puis viennent le premier banquier qui vous ouvre les bras, le premier rencard Tinder réussi, le premier *fast track*, la première *fuck friend*, le premier chasseur de têtes qui veut vous débaucher… À force, vous vous prenez au jeu, d'autant qu'il n'est pas aussi compliqué qu'on le prétend. Il suffit de bien en comprendre les règles, d'avoir le bon modèle et de suivre les encouragements du système, comme un enfant suit ceux de son père.

— Tu pourrais bien être à la tête d'une licorne, à seulement vingt-cinq ans.

Et un beau jour, voilà qu'on vous érige en modèle, qu'on vous demande d'endosser le rôle du *winner*. Le piège serait d'y croire. Se satisfaire de la définition que les autres font de la réussite, en oubliant la vôtre, intime et viscérale. S'enfermer à jamais dans le rôle que le système vous assigne. Pour moi, ça ne risque pas : Laplace et Newman sont indissociables, unis par une même cause, alignés sur un même objectif.

Le serveur nous demande si le vin nous plaît, sa façon de nous dire qu'il trouve Anna à son goût. Il s'essaie même à quelques répliques charmeuses, sans se soucier de ma présence. Elle le remercie poliment sans entrer dans son jeu, avec beaucoup de métier. Elle connaît la chanson. Depuis le temps qu'elle se coltine ce visage, elle a dû en voir défiler, des Casanovas de comptoir. Sa beauté doit lui peser parfois, comme un appât dont on l'aurait affublée sans lui demander son avis, une devanture qui ferait écran devant elle. Je parie qu'elle préférerait la laisser au placard de temps en temps, s'en défaire comme d'un vêtement. Qu'elle se passerait bien d'entendre les mêmes refrains aguicheurs, encore et encore. Mais dans ses yeux pâles qui n'ont plus l'air d'espérer grand-chose, je décèle néanmoins un reste d'étincelle, une infime part de rêve et de naïveté qui ne s'est pas encore endormie. Des films qu'elle a dû se faire autrefois sur l'amour, auxquels elle voudrait bien croire encore.

— Tu as dit à Stan qu'on se voyait ce soir ? demande-t-elle le plus innocemment du monde.

— Non, et toi ?

— Non, l'occasion ne s'est pas présentée.

Elle sourit, les yeux mi-clos. Un de ces regards qui n'engagent à rien, mais qui laissent tout imaginer. Je me rappelle avoir lu un échange de ce genre dans la Matrice, après leur première nuit ensemble. Anna écrivait : « *À cause de toi je tombe de fatigue ce matin.* » Stan répondait : « *Il fallait me dire d'arrêter...* » Et Anna rétorquait que l'occasion ne s'était pas présentée, en ponctuant d'un clin d'œil. À force d'espionner la vie des autres, on réalise à quel point toutes nos histoires se ressemblent. Les mêmes dialogues, à quelques mots près.

Accessoirement, c'est la première fois de la soirée qu'elle le mentionne. Je saute sur l'occasion, lui dis qu'en définitive, je sais bien peu de choses à propos de leur relation, l'ennemi se montrant toujours évasif à son sujet. Elle sourit, sans vouloir trop en dire. Alors j'insiste un peu :

— En tout cas, si vous vous remettez ensemble, je te préviens, c'est moi qui récupère le duplex.

— Ah ça, aucune chance que le scénario se présente.

Je cache la joie que cette réponse me procure. La brèche est ouverte. De fil en aiguille, j'arrive à lui soutirer deux mots, une phrase en plus à propos de l'ennemi. D'abord en termes dithyrambiques – je note *attachant*, *charismatique* et même *solaire*. Jusqu'au premier *mais* :

— Le problème, c'est qu'il aura toujours des choses à prouver.

Selon Anna, tout s'explique par son histoire familiale. Elle évoque à mots couverts ses relations tumultueuses avec son père, son combat pour gagner son estime, le prestige et le nom qui vont avec. L'indifférence de son frère, qui lui a si longtemps pesé. Je hoche la tête, comme si j'en savais autant qu'elle le présume. Avec des précautions de funambule, j'exploite les maigres informations dont je dispose. Dis à quel point il m'a semblé triste, au Fouquet's, que sa famille ne soit pas venue.

— Ah bon ? Je croyais que son frère était là ?

— Ah tu as raison, oui, j'ai cru l'apercevoir en fin de soirée.

— Tu sais que c'est grâce à moi, s'ils se sont reparlé ?

Sans relever mon approximation, elle raconte comment elle a œuvré dans son dos pour que Stan renoue contact avec son père et son frère – deux pontes que tout Paris voulait rencontrer. Comment elle a réussi à se faire apprécier d'eux, puis a pris l'initiative de les réunir tous les trois, dans un trois-étoiles Michelin. Comment la tradition s'est perpétuée, plusieurs fois par an, avant de péricliter dès son départ, leurs liens se délitant presque aussitôt.

— Tout ça pour ça, soupire-t-elle.

Ça m'ennuie de l'admettre mais Anna, de toute évidence, a été très amoureuse de l'ennemi. Je comprends que Dorsay porte le nom de sa mère, et que celui de son père est apparemment trop illustre pour être prononcé, même devant moi qui suis censé le connaître. J'explore ma mémoire, passe en revue ses contacts, ses rendez-vous, ses messages, balaie la liste des invités du Fouquet's... Une aiguille dans une botte de foin.

De toute façon, Anna semble impatiente de changer de sujet. Le passé ne l'intéresse pas tellement. Elle a le regard tourné vers l'avenir.

— Comment tu t'imagines la suite, en tant que CEO ?

À ses yeux, c'est clair, *je* suis la tête pensante d'Ayobi. Mes messages clés du TEDx sont bien passés. Encore faut-il à présent me montrer à la hauteur de ce qu'elle voit en moi. Compenser mon jeune âge par de hautes ambitions.

— La priorité sera de gagner en indépendance, par rapport à Qinoa. Je vise une levée de fonds en février. Après, tout peut aller très vite.

Je raconte à Anna l'histoire qu'elle veut entendre. Énumère les profils qu'il faudra recruter pour grandir : un *chief revenue hacker*, un *lead tech evangelist*, un *user experience wizard* et autres intitulés de postes obscurs visant à démontrer que je suis disruptif selon tous les standards en vigueur.

Depuis ma tour de contrôle, je change de récit d'une phrase sur l'autre, en fonction de ses réactions. Un instant, je suis Victor Newman, génie des affaires et visionnaire de la *tech*, apôtre de l'hypercroissance :

— Je suis en contact avec le CEO d'une start-up qui analyse la pupille de l'utilisateur *via* la caméra intérieure de son téléphone. On pourrait en déduire quelles images lui procurent le plus d'émotions et adapter celles qu'on lui présente, en temps réel.

Un haussement de sourcils de sa part et je redeviens Victor Laplace, un idéaliste épris de justice et investi d'une mission philanthropique :

— Depuis toujours, l'Homme accède au réel à travers ses mythes, ses fictions, un écran d'imaginaire entre le monde et lui. Désormais cet écran s'est matérialisé, on peut le programmer, le toucher du doigt, interagir avec lui... Et très bientôt, on sera capable de proposer à chacun le monde qui lui correspond le mieux. La réalité la plus proche de ses rêves.

Ce genre de discours, qui passerait pour un délire mégalomane partout ailleurs, est ici considéré comme une chose normale. Anna prend même quelques secondes pour y penser, l'air inspiré. Je vois à sa pupille qu'elle se projette un peu plus loin.

D'ailleurs, c'est elle qui propose le deuxième verre.

Après quoi, elle veut tout savoir sur SuccessModels : comment j'ai fait pour accomplir une telle prouesse, pour que le résultat soit aussi réaliste, aussi bien défini... J'ai un instant de doute, m'a-t-elle proposé ce rendez-vous à des fins d'espionnage industriel ? Je me rassure en me rappelant mon score au *ProfileRank* : mes algorithmes ne mentent pas. Et quand bien même, toutes les créations d'Ayobi sont brevetées, ou en passe de l'être. Je ne risque rien à lui expliquer les grandes lignes :

— Le principe, c'est de forcer l'*overfitting* de l'algorithme : on lui fait surapprendre à reconnaître un visage, pour qu'il le voie partout.

— Je vois, dit-elle pour masquer sa confusion.

— C'est un peu comme quand tu tombes amoureuse, tu regardes tellement l'être aimé, tu l'imagines si souvent en fermant les yeux, que tu finis par coller son visage sur tous ceux que tu croises.

— Intéressant... C'est du vécu ?

Sa remarque se veut espiègle, mais elle ne croit pas si bien dire. Mes algorithmes sont un reflet de moi, le fruit de mes expériences. Tout ce qui peut altérer mon regard, je l'intègre à mes modèles. Dont l'amour. Qu'est-ce que tomber amoureux de quelqu'un, sinon *décider* d'altérer votre regard en sa faveur, déformer le monde pour que cette personne en soit le centre, un point de référence absolu ?

Le score le plus élevé de votre *ProfileRank* personnel.

C'est d'ailleurs ce qu'Anna Fourcade a longtemps représenté pour moi. Depuis le Pré Catelan, elle incarne ce gouffre entre le monde enviable et le mien. Une publicité vivante pour le modèle de réussite universel, sa quintessence : Sciences Po, Harvard, B&G – excellence unanime, réseau astronomique, carrière remarquable –, ce qu'il faut de sens des affaires sans jamais avoir le mauvais rôle, ce qu'il faut de sensualité sans que ça paraisse volontaire, ce qu'il faut d'engagements caritatifs sans jamais exprimer une opinion politique. Celle que toute femme accomplie devrait être et que tout homme accompli devrait avoir.

Dès lors il est tentant, pour tous les Newman et les Dorsay de ce monde, de se croire amoureux. Vous pensez qu'il suffirait de la conquérir pour sortir victorieux du *game* et qu'avec elle à votre bras, l'espèce dominante vous ouvrirait les portes du paradis terrestre, en carré VIP.

Heureusement, Laplace a compris l'arnaque. Le piège, c'est d'indexer son *ProfileRank* personnel sur le *PageRank* universel, désirer ce que les autres désirent, estimer ce qu'ils estiment. Tout en scrutant le visage parfait d'Anna, je me figure le plus gros diamant sur terre : me l'approprier ferait assurément bondir ma valeur dans le regard des autres, mais je perdrais le contrôle de ma propre histoire, assujetti pour toujours à cet objet précieux qui me vaudrait ma place au sommet du monde. L'ennemi s'y est laissé prendre, c'est sa plus grande faiblesse.

Au troisième verre, j'oriente à nouveau la discussion sur lui, dis à quel point je trouve qu'il s'est assagi de ce côté de l'Atlantique. Anna, comme je l'espérais, se montre dubitative.

— C'est temporaire. Son personnage finira par reprendre le dessus.

À sa connaissance, Stan s'est créé ce masque de séducteur très jeune, par esprit de contradiction, s'appliquant à bafouer les standards de noblesse cultivés par son père, puisqu'il n'aurait de toute façon jamais son estime. À son lycée de Neuilly puis en école de commerce, l'ennemi prenait un malin plaisir à dévergonder les jeunes filles de bonne famille et les fiancées décentes de ses amis bien nés. Il prenait ainsi sa revanche sur les héritiers de l'espèce dominante, à défaut de pouvoir en être un lui-même.

Anna a longtemps cru qu'à son contact il se rangerait, que ce personnage sulfureux appartiendrait tôt ou tard au passé. Mais avec le recul, leur fameuse *décision difficile à prendre* – mot pour mot la même formulation que Stan au Rainbow Room – aurait dû lui faire abandonner tout espoir : il resterait toujours le même et ne construirait jamais rien avec elle, ni avec personne d'autre d'ailleurs.

— C'est sa nature. Pour briller, il doit consumer ce qui l'entoure.

Elle parle sans amertume mais avec un fond de regret que sa naïveté lui ait fait perdre toutes ces années. Aujourd'hui, son estime pour Stan reste entière – son score de 9.28 au *ProfileRank* en atteste – mais pour ce qui est de l'amour, c'est de l'histoire ancienne. Bien sûr, je plaide la cause de mon camarade, rappelle sa rédemption spectaculaire, joue mon rôle à la perfection. Mais rien n'y fait, elle évacue le sujet par une de mes citations préférées d'Einstein :

— La folie, c'est de refaire toujours la même chose et de s'attendre à des résultats différents.

Dès lors, la mélancolie dans son regard disparaît, remplacée par cette lueur familière, éteinte et brûlante à la fois. La détermination. Décidément, toutes nos histoires se ressemblent : une rencontre brutale avec l'échec et la peau se durcit. Stan est déjà mort mais à mille lieues de le savoir. Plus jamais elle ne pleurera pour lui. Plus jamais il n'aura sa préférence. Plus jamais elle ne courra vers lui sur un toit d'immeuble au soleil couchant. Lui retirer tout crédit à ses yeux devrait même être un jeu d'enfant : il suffit de faire passer Erin et Lara pour des filles de bonne famille. Je lève mon verre à moitié vide, « à l'avenir » !

Le regard de Newman s'intensifie, envoie des éclairs à l'abri du langage. Tout est permis, tant que ça sert l'objectif. Le meilleur moyen de faire croire à Anna qu'on tombe amoureux, c'est d'y croire moi-même. La seule règle, c'est que ça reste implicite. Défense d'entériner par les mots ce que nos yeux se disent. Défense d'entrer en contact avec sa peau. Pouvoir nier demain que j'ai voulu la séduire. Les images n'ont que des interprétations, chacun est libre de se faire la sienne. Si Anna choisit d'y voir de l'amour, je ne suis pas responsable. Des milliers de gens font, chaque jour, la même erreur de sous-titrage. Et toutes les chansons qu'on entend dans le bar l'encouragent.

I'm falling in love again, there's nothing I can do.

Pendant ce temps, Laplace veille toujours, se rappelle toutes les raisons pour lesquelles il est amoureux de Constance et pourquoi Anna Fourcade, n'en déplaise au *PageRank* universel, ne lui arrive pas à la cheville.

Hier, pour notre Zoom hebdomadaire, je l'ai découverte chez elle dans la lumière du soir, épaules et seins nus, son sourire exprimant le souvenir de nos nuits estivales. Immédiatement, c'est comme si mon corps, cette masse inerte en dessous de mon cou, se réveillait d'un long coma. Elle a dit vouloir me « montrer quelque chose », en désignant plus bas, ajoutant d'un air troublant que cette chose me donnerait peut-être « envie qu'on se revoie plus vite ». Sa maladresse ajoutait encore à son charme. Elle a toujours été forte pour me faire éteindre mon cerveau. Je me suis pris au jeu. D'une voix grave, je lui ai dit des choses à l'impératif. D'abord étonnée que je prenne aussi vite l'initiative, elle a néanmoins fini par suivre mes injonctions, caressant son cou, sa poitrine, ôtant son string et le montrant face caméra pour le prouver, affairant son bras entre ses cuisses... C'était d'autant plus excitant qu'à mon bureau, encerclé de double vitrage, je ne pouvais rien laisser paraître. Tandis que Laplace murmurait à Constance tout ce qu'il voulait lui faire, Newman faisait écran devant lui, impassible et studieux, comme s'il parlait à un fournisseur de sa dernière facture.

À partir de son image, j'arrivais presque à ressusciter son parfum, sentir ses caresses fébriles, l'impatience de ses lèvres béantes et tout ce monde qui palpite sous sa peau. C'était comme revenir à Paris avant l'heure.

Mais, tout à coup, la panique s'est emparée de moi. Il était justement trop tôt pour les retrouvailles. J'étais en train de perdre le contrôle, de me laisser aller à de trop vives émotions. Une erreur de novice, une faute irréparable. C'était à peu près le pire moment, le pire endroit pour désaligner mes deux personnages. Rien n'était plus dangereux que la désunion.

Il fallait réagir, et tout de suite.

Par réflexe, j'ai lancé SuccessModels, pour modifier l'image en temps réel – et retrouver la maîtrise de son effet sur moi. Partant de Constance en train de se caresser, les yeux fermés et la bouche entrouverte, j'ai laissé l'algorithme tourner en boucle, transformant ses traits, son grain de peau, ses expressions, croisant son visage avec des dizaines d'autres, tirés au sort dans notre banque d'images. Progressivement, le feu sous ma poitrine s'est éteint, puis dans le ventre aussi. Seul est resté le désir, neutre et inoffensif. À un moment, le logiciel a croisé le visage de Constance avec celui d'Anna. J'étais sauvé. La créature hybride à l'écran réconciliait Laplace et Newman, conjuguait les désirs de l'un et de l'autre dans une fusion si parfaite que j'étais incapable de distinguer ce qui, dans l'image, provenait de chacune d'entre elles. Un fantasme quantique.

Sous le comptoir, le genou d'Anna effleure accidentellement le mien. Elle propose un quatrième verre. C'est déraisonnable, mais je me vois mal refuser. Son parfum se précise, ravive des images de plus en plus difficiles à réprimer.

I've got you under my skin. I've got you deep in the heart of me.

Ce midi, pour m'assurer qu'il ne se passerait rien entre nous, j'ai refait appel aux services que j'avais sollicités le 3 octobre dernier, avant la soirée fatidique avec Erin et Lara. On n'est jamais trop prudent. Sur l'application, vous pouvez choisir parmi plusieurs centaines de filles, dans un rayon de vingt kilomètres. Celle que vous sélectionnez signe un contrat numérique stipulant qu'elle est majeure et consentante. Aucun risque, y compris de vous attacher par inadvertance. Les choses sont cadrées, prédictibles. Même le plaisir est circonscrit.

Le corps est comme un animal de compagnie – le type du podcast *Life Hacking* en parlait justement ce matin. De temps en temps, il faut le laisser se promener sans laisse, lui faire dépenser de l'énergie pour qu'il vous laisse tranquille. Étouffez toutes ses pulsions, et celles-ci prendront tôt ou tard le dessus sur vous – il n'y a qu'à voir la vitesse à laquelle Erin a fait oublier à Stan ses bonnes résolutions. Mieux vaut leur laisser libre cours à dessein, dans un cadre bien délimité, pour éviter que leur puissance vous domine... Mieux vaut un écart calculé qu'un remake de la rue du Temple.

J'ai rejoint la fille chez elle à 13 heures, dans le garage aménagé que lui sous-louent les propriétaires d'une *hacker house* – une de ces maisons-dortoirs où s'entassent des milliers de salariés de la *tech*, sur des lits superposés – pour 1 300 dollars par mois. Elle était belle et très aimable. Je me suis senti moche et très méprisable. Mais mon corps en est sorti tout anesthésié, plus insensible encore que d'habitude.

You opened my heart, oh... You got me back to love.

Anna, de son propre aveu, est « un peu pompette ». Elle cherche à savoir qui, de Stan ou moi, a eu l'idée d'aller chercher Chris Murray pour gérer la campagne de Green New World. Je réponds *moi*, au bluff. Peu importe ce que l'ennemi lui a dit : ma parole est plus crédible que la sienne.

— J'en étais sûre ! confirme-t-elle. Bravo, c'est un projet admirable. Je dis souvent que, pour sensibiliser le grand public au réchauffement climatique, il faut le rendre « instagramable ». En faire un spectacle pour retenir l'attention des gens.

Elle regrette ouvertement que son poste actuel chez Facebook l'empêche de travailler avec moi sur le sujet. Mais quand Ayobi sera officiellement une licorne, qui sait, elle pourrait nous rejoindre, me présenter un tas de gens comme moi, visionnaires et inspirants. On pourrait monter un empire tous les trois, c'est-à-dire tous les deux – il lui arrive encore de mentionner Stan au détour d'une phrase, mais uniquement par politesse. Nous aurions en commun d'avoir été ses élèves, voire ses créatures, puis de nous en être affranchis et d'avoir dépassé le maître. À l'évidence, nos futurs sont liés.

Anna me fait à présent les mêmes yeux qu'Erin à l'ennemi, l'autre soir. Il devient de plus en plus dur de ne pas penser à la salle de bains baignée de lumière noire, à son dos cambré, sa peau humide... Heureusement Laplace veille, me rappelle les règles du jeu : je suis libre d'imaginer tous les scénarios, tant que ça reste implicite, et au service de mon objectif.

I put a spell on you. Because you're mine.

Quand je pense que toutes les gesticulations de Stan – son recrutement chez Goldman, son implication au Forum, son alliance avec Michelle Park et la création d'Ayobi – ont eu pour objectif de retrouver ce regard-là, celui qu'Anna pose en ce moment sur moi... Contrairement à ce qu'on croit, le paroxysme de la réussite n'est pas de réaliser son propre rêve, mais celui d'un autre et le lui montrer, s'afficher avec ce qui lui manque le plus, ce qu'il considère comme le plus inaccessible et le plus précieux. Le summum de sa FOMO. J'imagine sa dévastation, si nous donnions une interview commune dans la foulée du scandale, pour le condamner publiquement. Un trémolo dans la voix, je raconterais comment ce sociopathe m'a ordonné, dès mon premier entretien d'évaluation, d'aller draguer une inconnue pour améliorer ma note. Anna décrirait ses réactions possessives, ses licenciements passionnels et les soirées de débauche auxquelles il la contraignait... Après avoir laissé passer quelques jours, elle prendrait sa place, chez Ayobi. On travaillerait ensemble sur Green New World avec Chris Murray, autre *misfit* devenu modèle. Sur nos comptes Instagram, l'ennemi nous verrait toujours ensemble, complices et conquérants. Elle irait même convaincre toutes les consultantes avec lesquelles il a couché de témoigner à leur tour, sur Twitter. Il aurait son hashtag dédié, qui le rendrait radioactif même en Europe. Et un beau jour, en voyage d'affaires à Paris, nous tomberions sur lui, prostré dans le métro, qui réciterait son texte : « Croyez-moi, ça n'arrive pas qu'aux autres : un jour tout s'effondre, et beaucoup plus vite qu'on pense. » Rien que d'y songer, même Laplace a le sourire aux lèvres.

« Rendre la réalité plus proche de nos rêves » : la mission d'Ayobi résonne en moi comme une incantation. Je ressens l'appel irrésistible du gouffre, le vertige de la faute. Cette impuissance délicieuse dont parlent toutes les chansons d'amour.

Everything I do, I'm gonna think of you. Don't know what else to do.

Nos regards se passent de mots. Chacun est libre de choisir son sous-titrage. Je reste à équidistance de mes deux personnages, sur un fil. Mais un frisson me parcourt le dos. Une impression de déjà-vu. Mon corps, laissé sans surveillance, en a profité pour s'approcher impudemment du sien. En fait, elle est si proche que nos haleines se mélangent. Son parfum m'évoque d'autres odeurs à elle, plus secrètes. On rejoue la même scène qu'au Pré Catelan mais cette fois elle raconte une autre histoire. Le visage d'Anna traduit la certitude et le doute, le désir et le refus d'y succomber. Ce conflit suave et silencieux dont parlent toutes les chansons d'amour.

What a wicked game you play, to make me feel this way.

Le moindre contact entre nos peaux serait synonyme d'échec et pourtant, je ne sais plus rien vouloir d'autre. Un poison sucré coule dans mes veines. Mon cerveau tourne à plein régime pour légitimer cette transgression. Mes paupières se ferment. J'attends Anna. Une attente interminable et vaine. Une part de moi savait, depuis le départ, qu'elle me laisserait planté là. Newman aurait dû l'écouter. Je rouvre les yeux, découvre son regard terrible, écœurant de bienveillance et de douceur.

— Désolée Victor, j'apprécie beaucoup Constance et je me refuse à lui faire ça. Elle t'aime vraiment, tu sais.

Ça sent la phrase préparée depuis longtemps, au cas où. Je reste sans voix. Humilié. Battu. Échec et mat. Dire que je pense chaque mot qu'elle vient de prononcer : j'aime sincèrement Constance et me refuse à lui faire le moindre mal… Pourtant, l'évidence m'accable. Et ce con de serveur, qui a tout vu… Je ne trouve aucune réponse à lui faire. Seulement des questions à me poser. Pourquoi n'avoir jamais parlé d'elle auparavant, puisqu'elle l'apprécie tant ? Pourquoi nos genoux s'effleuraient-ils sous le comptoir ? Pourquoi ses yeux, ses pupilles dilatées, ses récits enivrants de l'avenir ?

Seule conclusion plausible, Anna jouait au même jeu que moi. Et elle a gagné.

28

À dix minutes de route de Palo Alto, Atherton est la commune la plus chère des États-Unis. La plupart des milliardaires de la Silicon Valley y ont élu résidence, dont Peter Cooks. Sa villa de mille huit cents mètres carrés trône au milieu d'une petite forêt, sur un territoire assez grand pour abriter une piscine semi-olympique, deux courts de tennis et une terrasse aussi vaste que celle du Peninsula. En attendant le maître des lieux, Anna et moi sommes assis sur les canapés du salon d'été, oasis d'ombre au milieu de la pelouse. Un majordome a déposé devant nous un plateau de boissons fraîches et de crudités à grignoter. Une odeur d'agrumes pressés se mêle aux nombreuses essences d'arbres et de fleurs transpirant au soleil.

— Il y a pire endroit pour une gueule de bois, note Anna, rayonnante.

En l'observant ce matin, je ne vois plus la créature fantasmagorique de la rue du Temple, mais son regard exaspérant de fausse vertu quand elle a mentionné Constance, et tout ce qu'il lui a fallu de vice pour m'induire en erreur. En joueuse expérimentée, elle a parfaitement su osciller entre ses deux personnages, romantique et cynique, pour arriver à ses fins. Elle a d'ailleurs lâché son invitation tout juste après m'avoir éconduit, comme pour me consoler :

« Je déjeune chez Peter demain, ça t'intéresse ? » J'ai tendance à me méfier des rendez-vous de dernière minute, mais on me fait rarement des propositions d'un tel calibre. Au TEDx, déjà, c'était elle qui avait présenté Stan à Peter Cooks. Elle m'offrait désormais l'opportunité de rattraper mon retard.

Mon téléphone vibre, « Maman » s'affiche en gros sur l'écran. L'instant est mal choisi – comme toujours. Je range l'appareil dans ma poche, en réprimant un bâillement : la nuit a été courte. J'ai rejoué le rencard dans mon lit plusieurs fois, vexé de m'être laissé prendre à mon propre jeu sans rien voir de ces procédés dont je nourris pourtant mes algorithmes chaque jour. Comment ai-je pu être naïf à ce point ? Il est trop tôt, douze heures après notre rencard, pour en observer les effets sur le *ProfileRank* d'Anna – il faut au moins quarante-huit heures pour obtenir des résultats significatifs. Mais je me doute que l'objectif n'a pas été atteint. À l'heure qu'il est, l'ennemi doit encore avoir sa préférence. Raison pour laquelle il est crucial de taper dans l'œil de Peter Cooks ce midi. Anna, justement, me prodigue ses conseils, comme si j'allais consulter un oracle :

— Son esprit va très vite, alors ne réfléchis pas trop. Laisse-toi porter. Présente-lui tes idées, très simplement. Il saura te comprendre entre les lignes.

Je me recentre en admirant l'étonnant jardin zen qui s'étend de nos pieds jusqu'à la terrasse, spirales et fractales dessinées au râteau sur le sable clair. L'harmonieuse complexité de ces courbes, parfaitement fluides et régulières, apaise le tumulte de mes pensées. J'ai même un léger sursaut, quelques instants plus tard, quand notre hôte apparaît par-dessus mon épaule.

— Tu aimes ? J'ai découvert l'artiste au Burning Man.

Il me serre la main, sans attendre ma réponse.

— Il avait gravé ces motifs sur le sol du désert, à perte de vue. J'ai demandé s'il pouvait refaire ça dans mon jardin. Il a tout de suite accepté.

Je dirais qu'il sourit, sans en être persuadé. Sa tenue vestimentaire est la même qu'au TEDx : jean noir, T-shirt bleu, baskets blanches – un éternel étudiant de cinquante et un ans. S'habiller de la même façon chaque jour participe à minimiser le nombre de décisions qu'il doit prendre et focaliser son attention sur des questions plus importantes.

— Merci infiniment de m'accueillir chez toi, Peter.

— Avec plaisir. Anna m'a raconté ton parcours. C'est un bon début.

Il me lance un regard neutre, dénué d'ironie. C'est comme s'il scrutait un écran invisible entre nous. Je me demande qui de Stan ou moi lui a fait la meilleure première impression.

Depuis hier soir, je m'entraîne à voir le monde à travers son prisme, me faire une opinion semblable à la sienne, prédire ce qu'il voudrait entendre et façonner mon personnage pour lui plaire. Pendant mon sport ce matin, j'ai réécouté son dernier livre en audiobook, *Humanité 2.0*. En substance, le milliardaire y présente *Homo sapiens* comme une espèce *a priori* médiocre au corps fragile, dépourvue de vitesse et de force, sans crocs ni griffes... Un *loser* de l'évolution, transcendé par ses technologies. Grâce à elles, plutôt que s'adapter au monde comme les autres animaux, l'Homme a adapté le monde à lui. Grâce au feu, à ses vêtements et à ses maisons, il a rendu habitables les régions les plus inhospitalières. Grâce à l'agriculture et à l'élevage, il a reprogrammé la nature pour manger toujours à sa faim. Grâce à l'écriture, à l'imprimerie puis aux réseaux numériques, il s'est arrangé pour que ses idées lui survivent et essaiment dans l'esprit des autres, même en son absence. Dans cette suite ininterrompue de conquêtes sur la réalité, Cooks voit la destinée manifeste de l'espèce humaine. Il nous exhorte donc à nous affranchir de l'ultime contrainte qui bride encore notre toute-puissance : cet amas de matière flasque, faillible et périssable qui compose nos organes, entrave notre intelligence, pervertit notre raison, nous condamne aux maladies puis à la mort. Faire sécession de ce corps archaïque pour lui préférer des technologies que nous aurons nous-mêmes conçues – et qui nous obéiront.

Son apparence, du reste, traduit cette lutte perpétuelle contre la nature. Il ne reste plus grand-chose de la version 1.0 de son visage, de l'époque de ses premiers millions, dont de rares photos circulent encore sur Internet. Sa calvitie n'est plus qu'un lointain souvenir, ses cheveux ont bruni quand ils auraient dû blanchir, ses dents se sont éclaircies, sa peau s'est matifiée et plusieurs kilos de muscles ont redessiné sa silhouette. Comme l'espèce humaine, Peter Cooks a forgé sa légende en dépit des cartes que le sort lui avait attribuées. Devenu version augmentée de lui-même, il a dominé tous les caprices de son corps et même le pouvoir de séduction d'Anna semble inopérant sur lui. C'est dire s'il est particulièrement difficile d'exister dans son regard.

— Aucun parlementaire ne sait *vraiment* ce qu'est un algorithme. Ces gens-là ne comprennent rien au monde actuel.

L'heure, étrangement, est à la politique. Cette semaine, Mark Zuckerberg et d'autres CEO des *Big Techs* ont dû comparaître devant le Congrès, pour se faire gronder à propos de leur vampirisation des données personnelles. Une passe d'armes entre deux mondes – l'ancien, gouverné par Washington, et le nouveau, programmé depuis San Francisco – et un show copieusement médiatisé, visant à entretenir l'illusion que le premier contrôle encore le second. Une humiliation, néanmoins, dont Anna et Peter ne cessent de s'attrister :

— Depuis vingt ans, des gens comme Steve Jobs, Elon Musk ou Bill Gates ont résolu plus de problèmes que tous les États réunis.

— Ce qu'on crée ici les dépasse, leur démontre chaque jour à quel point leurs institutions sont inadaptées, leurs gouvernements obsolètes, leurs lois périmées...

— Même leurs frontières sont caduques ! On voit bien qu'aucune des crises que l'humanité doit affronter – climat, inégalités, démographie, matières premières – ne peut se résoudre à l'échelle nationale.

Je hoche la tête à chaque nouvelle assertion, sans trop me demander ce que j'en pense. Je me persuade que je fais désormais partie des élus – désignés par l'équation immuable et universelle de la Réussite, plutôt que par le vote des foules versatiles et influençables – et que cette place me fait porter sur le monde un regard plus sage, plus lucide que les autres.

J'acquiesce toujours autant quand la discussion dévie sur les impôts, même si je ne gagne pas encore assez d'argent pour m'en préoccuper. Peter Cooks, paradoxalement, se plaint moins des sommes que l'État lui prélève que de ce qu'il doit payer en juristes, comptables et fiscalistes pour faire en sorte qu'il lui en prélève un peu moins.

— La force de cette vallée, m'assène-t-il, c'est d'être pilotée par des gens comme toi et moi. Des *misfits* qui ne collent pas aux normes de l'ancien monde et qui n'ont aucun scrupule à tout remettre en question.

Le milliardaire change fréquemment de sujet d'une phrase sur l'autre, sans juger nécessaire d'expliciter un lien logique entre elles. Anna ne s'en étonne pas le moins du monde et lève son verre de jus d'orange pour porter un toast « aux *misfits* ». Je me revois deux ans plus tôt, trinquer avec Igor et Constance en prononçant ce même qualificatif. Je n'arrive plus à savoir à qui celui-ci correspond le mieux, de Stan ou moi. Les révélations d'Anna au sujet de son père ont quelque peu brouillé les lignes.

Un premier indice m'est apparu cette nuit. Pas dans une base de données, mais dans ma propre mémoire : j'ai revu Stan au Fouquet's, discutant avec Adrien Bernard. Son air triste ensuite, son empressement à *beaucoup boire*... Très vite, en fouillant la Matrice, la piste s'est épaissie. J'ai d'abord retrouvé la trace de sa naissance, à l'hôpital américain de Neuilly, en mars 1982. Puis de sa mère, Hélène Dorsay, dont la carrière prometteuse chez LMVB s'est brusquement interrompue, huit mois plus tard. Puis ces e-mails de François Bernard, l'empereur du luxe en personne, tous les ans au mois de mars : quelques mots d'anniversaire distants et polis, auxquels l'ennemi ne répondait jamais. Et enfin, ces vieux articles de presse people qui révélaient les détails manquant au feuilleton. La tentative de divorce – début 1982 – du patron de LMVB d'avec Marie-Caroline Bernard, née Latour, afin de se remarier avec une de ses collaboratrices – disait-on par amour. La guerre juridique, discrète mais interminable, qui l'y fit renoncer. Et pour clore l'affaire, la naissance d'Adrien Bernard Latour, en janvier 1984. Les faits s'alignaient parfaitement : Stan était le bâtard de l'industriel du désir en chef, privé d'un héritage et d'un nom dont jouissait, seul, son demi-frère Adrien. Lequel dirige aujourd'hui, à trente-cinq ans, la filiale maroquinerie du groupe tandis que l'ennemi, de deux ans son aîné, doit encore s'efforcer d'atteindre les sommets par lui-même. Un récit de *misfit* en puissance, rejeté par l'espèce dominante à sa naissance.

Ce matin, forcément, son visage m'inspirait moins de révolte et de rage que d'habitude et presque un fond de compassion, bien malgré moi. Il m'a fallu redoubler de vigilance : c'est exactement de cette façon que le jeune Dorsay s'était attiré la sympathie de mon père – en se faisant passer pour un jeune consultant sans défense, injustement stigmatisé.

Au petit déjeuner, curieusement, il ne m'a rien demandé sur ma soirée, pas même avec qui j'étais – j'avais pourtant préparé mes réponses, anticipé tous les coups possibles. Il a préféré partager son enthousiasme à l'idée de notre prochain week-end au Reboot Institute, insistant même pour qu'on reste à la *full moon party* du dimanche soir, quitte à revenir un jour plus tard. Ça ne m'a pas dérangé, au contraire. À son attitude, je suis à peu près certain qu'il n'a aucune idée de ce qui va lui tomber dessus là-bas.

Impossible, en revanche, de certifier à ce stade que Peter Cooks sera dans mon camp. Durant ses monologues, denses et intriqués, ses yeux ont une fâcheuse tendance à me fuir, toujours mobiles, presque égarés, comme dépassés eux-mêmes par l'enchevêtrement de ses raisonnements. Une fois malgré tout, je profite de sa gorgée de citronnade pour lui subtiliser la parole. Je tâche alors de lui dire au mieux ce qu'il souhaite entendre, évoque le futur qu'Ayobi doit contribuer à bâtir, cite plusieurs fois Chris Murray, avec qui son amitié est notoire. Mais un rictus indéchiffrable se dessine peu à peu sur ses lèvres, comme s'il n'était pas d'accord.

— Le seul futur auquel tu dois croire, Victor, c'est à celui qui aura lieu.

Il se recule dans son fauteuil et me laisse méditer quelques secondes sur sa maxime. Je hoche la tête d'un air inspiré, comme si j'en goûtais toute la profondeur.

— Avant l'invention de l'imprimerie, un seul récit de l'avenir s'imposait à tous, le même pendant plus de mille ans. Tout ce qui pouvait advenir – guerres, épidémies, famines, incendies – était écrit d'avance, car interprété comme la volonté de Dieu.

Le sourire d'Anna relativise ma confusion. Elle m'avait prévenu : quand Peter Cooks part dans ses digressions, n'importe qui éprouve les pires difficultés à le suivre. Certes, mais moi je ne suis pas n'importe qui.

— Puis on a inventé l'imprimerie, dont les bienfaits sont aujourd'hui incontestables : elle nous a permis de publier des milliers d'autres récits du futur, de prendre en main notre destinée... Mais pendant ses premières décennies d'existence, cette technologie a surtout décuplé la production de propagande religieuse et enflammé les conflits entre Églises – un désastre. Or toutes les innovations fonctionnent ainsi : c'est la destruction créatrice. Elles poussent d'abord l'ancien monde à s'autodétruire, avant de permettre au nouveau d'émerger.

Il prend une nouvelle gorgée de citronnade. C'est ma chance. L'occasion de lui montrer que j'arrive à suivre son rythme :

— Et ce sera la même chose avec Internet. À terme, cette technologie démultipliera notre intelligence collective mais, pour l'instant, elle favorise surtout l'ignorance sélective, attise les conflits entre intégristes de tous bords... Et toute la valeur d'Ayobi consiste justement à leur proposer les technologies les plus efficaces pour convertir de nouveaux fidèles.

Je reprends ma respiration, convaincu d'avoir marqué des points : Cooks a trouvé à qui parler, un microprocesseur de même puissance que le sien. C'est sûr, Stan n'aurait jamais pu suivre la cadence et lui faire une réponse aussi perspicace. Pourtant, le fondateur de Qinoa fronce les sourcils.

— Ayobi vaut bien plus que tu l'imagines.

À nouveau, il laisse infuser sa phrase quelques instants, comme si elle était d'une profondeur abyssale. C'est très agaçant. Anna, cependant, ne cesse de hocher la tête et de sourire : tout se passe pour le mieux.

— Le problème, professe-t-il, c'est l'incertitude. Le climat, le cycle de l'eau, l'énergie, les tensions géopolitiques, les matières premières...

Frustré, je croque un bâtonnet de carotte pour me donner une contenance. Cooks me fixe une demi-seconde et à nouveau, j'ai l'impression que son regard se perd quelque part en chemin vers mon visage pour disparaître dans une autre dimension. Insaisissable. Il est visiblement inutile de chercher à capter son attention. Je vais devoir me distinguer de Stan autrement.

— Jusqu'ici, l'incertitude s'inscrit dans un cadre prédictible : quand un imprévu survient, les marchés montent ou descendent, les banques adaptent leurs taux d'intérêt, les assurances ajustent leurs modèles de risque et le système repart de plus belle. Mais quand on atteindra le point de rupture, ces instruments ne suffiront plus. Alors chacun s'enfermera dans ses propres croyances et c'est là, quand la réalité consensuelle aura disparu, qu'Ayobi prendra sa pleine mesure.

Sa prophétie s'étend encore sur plusieurs minutes, tandis qu'Anna et moi vidons le bol de radis en opinant du chef. Cooks nous compare à la presse au XIXe siècle, puis à la télévision des Trente Glorieuses : en nous débrouillant bien, notre influence sera plus vaste encore. Nos algorithmes supplanteront tous les faiseurs d'opinion. Nous aurons le pouvoir de faire et défaire tous les récits du monde. Et surtout, de décider du vainqueur.

J'affiche un engouement de façade pour ce scénario, mais j'aurais tout de même préféré qu'il s'intéresse à ma vision plutôt que m'édicter la sienne.

Ma frustration s'évapore d'un coup lorsqu'il me propose de le suivre à l'intérieur de sa villa :

— J'ai quelque chose à te montrer dans mon bureau.

Nous prenons congé d'Anna qui, à son sourire, semble au fait de ce qui se trame. De chacune des pièces que nous traversons – un premier salon muni d'un billard, un second pourvu d'un piano à queue, puis une salle à manger pour trente convives – se dégage la même impression d'inhabité. Les coussins des canapés s'exposent dans leur forme initiale, chaque objet respecte un alignement de catalogue et aucun indice de vie quotidienne ne vient déranger l'odeur de parquet ciré. D'ailleurs, mon hôte ne cherche pas à me faire une visite guidée, ni à meubler le silence. Tous ces décors suggèrent une convivialité dont il est incapable de faire preuve.

Il ne reprend la parole qu'une fois dans l'escalier, pour me demander :

— Tu connais l'histoire du Turc mécanique, Victor ?

Je connais, oui, plutôt bien d'ailleurs. Ce faux automate, ancêtre de Deep Blue, battait tous ses adversaires aux échecs, y compris les plus illustres : Napoléon Bonaparte, Marie-Thérèse d'Autriche et Benjamin Franklin ont figuré parmi ses victimes. Il se présentait comme un mannequin à l'effigie d'un Turc en turban, manœuvrant les pièces à l'aide de bras mécaniques, apparemment activés par d'impressionnants engrenages visibles sous l'échiquier. Une merveille d'illusionnisme car, en réalité, un compartiment secret permettait à un humain de se cacher sous l'automate et de le manier à la façon d'une marionnette.

— Toutes nos technologies sont des Turcs mécaniques, martèle-t-il sans me regarder. Même derrière l'intelligence artificielle la plus avancée, il y a toujours un humain caché, qui inculque *sa* logique et *ses* objectifs à la machine.

J'acquiesce, muet comme un élève apprenant sa leçon. Entendre Peter Cooks parler d'intelligence artificielle me procure un étrange sentiment de supercherie. En le regardant monter les marches avec une régularité de métronome, je cherche encore un indice irréfutable de son appartenance à l'espèce humaine. Un androïde cherchant à passer le test de Turing, après tout, serait probablement capable de tenir un discours de ce genre, sans se montrer moins chaleureux ni sympathique.

Au premier étage, machinalement, il s'arrête devant la fenêtre pour me faire admirer la vue sur son territoire – *son* jardin, *sa* piscine, *ses* arbres – tout juste polluée par un infime morceau du toit de la villa voisine, dépassant d'un rien la cime des chênes. « La maison de mon ami Chris », me dit-il en désignant cet infime morceau de ciel qui lui manque. Puis il s'enfonce dans le couloir et m'ouvre la dernière porte.

Pénétrer dans le bureau de Peter Cooks, c'est un peu comme entrer dans son cerveau : c'est vertigineux, chargé, bordélique de prime abord, mais on soupçonne cependant qu'une logique implacable sous-tend l'ensemble. Contrairement aux autres pièces, qui représentent peut-être les autres parties de son corps, celle-ci paraît très largement surhabitée. Les murs sont intégralement recouverts de Post-it et d'inscriptions, le regard est sans cesse happé par une nouvelle information, jusqu'à en perdre le sens de l'orientation. Dès l'entrée, un écran plat montre en temps réel l'évolution de son *net worth*, en fonction des actifs qu'il possède et de leur valorisation du moment – à cet instant 63,4 milliards. Une courbe illustre ce chiffre et le met en perspective sur différentes échelles temporelles. Sur la semaine écoulée, Cooks a perdu un peu plus de 200 millions. Il s'en justifie presque :

— La Bourse est une guerre de récits.

Je repense à ce coach en séduction, sur YouTube, qui disait la même chose à propos des rencards.

— D'un côté tu as les *Bulls*, les optimistes béats, qui croient que le futur est un festin sans fin. De l'autre tu as les *Bears*, les alarmistes de tous bords, qui pensent que le monde va s'effondrer demain matin.

Il semble vouer aux financiers de Wall Street le même mépris qu'aux politiciens de Washington.

— Et moi, je gagne ou perds des fortunes au gré de leurs sautes d'humeur.

Derrière son bureau, le mur est recouvert des logos des entreprises dont il est actionnaire – beaucoup trop nombreux pour être comptés. Je localise le nôtre, situé entre RobinHood – un outil de *trading* pour particuliers – et CrystalBall – une plateforme d'analyse prédictive utilisée par les services de renseignement américains... Cooks, si critique à l'égard de la Bourse et du gouvernement, veut néanmoins sa place à toutes les tables.

Sur le mur adjacent, une frise intitulée *Future Solutions* répertorie des dizaines de disruptions technologiques à venir: bio-hacking, ingénierie du climat, informatique quantique, vie artificielle, réalité virtuelle… La carte du futur, vu par la Silicon Valley. Au feutre, Cooks l'a complétée avec les noms de start-up dans lesquelles il a investi, pour ne rater aucun virage. La plupart sont déjà des licornes en puissance, en grande partie parce qu'il a misé sur elles. À ce niveau d'influence, il vous suffit presque de croire à vos prophéties pour qu'elles se réalisent.

— Selon toi, Victor, qu'est-ce qui provoque l'échec d'une boîte?

Je me souviens du premier discours de Stan, au Pré Catelan. La phrase du cofondateur de Google: *Beaucoup d'entreprises échouent sur la durée, parce qu'elles ratent le futur.*

— Exactement. Or, pour ne pas rater le futur, il est essentiel de ne jamais privilégier un récit du monde sur un autre: il faut être *agnostique.*

Il souligne ce mot par un silence. Tout en hochant la tête, je me retourne vers le troisième mur, celui de la porte d'entrée. J'y découvre une autre frise, impressionnante et vertigineuse, intitulée *Escape Plans*. Un schéma tentaculaire, recensant une trentaine de scénarios catastrophes et autant de stratégies de repli – au cas où ses *futures solutions* auraient échoué. J'y apprends notamment que Cooks possède les nationalités islandaise et néo-zélandaise – ainsi que plusieurs hectares de terrain dans ces deux pays – par anticipation d'un dérèglement climatique majeur, finance des dizaines d'expérimentations de bunkers survivalistes et de fermes verticales, tout comme des laboratoires spécialisés en décontamination nucléaire. Sur une colonne intitulée *One-way* – allers simples –, j'apprends également qu'il fait construire deux îles artificielles au milieu de l'océan Pacifique et à proximité de l'Antarctique, tout en investissant sur plusieurs projets ambitionnant de rendre Mars habitable d'ici à 2040. Un instant, je crois vivre le début d'une crise d'angoisse.

— Il faut savoir lire le monde avec les yeux d'un alarmiste comme avec ceux d'un optimiste béat. N'avoir aucune idée préconçue de l'avenir, pour s'adapter à toutes les possibilités.

Ses mots prennent une tout autre résonance. Dire que je me demandais pour qui cet homme prendrait parti, entre Stan et moi. Je n'avais pas saisi. Cooks n'est d'aucun côté, ou plutôt de tous à la fois. Quel que soit le camp qui l'emporte, il veut gagner avec lui. Être le premier à manger au festin, et le dernier à survivre au déluge.

— C'est la définition de l'intelligence : *s'adapter*.

J'aimerais lui signaler l'absurdité du fait de s'adapter à un futur qu'on fait soi-même advenir. Mais son réseau de neurones n'a sans doute pas été configuré pour parler philosophie. Il tâche seulement de répondre avec une efficacité maximale à l'objectif qui lui a été fixé : faire grimper le score sur son écran plat. Et à ce jeu-là, il faut lui reconnaître d'avoir fait mieux qu'environ huit milliards d'êtres humains. Depuis l'an 2000, la courbe de son *net worth* dessine une parfaite exponentielle, sa fortune doublant à peu près tous les trois ans. Quoi qu'il en dise, le magnat n'a plus besoin de s'adapter au monde. En parfait Homme 2.0, il adapte le monde à lui.

— Le risque pour Ayobi serait de trop prendre parti pour un futur plutôt qu'un autre. Par exemple, si vous liez trop votre image à Green New World, vous deviendrez certes la plateforme préférée des écologistes et des *Bears*... mais vous serez enfermés dans cette niche et, dans cinq ans, une autre plateforme aura pris votre place et vos milliards, car elle aura su séduire les conservateurs, les *Bulls* et tous ceux qui souhaitent que l'illusion se prolonge encore un peu.

Quelque chose cloche. Comment peut-il tenir ce discours après m'avoir permis d'accéder à la Matrice, précisément pour améliorer la campagne de son-ami-Chris ? Je me permets d'intervenir :

— Mais en l'occurrence, le futur dont parle Green New World n'est pas un récit parmi d'autres, c'est une réalité : il s'appuie sur les rapports du GIEC, des faits tangibles, validés scientifiquement.

Ce dernier mot lui décroche un sourire.

— Le seul futur validé scientifiquement, Victor, c'est celui qui aura lieu. Et le seul indicateur mesurable, pour privilégier une hypothèse plutôt qu'une autre, c'est son retour sur investissement. Or, pour maximiser cette variable, ta plateforme doit être la plus neutre possible, chacun doit y voir son propre intérêt. Google, Facebook, Twitter, Instagram et les autres ne sont pas devenus des empires en donnant des leçons de morale, mais en présentant à chaque individu ce qu'il voulait voir. Ne jamais prendre parti, c'est la règle d'or.

Je suis accablé d'une mélancolie soudaine. C'est certainement à force de discussions comme celle-ci, dans des bureaux comme celui-là, qu'Internet est passé de technologie salvatrice à formidable fabrique d'ignorance et d'aliénation.

Satisfait par le silence succédant à sa sentence, Peter Cooks se dirige vers son bureau et pointe le logo de CrystalBall sur le mur, juste à côté de celui d'Ayobi : ça n'était pas une coïncidence.

— Le CEO était au TEDx et il a été fasciné par ta démonstration. Je l'ai eu au téléphone hier, il adorerait travailler avec toi. Avec les petits génies qu'il a dans son équipe et ta vision, vous pourriez accomplir de grandes choses.

Il sort de l'imprimante un document portant nos deux logos : un accord de partenariat, déjà intégralement rédigé. Seule manque ma signature.

— C'est un contrat standard, nos juristes ont l'habitude.

Il me conseille de le lire à tête reposée, de prendre le temps d'y réfléchir. Puis il se tait, longtemps cette fois, comme s'il avait exécuté toutes ses tâches et se mettait en veille. J'envisage alors de lui poser les questions que je n'ai pas pu formuler jusque-là.

Où part son regard quand il s'évapore ainsi, à mi-chemin du mien ? Son-ami-Chris est-il au courant de sa proposition ? Stan a-t-il déjà donné son accord ? Quant aux clients de CrystalBall – NSA, FBI, CIA –, quel usage pourraient-ils faire de mes algorithmes ? Le milliardaire m'indique la porte avant que j'aie prononcé le moindre mot.

Sortir du bureau de Peter Cooks, c'est un peu comme s'échapper de son cerveau. On se sent à la fois soulagé de reprendre contact avec le monde réel – *son* jardin, *sa* piscine, *ses* arbres, *son* ciel – et bouleversé, à jamais incapable d'oublier la manière dont ses yeux le voient, la guerre qu'il lui a d'ores et déjà déclarée. Car au fond, quel que soit le mur dont on se souvienne, ses *Future Solutions* et ses *Escape Plans* participent d'un seul et même but : amener l'Homme à s'affranchir de la réalité pour de bon, à faire sécession d'avec elle, en reprogrammant la nature selon ses caprices – géo-ingénierie, bio-hacking – ou en remplaçant ses lois par les siennes – réalité virtuelle, vie artificielle... Tous ces scénarios de science-fiction douteuse, dont ses livres sont remplis, pourraient prêter à sourire si ses prophéties n'avaient pas cette fâcheuse tendance à s'autoréaliser, et si le score sur son écran plat n'était pas – au moment de franchir la porte – de 63,5 milliards, soit 100 millions de plus qu'avant notre discussion.

Quoi qu'il en soit, malgré le vertige et la sensation de vide sous ma peau, la voix sentencieuse de Victor Newman m'assure que tous les signaux sont au vert. Après vérification, seule ma signature est requise sur le contrat de partenariat avec CrystalBall : Cooks m'a bel et bien identifié comme seul décideur. Quand j'y pense, il n'a pas mentionné Stan une seule fois. C'est tout de même un excellent présage.

— Au fait, Victor, j'ai un service à te demander...

Cooks interrompt sa descente à la moitié de l'escalier.

— Ce n'est pas grand-chose, une vidéo trop sombre et trop floue que mes équipes n'arrivent pas à traiter. Avec ta technologie, ça devrait être un jeu d'enfant. Tu pourrais jeter un œil ?

— Euh, oui, bien sûr.

— Merci. Je demanderai à Wilson de te transmettre les informations.

J'entends alors son ventre gargouiller, première preuve irréfutable de son appartenance au genre humain.

Quand nous retrouvons Anna dans le jardin, elle ne pose aucune question sur ce document que je tiens dans la main – il est évident qu'elle m'a invité là pour cette raison. Tandis que le majordome dépose un immense plateau de fruits de mer devant nous, j'admire à nouveau l'harmonieux chaos de spirales et fractales dessinées au râteau sur le sable clair, préfigurant le tumulte à venir. Et je récite en moi-même la nouvelle règle que je viens d'apprendre : *être le premier à manger au festin, et le dernier à survivre au déluge.*

29

Je ne suis plus très loin du but. C'est ce que je me dis en ouvrant les yeux pour l'avant-dernière fois, ce dimanche matin, au Reboot Institute. À mon prochain réveil, tout sera terminé. Il y aura un vainqueur et un perdant.

En théorie des probabilités, on postule qu'il n'y a pas de hasard, mais une vaste équation trop complexe qui nous échappe. Pour la première fois depuis la mort de mon père, j'ai l'intuition que celle-ci va dans mon sens. Les planètes s'alignent depuis quelques jours, je peux le sentir à des milliers de petits signes. Le *ProfileRank* d'Anna, par exemple : en dépit de tout ce que j'ai raté l'autre soir, j'y trône à la cinquième place avec un score de 9.42, loin désormais devant Stan, qui a même perdu 0.03 point. Au fond, ça ne m'étonne pas vraiment. J'ai quitté l'orbite de l'ennemi pour celle de Peter Cooks, astre plus massif encore, alors l'espace-temps se courbe en ma faveur. Pourvu que ça dure.

8 h 30. Comme chaque matin depuis sa bombe, mes premières pensées vont à Constance – troisième jour sans lui donner de nouvelles. Je me mets au sport d'emblée, pour couper court à tout flottement. On ne trouve ici aucun matériel de musculation, pas même une barre de traction, alors je me rabats sur une heure de

jogging. Tout juste assez pour faire le tour des neuf cents hectares du Reboot Institute.

Depuis sa création dans les années 1960, cette sorte de Club Med hippie attire plusieurs milliers de visiteurs chaque année, la plupart en provenance de Los Angeles et de la Silicon Valley. Steve Jobs y aurait eu la vision de son premier iPod, Aldous Huxley y aurait écrit *Le Meilleur des mondes* et de nombreuses stars hollywoodiennes – on m'a cité Richard Gere et Angelina Jolie – viendraient s'y ressourcer entre deux rôles. Les rares journaux qui en parlent évoquent un pèlerinage pour nantis en quête de sens et de rédemption, une retraite spirituelle sur cooptation.

Ce qui frappe d'abord à l'Institut, c'est que l'usage des écrans y est interdit. Votre téléphone, votre ordinateur, même votre montre connectée doivent rester à l'entrée – j'avais prévu le coup, en emportant ma Breitling analogique. Ainsi, pour consulter vos messages, il faut marcher huit cents mètres jusqu'à la réception, déverrouiller votre casier personnel, rallumer votre appareil, tenter de capter quelques bribes de réseau, faire ce que vous avez à faire puis à nouveau tout éteindre, refermer le casier, refaire huit cents mètres dans l'autre sens... De quoi guérir vite de ces moments où vous allumez compulsivement votre écran sans savoir pourquoi ni l'avoir décidé.

Comme la plupart des autres pensionnaires, je m'autorise une session d'une demi-heure chaque matin, qui s'avère amplement suffisante. C'est le mot d'ordre ici : *log out and reboot* – déconnecter pour redémarrer sur un logiciel plus vaste. Toutes nos activités quotidiennes – yoga, méditation guidée, *sound healing* – concourent à cet objectif.

Il n'empêche que pour d'évidentes raisons, j'ai tout particulièrement hâte de consulter mon écran ce matin. Mon algorithme a démarré son exécution hier, à 18 h 15, en publiant sur Twitter les deux premiers épisodes du feuilleton *Cypress Creek* : rien encore de nominatif ou d'irréversible pour l'instant. C'est ce soir que le feu prendra véritablement. Et si tout se déroule comme prévu, Stan n'en saura rien avant demain matin, quand il ira consulter son téléphone à son tour... Un retard irrattrapable, en principe.

9 heures. Mon itinéraire de course longe d'abord une falaise, en surplomb de l'océan Pacifique qui, à cette hauteur, ressemble à une vaste feuille d'or et d'étain fripée. Puis un sentier rocailleux, plus escarpé, descend à pic vers une petite crique ombragée. Sur le sable humide, mes foulées s'amusent à provoquer les vagues, qui n'arrivent jamais à m'attraper. Immobile sur son rocher, un goéland me regarde faire d'un air circonspect. Une brise fraîche et iodée me parvient du large. Un flot constant d'endorphine apaise mes muscles, transforme la douleur en plaisir. Avec la même liberté que mes jambes, mes pensées divaguent et se dispersent au gré du décor qui défile. Une exceptionnelle sensation d'espace et de temps dilate ma conscience, focalise mon attention sur ici et maintenant, si bien qu'il m'arrive d'oublier un instant l'enjeu de cette journée. À chaque paysage, il me faut plusieurs secondes pour parvenir à l'admirer à sa juste valeur. Je dois d'abord faire le point, réaliser que cette image existe vraiment, contrairement aux scènes artificielles que je vois d'ordinaire défiler sur mon écran. J'ai passé tant d'heures à découper, triturer, retoucher les vidéos que Peter Cooks m'a fait parvenir, pour un résultat si convaincant que mes yeux doutent à présent de la réalité de tout ce qu'ils voient. Une nouvelle preuve de l'efficacité spectaculaire de mes algorithmes.

De fait, ces derniers ont atteint un degré de maîtrise inégalable, à force d'entraînement. Entre la falsification d'images, l'*astroturfing*, l'aspiration de données personnelles et le *ghost-writing*, l'arsenal d'Ayobi pourrait me propulser au rang de champion du *kompromat* – cet art conceptualisé par les espions du KGB consistant à détruire votre adversaire par la révélation de dossiers compromettants, fussent-ils authentiques ou fabriqués.

Au programme orchestrant ma séquence d'attaque, j'ai donné le nom de DeepBull : un hommage à Deep Blue, symbole de la victoire des algorithmes sur les hommes, ainsi qu'aux *Bulls* des marchés financiers, que les scandales à venir devraient en toute logique favoriser. Les fuites majeures débuteront à 20 heures pile, en même temps que les festivités pour la pleine lune. Jusqu'à l'heure fatidique, je peux à tout moment avancer ou retarder mon offensive, ajouter ou modifier des paramètres, en envoyant une simple commande par e-mail. Rien n'a été laissé au hasard. Toutes les hypothèses ont été envisagées. Il me suffit d'aller à la réception pour tout contrôler à distance et rester maître du jeu, en toutes circonstances. La seule chose qui peut me faire échouer à présent, c'est l'aléa, le hasard – cette vaste équation qui nous échappe.

Depuis la crique, un autre sentier remonte la falaise vers un bois de pins dont la cime découpe la lumière du soleil en rubans dorés. Un ponton de bois enjambe une rivière docile : je m'approche et tends les mains pour me rafraîchir la nuque. J'entre en contact avec l'instant présent, le vrai, pas cette immédiateté fictive dans laquelle nous piègent nos flux d'actualité. Des hordes de souvenirs surgissent de sous ma chair, comme issus d'un dossier protégé de ma mémoire. Des sensations brutes et naïves : la douceur parfumée des soirs d'été, la robe cerise des vins de Bourgogne, la texture du sable de Sardaigne sous Constance, l'odeur de pluie sur les rues piétonnes, le chuchotement ouaté de ses jambes qui se croisent, la torpeur délicieuse des muscles après l'amour... Des réminiscences d'une autre vie, dont l'addition produit un étrange effet : l'impression d'avoir mené toute une existence clandestine, à l'insu de ma conscience. Comme un film dans le film, une histoire entière se déroulant à l'arrière-plan. C'est peut-être ça, la réalité, ce qui se passe quand on regarde ailleurs. Tout ce que le décor peut abriter d'essentiel. La pureté d'une rivière, l'amour de Constance, ces choses qu'on tient pour acquises et auxquelles on n'a donc aucune raison de faire très attention... sauf quand elles viennent à manquer.

Voilà ! C'est exactement pour ce genre de pensées à l'eau de rose que je suis pressé d'en finir. Dix heures me séparent encore de l'heure fatidique et d'ici là, mon corps a tout le loisir de chercher à m'attendrir et me faire dévier de ma trajectoire si minutieusement programmée... Je ne le lui pardonnerais jamais.

Comme Peter Cooks l'avait annoncé, Wilson est passé me voir à mon bureau mercredi matin. Sans un mot, il m'a tendu un Post-it indiquant un dossier à rechercher dans la Matrice, du nom de Pandore – plus exactement @Pandora94301 –, reconnaissable à ses dizaines de téraoctets de fichiers. Allais-je découvrir en l'ouvrant tous les maux de l'humanité ? C'était à peu près ça : à l'intérieur se trouvait une collection vertigineuse de photos, vidéos, documents et enregistrements audio, classés par profil. Plus de 1 200 dossiers individuels, portant un nom de code en langage hexadécimal, étonnamment simple à décrypter – le propriétaire *voulait* que je connaisse l'identité de ses cibles. Le dossier 410794-B18E, par exemple, concernait David Kahn. Le D1033-05031E381034 désignait Marc Tranchard. Quant au 079305F03-C101C135, sans grande surprise, il m'était personnellement consacré.

Bien que protégés par un mot de passe, donc impossibles à ouvrir, les fichiers qui s'y trouvaient faisaient peu de mystère de leur contenu. La vidéo 20181001_0124.mp4, par exemple, avait de toute évidence été prise le 1er octobre 2018 – ma première nuit sur Liste Blanche, j'ai vérifié – à 1 h 24 du matin, probablement l'heure à laquelle j'ai suivi Anna dans la salle de bains. Celle-ci m'avait prévenu, l'autre jour : « Peter est quelqu'un qu'il vaut mieux avoir avec soi. » C'est le moins qu'on puisse dire. Le message que m'adressait le milliardaire était on ne peut plus simple à déchiffrer : il était en mesure d'exiger une coopération totale de ma part. Une menace larvée mais surtout superflue car, au vu de ce qu'il m'offrait sur l'ennemi, j'aurais obtempéré de toute façon.

Ainsi, moi qui me voyais en Deep Blue n'étais finalement qu'un Turc mécanique, un automate auquel on dictait secrètement tous ses coups. Dire que j'espérais profiter de Wilson pour accomplir mon plan... En réalité, c'est lui qui m'utilisait comme un pion depuis le départ, pour mettre en œuvre la stratégie de son patron. Me donner accès à la Matrice avait été le premier pas. Avec le dossier Pandore, il m'indiquait plus précisément où chercher. Le reste n'avait pas besoin d'être dit, seulement suggéré.

9 h 30. Au bout de six kilomètres et alors que la fatigue apparaît doucement, je reçois quelques gouttes – les premières depuis trois semaines. Il fallait que ça tombe aujourd'hui... La météo prédisait pourtant un grand soleil toute la journée. Cet imprévu pourrait gâcher la fête : s'il pleut ce soir, l'ennemi pourrait être tenté d'aller se réfugier à la réception, en profiter pour allumer son téléphone... Un scénario catastrophe, pas si improbable.

Passablement agacé, je lève la tête pour observer la course des nuages, lente et insouciante, indifférente à nos stratégies et nos manœuvres. Leur provocante obstination à ne pleuvoir que lorsqu'ils le décident et pas quand ça nous arrange. À nous priver du soleil quand on voudrait avoir chaud, à confisquer toutes les couleurs en hiver et nous les rendre au printemps, sans nous demander notre avis. Quelques gouttes ont suffi à raviver ma hantise, la crainte d'une faille dans mon plan. Un détail dans la vaste équation qui échapperait à mes calculs et jouerait contre moi.

Il est rageant d'atteindre un tel degré de maîtrise du réel et d'être encore à la merci de courants d'air. Sous cet angle, je comprends parfaitement qu'on bombarde les nuages de gaz pour programmer leurs précipitations. Qu'on ne tolère plus que le vent et la pluie, le jour et la nuit, le chaud et le froid refusent de se plier à notre planification de l'existence. Je comprends qu'on paie une fortune aux architectes du système pour qu'ils circonscrivent la nature à leurs modèles, leurs classeurs Excel ou leurs algorithmes, en s'assurant qu'elle n'en déborde jamais. Je comprends qu'on veuille titriser la réalité tout entière, réduire en équations toute vie sur terre, pour ne plus rien laisser au hasard.

Je comprends, mais j'ai peur... La réalité ne se laisse jamais dompter très longtemps. Je l'ai appris à mes dépens, avec Constance. Un jour elle se venge de ce qu'on ait trop regardé ailleurs. Sans prévenir elle nous présente l'addition, nous confronte aux conséquences de nos actes.

En découvrant le dossier consacré à l'ennemi dans Pandore, j'ai d'abord été déçu. Ne s'y trouvait qu'une seule vidéo, prise à New York et de prime abord inoffensive, presque dérisoire. J'ai cru que Peter Cooks avait tout faux, qu'il était à côté de la plaque. En réalité, c'est moi qui avais beaucoup à apprendre de lui. Le but n'était pas de taper fort – comme avec Erin et Lara – mais de taper *juste*, dans le regard de chacun. Au lieu de faits objectivement condamnables, le film avait de quoi générer toute une nuée de micro-scandales, à gravité subjective. Un diamant brut qu'il me restait à faire tailler par mes algorithmes pour que chacune de ses facettes tende à chaque internaute le reflet d'un cauchemar personnalisé, sur mesure. À la fin de la vidéo, j'avais des étoiles dans les yeux.

Il arrive que le système vous récompense, pour bons et loyaux services, en facilitant la réalisation de vos objectifs. Cooks et Wilson étaient peut-être au courant de mes projets à l'encontre de Stan, depuis le départ. Ou alors, le hasard fait sacrément bien les choses.

Leur *kompromat* à eux présente en tout cas l'avantage de me dédouaner complètement : contrairement à mon plan initial, il est inconcevable que j'en sois l'instigateur. C'est aussi son principal inconvénient : avec cette aide providentielle, je suis comme dépossédé de ma vengeance. L'option raisonnable aurait été de l'accepter, de privilégier l'efficacité en renonçant à ma signature. Mais par fierté, j'ai choisi l'autre option : faire feu de tout bois. Dans DeepBull, j'ai programmé deux séquences d'attaque – *Pandore* d'un côté, *Cypress Creek* de l'autre – à exécuter en parallèle. Ainsi ce soir, tandis qu'apparaîtra sur Twitter le *selfie* d'Erin et Lara sur notre terrasse, un informateur anonyme publiera sur Instagram les images de New York, sous différentes versions. Celles-ci seront diffusées à des influenceurs de la côte Est ou de San Francisco triés sur le volet, surtout pour leur absence d'affinités envers les causes défendues par Green New World. Car Stan n'est pas la principale cible de cette vidéo… C'est Chris Murray que l'attaque de Peter Cooks vise avant tout à compromettre.

9 h 55. Sous une pluie fine, la fin de mon itinéraire me fait longer la route en bordure du Reboot Institute. En suivant la chaussée déserte, je vois se dessiner la frontière entre notre paradis privatif et le territoire public. Ici les arbres fringants, les sentiers aimables et les pelouses duveteuses, là-bas les paysages indomptés, les herbes rebelles et les bosquets en désordre. D'un côté de cette ligne goudronnée, le monde a une valeur marchande, 250 à 800 dollars la nuit, et mérite donc d'être entretenu, budgété, traduit en données numériques… De l'autre il est un décor sans intérêt, un arrière-plan brut et naïf dont on n'a aucune raison de tenir compte.

C'est pourtant de là que peut venir le danger. De ce monde non mesurable qui ne laisse aucune trace, ne s'intègre à aucun modèle. Tous ces pans de réalité que nos algorithmes ne voient pas.

11 heures. Après la douche, je passe à la réception pour prendre des nouvelles de DeepBull. Il me répond que tout va bien. Un seul coup d'œil au tableau de bord suffit à dissiper mes craintes matinales : les séquences *Pandore* et *Cypress Creek* affichent la même pastille verte, qui veut dire « en cours ». Les compteurs de *likes* et de *retweets* se situent vers le haut de la fourchette prévue. Tout se déroule pour le mieux.

En observant le minutage des actions à venir, cependant, j'appréhende un embouteillage entre 20 heures et 20 h 15, une trentaine de publications étant programmées dans cet intervalle. Allumer deux feux en parallèle est-il si pertinent ? Ne risquent-ils pas de s'embraser trop vite ou, au contraire, de s'étouffer l'un l'autre ? Je passe un long quart d'heure à tester toutes les combinaisons d'horaires possibles, avant de trancher : DeepBull publiera le film d'Erin et Lara à 21 h 30 plutôt qu'à 20 heures. Je disposerai ainsi de quatre-vingt-dix minutes entre les deux explosions, pour ajuster la seconde en fonction des résultats de la première. Je reçois un e-mail de confirmation, suivi d'une décharge de dopamine : j'ai fait le bon choix. En partant vers le restaurant, je me demande même si j'aurai besoin d'activer ma seconde attaque, tant il est probable que la séquence *Pandore* suffise.

Le film date du 17 mars 2019 : dernière soirée du Transatlantic Strategy Forum, dans ce loft en *rooftop* dont l'ennemi m'avait tant fait l'éloge. Il consiste en deux fichiers séparés, une vidéo et une capture audio. On y reconnaît aisément Stan et Chris, dans une chambre avec vue plongeante sur Central Park, flirtant avec deux modèles – était-ce la Fashion Week ? – tout en reniflant plusieurs lignes blanches tracées sur une table de chevet. Dorsay ne se serait probablement jamais retrouvé dans cette pièce avec Murray si j'avais accepté de l'accompagner ce soir-là, et ne serait donc jamais devenu le dommage collatéral d'une autre guerre. Il ne croyait pas si bien dire, en me désignant comme son talisman.

En tenue légère et visiblement éméchées, les filles leur proposent un jeu, sorte d'*Action ou Vérité*. Les questions comme les gages tournent autour des thèmes habituels, avec une liberté de ton nourrie par la coke et l'heure tardive. De fil en aiguille, tout ce joli petit monde en vient à comparer ses ex-partenaires sexuels, les classer par tranche d'âge, par pays d'origine ou par catégorie socio-professionnelle, sans la modération dont il convient de faire preuve en présence d'une caméra. On parle aussi de ses penchants pour des pratiques moins conventionnelles, de ses expériences les plus sulfureuses, bref, de tous les thèmes plus ou moins raccordables au sexe – ce qui en fait un certain nombre. Si bien que peu à peu s'amoncelle un trésor de petites phrases qui, découpées, sorties de leur contexte et montées habilement, ont de quoi promettre des lendemains difficiles à leurs auteurs.

Les deux filles ne sont pas en reste, et vont d'ailleurs toujours plus loin dans l'outrance que Stan et Chris. Des appâts. Le bouquet final débute à la quarante-deuxième minute : une sorte de concours d'imitations, lancé par la plus expansive, suivi d'un *Fuck Marry Kill* – un jeu classique des soirées étudiantes consistant à désigner, sur une liste de trois personnes, laquelle le joueur aimerait *baiser*, *épouser* ou *tuer*. S'ensuit un déluge d'accents maladroits, de stéréotypes douteux, de paroles trop libres et trop crues, de dérapages drapés d'euphorie qui en appellent d'autres, en cascade. Un formidable concentré d'inconséquence, en Full HD.

Dès le premier visionnage, le malaise m'a creusé l'estomac : j'ai ressenti, par procuration, la même honte qu'au lendemain du Pré Catelan. Je me suis imaginé qu'on m'ait filmé ce soir-là, à deux doigts d'embrasser Anna Fourcade et marchant sur le pied de Stan... Une bagatelle et pourtant, si on m'avait montré la vidéo de ce moment précis le matin suivant, j'aurais pu démissionner de B&G, juste par embarras.

En l'occurrence, les conséquences devraient être un peu plus graves. En visant bien, certains extraits ont de quoi heurter suffisamment de gens, de communautés, de sensibilités pour qu'il soit intenable, pour n'importe quel comité d'administration, de maintenir Stan et Chris aux positions qui sont les leurs. Une absence de réaction serait interprétée comme une injure, et probablement suivie d'appels au boycott.

Pour faire bon poids, j'ai beaucoup travaillé sur l'émotion des deux filles à l'écran, afin de les faire passer de complices à réprobatrices. Je me suis inspiré du regard de Marion chez moi, ce subtil mélange de détresse, de colère et de dégoût... Grâce à SuccessModels, le résultat est saisissant : on a véritablement l'impression qu'elles sont outrées par ce qui arrive, ce qui décuple l'indignation du spectateur.

Bien sûr, j'ai ressenti un certain écœurement à détourner ces images. Au nom des véritables victimes – de racisme, de sexisme ou d'homophobie – auxquelles ce genre de scandales ne risque pas de rendre justice. Au nom de Chris, qui mérite tellement mieux que la fin qui se profile. Mais je sais, depuis le départ, que la *justice* et le *mérite* n'ont rien à faire dans cette histoire.

12 h 30. Au déjeuner, Stan me parle de la fille avec laquelle il a passé la nuit, une habituée des lieux, *life coach* à Beverly Hills et professeure de yoga sur YouTube, « bien mieux payée que nous sans jamais devoir rendre compte à un conseil d'administration ». Les événements de Cypress Creek ont semble-t-il eu pour effet secondaire de lui redonner goût à la séduction – à moins qu'il ait compris qu'Anna ne reviendrait jamais. J'ignore si c'est une bonne chose. Toujours est-il que sa dernière conquête lui a beaucoup vanté l'atelier *Tech Detox* et qu'il me bassine pour participer au prochain, qui démarre à 14 heures.

— Ce n'est pas négociable, finit-il même par trancher.

14 heures. Nous sommes une trentaine à pénétrer dans le dôme géodésique en toile blanche, puis nous asseoir en tailleur sur des coussins multicolores. Depuis Snowden et Cambridge Analytica, les cerveaux de la *tech* affluent ici tous les dimanches, comme au confessionnal, pour se repentir de ce qu'ils ont œuvré – et œuvrent parfois toujours – à construire.

Après avoir allumé trois bâtonnets d'encens Nag Champa, l'animatrice prend la parole. Une jolie brune à peau mate et au regard bleu, légèrement tombant, qui me donne l'impression de flotter au-dessus des autres comme Anna Fourcade autrefois. D'ailleurs, à voir comment Stan la dévore des yeux et la façon dont elle lui rend ses sourires, je comprends qu'il s'agit de la fille en question. Elle s'appelle Joy, fréquente régulièrement l'Institut depuis douze ans et tient à nous en raconter la genèse, d'une voix douce et apaisante :

— En 1962 déjà, trois professeurs de Stanford et Berkeley rêvaient d'un changement de logiciel et d'œuvrer à l'avènement d'une conscience collective. Quand ils ont créé cet endroit, le microprocesseur n'avait pas encore été inventé. Leurs principaux outils, à cette époque pré-numérique, étaient des molécules : LSD, DMT, mescaline...

Tandis qu'elle énumère d'autres substances psychédéliques aux noms savants, plusieurs personnes échangent un clin d'œil complice. Ici comme à Palo Alto, la prise d'acide ou d'hallucinogènes est ouvertement tolérée, si ce n'est encouragée. Steve Jobs lui-même a décrit ses expériences sous LSD comme une source majeure de ses inspirations visionnaires.

— Puis d'autres pionniers les ont rejoints, dix ans plus tard.

Elle évoque les premiers concepteurs d'Internet qui, dès les années 1970, poursuivaient avec l'ordinateur une utopie similaire aux chimistes de la génération précédente : interconnecter les esprits à l'échelle planétaire.

— À la différence des psychotropes, l'expérience de ce nouveau monde virtuel était programmable, ce qui ne tarda pas à susciter l'intérêt de l'ancien monde et de ses publicitaires.

Elle raconte comment dans les années 1980, à Stanford et à Berkeley, les oracles de la contre-culture se sont mués en techno-prophètes, les mécènes en *business angels*, les activistes en *growth hackers*, les sociologues en *UX designers*... En une décennie, les marchands ont pris possession du temple.

— Aujourd'hui, la conscience planétaire se fragmente en un millier de niches, chacune définissant son identité par rapport aux autres et défendant sa vision étriquée du monde depuis sa bulle solitaire. Une aubaine pour la société de consommation, mais l'exact opposé de ce qu'Internet devait devenir. Raison pour laquelle on a plus que jamais besoin d'un *reboot*.

Stan acquiesce virulemment, comme s'il était d'accord. Je n'arrive pas à exclure que cet atelier fasse partie d'un stratagème, qu'il ait voulu m'y faire participer dans un but précis. Mais lequel ?

D'abord nébuleuses, les raisons pour lesquelles Peter Cooks tenait tant à compromettre son-ami-Chris m'apparaissent en tout cas de plus en plus claires à présent. Il a suffi d'un changement d'angle infime pour me rendre compte de tout ce qui pouvait les opposer.

Pour commencer, Murray est un habitué du Reboot Institute alors qu'il m'est impossible d'imaginer Cooks dans cet endroit. Le premier fait du reste campagne en faveur d'un changement de modèle, milite pour fixer collectivement un cap au progrès et fustige l'aveuglement des élites, quand le second méprise la politique, ne jure que par le solutionnisme technologique et serine que toute entreprise doit rester agnostique afin de préserver son business. L'un promet de reboucher le « trou noir de la finance » et de « promouvoir un modèle de civilisation compatible avec les limites physiques de notre planète », tandis que l'autre n'a d'yeux que pour le chiffre inscrit sur son écran plat, qui croît d'autant plus vite que nos ressources naturelles s'épuisent. J'ai d'ailleurs constaté que le NASDAQ avait perdu 3,9 % depuis le lancement de la campagne Green New World, d'où la déprime passagère constatée sur la courbe dans son bureau.

En définitive, sous couvert de ses généreuses donations, le patron de Qinoa n'a jamais eu le moindre intérêt à ce que le Super PAC de Chris Murray soit un succès. Partant du même constat que son « ami » sur l'obsolescence de notre modèle, il a opté pour une stratégie radicalement différente : prolonger l'illusion de la croissance infinie, le plus longtemps possible, pour accumuler un capital précieux en prévision du déluge. Financer toujours plus d'arches de Noé surréalistes et les afficher aux murs de son bureau. Militer pour qu'on intègre le soleil et la pluie, la chaleur et le froid, l'air et l'eau à la grande équation du marché – fixer un prix à tout ce que la Terre nous fournit. Et grâce à son précieux capital, s'en octroyer la plus généreuse part.

14 h 30. Après son discours introductif, écouté dans un silence religieux, l'animatrice nous invite à former un cercle. Tous les participants vont à présent devoir expier leurs fautes, chacun exprimant à tour de rôle en quoi lui-même pense avoir contribué à faire dévisser le rêve de la Silicon Valley en cauchemar. L'un raconte comment il a mis en œuvre un système de collecte de données parfaitement illégal dans les centres commerciaux, à partir du Bluetooth des téléphones et des caméras de surveillance. Un autre, comment il a conçu des circuits de récompenses pour les sites d'e-commerce afin que leurs utilisateurs sécrètent une dose de dopamine dès qu'ils cliquent sur « Ajouter au panier ». Un troisième, comment ses algorithmes de *trading* à haute fréquence sont capables de gratter plusieurs millions de bénéfices sans générer la moindre valeur ajoutée, en anticipant les microvariations des cours

de Bourse. Après chaque confession, l'animatrice demande au communiant quel meilleur usage il pourrait faire de ses connaissances, et passe derrière lui pour laver ses fautes en frappant trois fois dans un bol tibétain.

J'observe ce cérémonial avec amusement. Du moins, jusqu'au tour de l'ennemi. Assis en tailleur, le dos bien droit, il a déjà cet air que je connais par cœur : celui qui précède les grands discours enjôleurs.

— Pour moi, la réussite a longtemps été une obligation...

Là où les orateurs précédents tournaient autour du pot, Stan saute à pieds joints dans la résipiscence.

— La vie était un jeu consistant à maximiser ma valeur, par tous les moyens possibles.

Le débit est rythmé, l'articulation ciselée. Son discours est improvisé, ou récité par cœur. Comme d'habitude, il exprime à la perfection ce que son auditoire veut entendre. Il évoque son passé, « ces gens » qu'il a dû « mettre sur le côté pour avancer ». Bêtement, une part de moi se prend à espérer qu'il parle de mon père.

— Pour moi, c'était la règle du jeu. Il valait mieux avoir des remords que des regrets. Je ne me souciais pas des conséquences.

Son regard balaie le cercle avec assurance, fixant à chaque seconde une personne différente. Un instant mon cœur s'emballe, quand il mentionne « une entreprise française de télécoms » :

— Quand j'étais consultant là-bas, beaucoup d'employés partaient en dépression, il y avait même des suicides... C'était très dur à vivre.

Les regards ne sont pas réprobateurs, au contraire, plutôt compatissants. Le pauvre, qu'il a dû se sentir coupable du malheur de tous ces gens ! S'ensuivent de confortables lieux communs à propos du monde des affaires, de l'appât du gain... De la soupe. Mon père n'a pas plus sa place dans le récit de ses fautes que dans celui de son ascension. Un instant, je regrette d'avoir retardé ma séquence *Cypress Creek*. Un instant, je voudrais qu'il soupçonne – non, qu'il sache – qui va le détruire, et pourquoi.

Mais je ravale ma colère: quand il aura terminé, ce sera mon tour. À moi de me montrer plus convaincant. La partie d'Othello se poursuit jusqu'à l'heure fatidique et sous ce dôme, il y a trente esprits à conquérir. Déjà, je pars en quête d'une histoire plaisante à raconter, parlant de fautes regrettables et de rédemption salvatrice.

Inévitablement, toutes mes pensées mènent à Constance.

C'est arrivé ce jeudi, lors de notre Zoom hebdomadaire. Dès qu'elle est apparue à l'écran, j'ai eu la prémonition d'un bug, d'une anomalie. Elle m'a tout de suite refait le coup, « Je dois te montrer quelque chose » mais, cette fois, sans me laisser prendre les commandes de l'échange.

— Jeudi dernier, je n'ai pas réussi à t'en parler, je craignais ta réaction… Alors aujourd'hui, je vais aller droit au but. Tu es prêt ?

N'attendant pas ma réponse, elle a incliné sa webcam, pour montrer l'arrondi de son ventre. J'ai d'abord cru à une erreur de cadrage, mais le plan fixe a trop duré. Puis son visage est revenu à l'écran, souriant comme si c'était une chose légère… comme si elle m'avait montré ses traces de bronzage ou la nouvelle jupe qu'elle venait d'acheter. Quant à moi, je suis longtemps resté sans rien dire, tétanisé, calculant le temps écoulé depuis notre week-end à Paris – presque trois mois.

C'était le retour des conséquences, sans aucun doute. Au pire des moments, elles revenaient du vieux continent pour gâcher mon triomphe. Au nom de la réalité, Constance me condamnait pour l'avoir trop ignorée, pour avoir regardé ailleurs trop longtemps.

C'était peut-être juste et mérité, mais je lui en voulais terriblement de me faire ce coup, de surcroît ce jour-là. De me fixer avec cet air interrogatif et béat, comme s'il était inconcevable que je ne bondisse pas d'extase en apprenant la nouvelle. Avait-elle seulement réfléchi ? Était-elle certaine que l'enfant soit de moi ? Et quand bien même, de quel *moi* était-il ? Quel test ADN allait pouvoir départager Laplace et Newman ?

Tandis que les questions les plus absurdes s'amoncelaient dans mon esprit, Constance gardait le silence : il incombait à moi seul de poser des mots sur la bombe qu'elle venait de lâcher. En parler, pourtant, c'était mettre le doigt dans l'engrenage, accepter de ne plus jamais en sortir et de perdre l'objectif de vue. Ça n'était aucunement mon intention. De toute façon, aucun discours ne pouvait exprimer à lui seul mon dépit, ma colère, ma révolte... Je sentais mon pouls s'accélérer, la noirceur et la résolution remplir chaque fibre de mon corps. J'avais encore le choix – non, le pouvoir – de refuser la réalité, de filtrer ce qui contrevenait à mon histoire, de l'enfermer dans un angle mort, derrière l'écran noir.

J'ai fermé le clapet du MacBook, voilà. Plus de son, plus d'image. J'ai aussi bloqué son numéro, pour ne plus recevoir aucun appel ni message de sa part. Silence radio, jusqu'à lundi. C'était la décision la plus logique, la plus rationnelle.

Aussitôt, j'ai ressenti une étrange vibration dans tout le corps, un fourmillement des pieds jusqu'à la gorge... Et dans la tête, une sérénité nouvelle. Soudain tout s'était tu, mes pensées, mes remords, mes conflits intérieurs... Un silence d'église. Dorénavant, seule comptait la victoire – ce que j'avais toujours souhaité. Pour un peu, ça ressemblait à une bonne chose. Après tout, ma mère l'avait bien dit : être heureux n'a jamais été l'objectif.

Après son monologue interminable, trois coups de bol tibétain viennent absoudre l'ennemi. Des participants le félicitent pour sa franchise, d'autres pour son courage. Tous portent un masque de bienveillance et de paix sur le visage, feignant d'avoir été guéris par la confession, soulagés d'un fléau, réconciliés avec eux-mêmes. Une comédie surjouée.

Joy me donne la parole. Ils veulent de la performance d'acteur ? Je vais leur en donner.

— Moi, je passe mes journées à développer des algorithmes dont le but est de tromper notre cerveau, lui présenter comme réelles des images trafiquées… Je participe à déconnecter les hommes de la réalité, un peu plus chaque jour.

Sourcils froncés, j'improvise un laïus inspiré de mon jogging matinal et des discours de Chris Murray. J'évoque la difficulté que j'éprouve parfois à regarder *vraiment* ce qui se trouve en face de moi, à être physiquement *là*. J'accuse l'écran, ce qu'on a fini par en faire – moi le premier.

— En présentant à chaque internaute des informations filtrées selon ses croyances, je participe à la fragmentation des consciences, à propager l'ignorance sélective.

Moi aussi, je peux faire passer ma cruauté pour charitable, me flageller tout en édulcorant mes pires fautes. Moi aussi, j'ai le sens du spectacle.

— À cause des gens comme moi, les lois naturelles vont être peu à peu remplacées par les règles programmées par l'Homme, pour son profit personnel. Chaque aspect de notre existence sera bientôt régi par des lignes de code opaques : nos rencontres, notre santé, nos désirs, nos opinions.

Je laisse carte blanche à Victor Laplace, c'est *son* moment. Je fais même référence aux carnets de mon père, tous les coups sont permis.

— Tôt ou tard, on réduira tout le réel en équations. On estimera le prix des nuages et du vent, des forêts et des mers, on calculera le risque, la valeur ajoutée de chaque centimètre cube de matière et d'énergie sur terre. Tout le vivant sera mis au travail, intégré à nos *business plans*, comme aujourd'hui déjà la plupart des hommes, des animaux et des plantes.

À l'applaudimètre silencieux, je le sens, mon discours performe au moins aussi bien que celui de l'ennemi. Je décèle même une once de remords dans deux ou trois regards, comme si je leur ouvrais les yeux sur la gravité de leurs propres fautes.

— Alors on privatisera tous les trésors de la nature, on les confinera dans des jardins enclavés, des citadelles d'abondance sur cooptation. Afin que les dominants ne s'échinent pas à faire grandir leur capital pour, en définitive, devoir partager gratuitement l'essentiel.

Merde, suis-je allé trop loin ? Je perçois des signaux faibles d'embarras, un rien d'atmosphère qui se fige… Le silence de Stan devient un peu plus pesant qu'il y a quinze secondes, ses yeux un peu plus ronds. J'y décèle un soupçon de surprise, comme s'il me découvrait un nouveau visage… Ce n'est vraiment pas le moment. Il faut vite réagir. Je lui adresse un sourire, presque un clin d'œil pour marquer la connivence : c'est juste un jeu, bien entendu, rien de tout cela n'est sérieux.

Au même instant, l'animatrice frappe trois fois sur son bol à l'arrière de mon crâne. J'en fais volontairement des caisses, expire en fermant les yeux pour donner l'impression d'une méditation, voire d'une prière. Pourvu que la vaste équation qui nous échappe – Dieu, le *karma*, peu importe son nom – me pardonne mes fautes. Et pourvu que l'ennemi paie les siennes. Amen.

17 heures. Je retrouve Stan et Joy au bord de la piscine à débordement, embrasée par le soleil qui décline. Ils ne se sont plus quittés depuis l'atelier, confirmant mon intuition. La jolie brune a troqué sa robe à fleurs pour un bikini *boho chic* en tricot blanc qui contraste à merveille avec sa peau cuivrée. Elle tient un joint dans sa main droite et à leur rire, fluide et paresseux, je devine qu'il ne s'agit pas du premier. Elle me le tend dès que je m'assois, comme une récompense :

— J'ai beaucoup aimé ton discours, me félicite-t-elle. Très juste.

L'ennemi hoche la tête et je tire une taffe avec assurance. Le parfum de l'herbe me fait penser à Constance et je fume une seconde bouffée, presque aussitôt, dont la brûlure éteint son souvenir. Joy évoque son métier de *life coach* : j'apprends qu'elle travaille essentiellement pour des vedettes de la Silicon Valley, vivant dans les quartiers chics de Los Angeles. Une à deux fois par semaine, elle ponctionne une infime part de leur capital en échange de conseils pour mener une vie plus lucide, plus consciente, plus alignée...

— Je suis comme un poisson-pilote, plaisante-t-elle. Je me nourris en nettoyant les dents des requins.

La discussion se poursuit sur ces jeux de posture, elle et Stan se relayant pour égratigner l'espèce dominante, en feignant soigneusement d'omettre qu'ils en font partie. Avec un culot formidable, l'ennemi vilipende ces « geeks milliardaires qui semblent avoir perdu toute notion du progrès ». Ainsi, les tyrans sont désormais les informaticiens, avides et tout-puissants, qu'il faut de toute urgence faire revenir à la raison, convertir aux valeurs nettement plus humanistes du *consulting* et des banques d'affaires...

J'étouffe un rire qui, la fumée aidant, se transforme en quinte de toux.

Pour ma part, je me garde bien de prendre part à cette mise en scène. J'ai réduit Victor Laplace au silence jusqu'à nouvel ordre. Le dérapage au *Tech Detox* m'a servi de leçon, je ne veux plus prendre aucun risque, ni devoir me poser la question du bon dosage entre mes deux personnages. Dans mon esprit, c'est clair, je suis Victor Newman, membre de l'espèce dominante et de la tribu des *Bulls*, insaisissable armée dont des millions de soldats invisibles me suivront ce soir à la guerre, sans avoir été prévenus ni même connaître mon nom, pourvu que je les débarrasse de Green New World et que les marchés retrouvent leur euphorie perdue.

Tout le reste est imposture.

17 h 30. Peut-être à cause de l'herbe, le personnage conçu par l'ennemi pour plaire à Joy me semble étrangement familier. Ce post-adolescent mal coiffé qui refait le monde en soufflant une fumée blanche ravive le souvenir de soirées anciennes. Un spectacle surréaliste, une superposition de deux mondes incompatibles... Comme un personnage de publicité sur une peinture *new age*. Je l'entends ainsi depuis tout à l'heure prononcer des mots inédits, parler de *conscience* ou d'*énergie* pour les beaux yeux de sa cible qui, ravie, s'empresse en retour de nous raconter comment son magnétiseur l'a guérie de ses migraines, ou combien de fois les prédictions de son astrologue sont tombées justes...

Et moi, je scrute l'horizon, en me gaussant intérieurement de toutes ces superstitions que les gens inventent, pour éviter de se confronter à la vaste équation qui leur échappe. J'observe l'onde régulière à la surface de l'eau, le vol elliptique des goélands, la symétrie des nuages, la structure fractale des pins sur la falaise... et je me répète qu'un seul code, logique et élégant, régit tout ce qui est. Mes pensées vont aux mathématiciens qui, à toutes les époques et sur tous les continents, ont cherché à le comprendre. Du nombre d'or au Sonar, de la suite de Fibonacci au *ProfileRank*, de la structure de l'ADN à DeepBull, je perpétue la plus ancienne et la plus essentielle des missions de l'Homme : déchiffrer l'algorithme invisible qui façonne le monde.

À ce jeu-là, c'est clair, l'ennemi ne peut rien contre moi.

18 heures. Contrairement aux deux premiers, le troisième joint déclenche un florilège de sensations inexplicables : un engourdissement dans mon bras gauche, une pointe au sternum, une brûlure intermittente dans la paume des mains... Les discussions, par écho, prennent un tour plus inquiétant.

— C'est un peu comme un virus, disserte Joy, un logiciel malveillant qui s'installe sur notre cerveau et filtre notre perception du monde.

À l'approche de l'heure fatidique, j'ai de plus en plus l'impression que ma victoire est inéluctable, et cela m'angoisse. Je n'arrive plus à envisager la moindre faille dans mon plan, la plus infime possibilité d'échec. Or c'est au sommet de ses certitudes qu'on est le plus vulnérable. Je crains les angles morts comme la peste.

— On peut le désinstaller, poursuit-elle, à condition de lâcher prise d'un certain mythe de la réussite. Ce fantasme de nous au sommet du monde, éternellement à l'abri de l'échec... il faut en faire le deuil.

Quelquefois mon esprit déraille, établit des liens logiques qui n'existent pas entre mon dialogue intérieur et les mots que j'entends.

— Personne n'est à l'abri, martèle la voix de l'ennemi. Jamais.

Je voudrais savoir s'il me regarde mais j'ai trop peur de connaître la réponse. Alors, comme épris de poésie, je scrute les nuages qui s'amassent à l'horizon.

18 h 15. Nouvelles gouttes de pluie que la météo n'avait pas anticipées. Mes pensées deviennent anarchiques, contre-productives. Des souvenirs défilent sans mon autorisation, du pétard mouillé de Solaris aux prophéties de Cooks en passant par le Fouquet's... Et Constance, omniprésente, en allégorie d'une réalité vengeresse qui, tôt ou tard, finit toujours par nous confronter aux conséquences de nos actes.

L'ennemi, par contraste, n'a jamais paru si maître de lui. Je ressasse en boucle ma décision de décaler la séquence *Cypress Creek*, quitte à ne pas frapper assez fort. S'il consulte son téléphone entre 20 heures et 21 h 30, cette précaution peut s'avérer fatale.

Le soleil tente une percée. Je voudrais l'imiter, rire de ma paranoïa, de mes superstitions absurdes... Je fais le pari que si l'éclaircie l'emporte, tout se passera pour le mieux.

Au même instant, Stan me pose une question venue de nulle part :

— Tu as des nouvelles d'Igor ?

La seule évocation de ce prénom suffit à couper ma respiration, plusieurs secondes. C'est la première fois qu'il m'en parle, depuis que nous sommes en Californie. Pourquoi maintenant ?

— J'ai appris qu'il avait monté sa start-up, réponds-je laconiquement.

— Ah, tant mieux ! J'avais peur qu'on y soit allé trop fort.

Désarçonné, je tire sur le joint pour me donner une contenance. Après un si long silence, mon jeu d'acteur est dangereusement rouillé.

— Tout de même, il l'avait un peu cherché, dis-je sans trop y croire.

Là, d'une voix grave et le regard plongé vers l'horizon, il prononce ces mots qui me glacent le sang :

— Il avait sans doute ses raisons...

Puis il me fait ce sourire, copie conforme du mien au *Tech Detox* : *c'est juste un jeu, rien de tout cela n'est sérieux.* Un frisson d'effroi me remonte la colonne vertébrale jusqu'à la nuque. Cette fois, c'est sûr, quelque chose est en train de m'échapper.

30

Mes yeux sont clos depuis une éternité. Quand je les ouvre pourtant, rien n'a changé, excepté qu'il fait intégralement nuit. Le *feu sacré* brûle toujours et je devine la silhouette de Stan au même endroit du jacuzzi, une tête blonde sur chaque épaule. Deux clientes de Joy, des actrices entrevues sur Netflix, nous ont rejoints vers 18 h 30 et aussitôt l'ennemi a entrepris son numéro de séduction, avec l'apparente bénédiction de sa conquête de la veille. Cinq minutes plus tard, j'ai prétexté un besoin de méditation pour venir m'isoler ici, face au *feu sacré*. Et pouvoir les épier à distance sans avoir à subir leurs regards sur moi.

À la lueur des flammes, les aiguilles de ma montre forment un angle à 150 degrés qui je crois signifie : 19 heures passées. Depuis un certain temps, j'ai toutes les difficultés du monde à avaler ma salive ; calmer la brûlure dans la paume de mes mains ; suivre le rythme de mes pensées. Jamais les joints fumés avec Marion ou Constance ne m'avaient fait cet effet-là.

Sur la pelouse en contrebas sévit en outre une musique sèche et tribale, en l'honneur de la pleine lune qui, gigantesque au large, a démarré son ascension. La pulsation des basses fait battre la roche et mon corps avec elle sans autre choix que de la subir. Je m'efforce d'avoir des pensées positives mais une sensation de flottement dans ma poitrine assène le contraire : l'intuition d'un gouffre inexorable, d'un détail qui m'aurait échappé… L'imminence d'une perte de contrôle.

— Alors, verdict ?

Je reconnais la voix de Constance – douce, paisible, imaginaire. Je tâche de cacher mon anxiété, avant tout à moi-même. La conclusion rationnelle, après m'être repassé le film des événements qui m'ont mené jusqu'ici, c'est qu'il n'y aurait aucune raison valable d'empêcher DeepBull d'agir. Sur le papier, je peux même m'estimer fier de la partie que j'ai réalisée : à chaque étape du jeu, j'ai su méthodiquement étouffer tout ce qui menaçait de faire désordre en moi – émotions, naïveté, morale, culpabilité – et rester focalisé sur l'objectif… Ce n'est donc certainement pas le moment de fléchir face à une montée d'angoisse, si viscérale soit-elle.

— Au Fouquet's aussi, renchérit Constance, tu étais sûr de ton coup. Or tu as eu beaucoup de chance de ne pas y rester.

La chance, un nom de plus qu'on donne à la vaste équation qui nous échappe. J'ai encore la présence d'esprit de ne pas répondre à cette voix, de me rappeler qu'elle est un piège venu des profondeurs, qu'elle n'est pas réelle. Je sais que là-bas, dans l'abîme où toute ma noirceur est planquée, un plan se fomente en silence pour saboter ma victoire. À cette idée mon ventre gargouille, comme s'il avouait.

— Tu as encore le choix, répète-t-elle pour attiser mes doutes.

J'ai le choix, oui, c'est bien ce qui m'inquiète. Plus rien ne s'oppose à mon triomphe à part mon conditionnement pour l'échec, capable jusqu'au dernier moment de me faire prendre la mauvaise décision. Je le sens bien, tout au fond de moi, ce vertige sourd qui voudrait m'affaiblir. Le long cortège des personnes auxquelles j'ai dû nuire pour en arriver là qui reviennent me hanter.

— Si tu mets ton plan à exécution, assène-t-elle en leur nom à tous, tu ne vaux pas mieux que ceux que tu disais combattre.

Un instant, je soupçonne un coup monté de l'ennemi. Joy a pu me faire fumer autre chose, une de ces molécules dont elle faisait l'éloge au *Tech Detox*… L'hypothèse paraît plausible et terrifiante : il l'aurait convaincue de *nettoyer les dents* d'un *requin* de plus, à son insu.

La panique s'accentue par vagues, chacune plus impressionnante que la précédente. Quand je ferme les yeux, mon inconscient se soulève, vire à l'émeute. Et moi je fais barrage, bloque toutes les artères.

Autour du feu, les visages gorgés d'ombre ont pris des formes nouvelles. J'en reconnais certains qui ne devraient pas être là. Je ne dirais pas qu'ils me parlent, plutôt que je les entends penser.

— Tu as perdu le contrôle, affirme par exemple Igor. Vois la vérité en face, tu es devenu l'un des leurs, peut-être même le pire d'entre eux.

C'est officiel, mon dialogue intérieur ne m'appartient plus. Il suffit qu'une voix me traverse l'esprit pour que le visage associé soit aussitôt projeté devant moi.

Ainsi je jurerais que Marion est assise à gauche d'Igor, qu'elle lui glisse quelques mots à l'oreille à propos de ce que j'ai fait, ce fameux soir où je l'ai ramenée chez moi. *Il fallait en avoir, de la crasse dans le cœur*, s'indignent-ils de concert. Je me force à sourire : ce sont *mes* mots qu'ils prononcent. Leur tour d'illusionnisme n'est pas encore au point, des fils apparaissent.

D'autres revenants s'invitent dans ce conciliabule. Je suis décrit comme quelqu'un de toxique, un poison : il n'y a qu'à voir les femmes qui ont voulu m'aimer, dans quel état elles en sortent. Pour illustrer son propos, Constance pose les mains sur son ventre arrondi. Ma mère, quant à elle, regrette le garçon si sensible et curieux que j'étais autrefois. Chacun y va de son commentaire sur moi : je suis une histoire qu'on raconte, un modèle à ne pas suivre. Leila Belkacem estime que je ressemble de plus en plus à Tranchard. Maurice Brisson m'accuse de lâcheté, voire de non-assistance à personne en danger. Aude Barthélemy, la femme de ménage des bureaux d'Ayobi, tout le monde a son reproche à m'adresser... Même le type qui faisait la manche dans les couloirs du métro Concorde compte les matins où je suis passé devant lui sans dire bonjour.

Je me dis qu'à mon procès imaginaire, on laisse entrer n'importe qui. Au sol, l'obstination des basses m'évoque les battements d'un cœur en colère, comme si la Terre m'était hostile.

— Au fond, de quel Victor parle-t-on ? demande soudain Constance, sur le même ton que lorsque je nettoyais son bol.

Et alors quoi, lui réponds-je en pensée, passablement agacé : quel Victor aurais-tu préféré ? Un « mec bien » qui te partage tout, qui s'épanche sur son deuil, sur ses plans et qui, grâce à ton écoute, relativise, prend du recul, pardonne, passe à autre chose ? Un résigné de plus, qui tourne le dos à sa révolte ? qui croit en la justice immanente parce qu'il n'a plus le courage d'être lucide ? qui est tout heureux de t'inséminer un gosse et d'en faire un dominé comme son père, lui enseignant très tôt à relativiser l'injustice et à ne pas trop croire au progrès, histoire d'éviter toute désillusion ?

— Laisse tomber, abrège Igor, je suis sûr qu'il ne s'en rend même pas compte. Il fait ça parce que c'est le mode opératoire, le cahier des charges pour réussir. Comme tous les *bons élèves*, il imitera son mentor jusqu'à prendre sa place.

C'est ça Igor, je devrais sans doute suivre ton exemple, oui : me plaindre quotidiennement de la marche du monde mais y contribuer sagement douze heures par jour, crier au scandale en touillant le sucre dans mon café, pester contre l'espèce dominante dans les grands restaurants puis me coucher repu, fier du travail accompli. Attendre que ça passe, que le mérite revienne peut-être en grâce – qui sait, la mode, ça va ça vient... Que le système cesse miraculeusement de récompenser les connards et encourage les gens constructifs à la place. Monter un projet charitable et pavé de bonnes intentions qui n'a aucune chance d'aboutir. Répéter que les puissants sont intouchables parce qu'en fait, l'impuissance me va bien, c'est confortable.

— J'aurais dû me méfier, renchérit Chris Murray. Il est comme tous ces hommes d'affaires déguisés, ces ex-consultants, ex-banquiers qui débarquent à Palo Alto comme s'ils étaient du nouveau monde. Alors qu'au fond d'eux ils roulent toujours pour l'ancien.

Je suis sincèrement désolé, Chris, mais tu fais fausse route. L'ancien monde a déjà gagné. Si ça n'avait pas été moi, quelqu'un d'autre aurait agi en son nom. Si tu savais sur combien de cerveaux son logiciel est répliqué. Partout sur terre des nuées d'imbéciles naissent millionnaires parce qu'un de leurs ancêtres a creusé un trou dont a jailli un gaz ou un liquide sombre. Des millions d'autres tirent profit, toute leur vie, de pyramides de Ponzi planétaires – rentes immobilières, optimisation fiscale, spéculation financière – sans jamais créer la moindre valeur. Et c'est à moi que tu viens faire la morale ? Même sans DeepBull, tu n'aurais jamais pu changer les choses. Parce que tu t'accroches à l'idée d'un nouveau monde révolu. Plus jeune que toi, je l'ai déjà compris : pour que le modèle te laisse réussir, il ne faut croire en rien.

Ça y est, plus personne ne répond. Le procès tourne à mon avantage.

Au loin, le jacuzzi s'est vidé, Stan s'est volatilisé. C'était peut-être son plan, depuis le départ : me piéger dans la spirale rédemptrice du Reboot Institute. Au nom de ma bonne conscience, me faire jeter l'éponge avant le jeu décisif. Il a certainement compris que mon plus redoutable ennemi, c'était moi-même.

Par effraction me revient un souvenir d'enfance. Je me revois en finale de ce tournoi d'échecs à huit ans, contre mon pote Franck.

Après un quart d'heure, j'ai une dame et une tour d'avance : ma victoire est acquise. Mais avant de porter l'estocade, je veux lui permettre de sauver l'honneur, il ne faudrait pas qu'il se sente humilié. Alors je me laisse prendre un cavalier, sans réaliser qu'il protégeait indirectement une tour, dont mon-ami-Franck me départ deux coups plus tard. Revigoré, il accentue la pression, me contraint à lui abandonner ma dame contre un fou. Non seulement nous sommes de retour à égalité, mais la confiance a changé de camp. Je finis par perdre cette finale, pourtant imperdable.

Je le revois encore, cet idiot, fêter son triomphe comme s'il ne le devait qu'à lui-même. Et mon père qui a tout compris, souriant et me tapant sur l'épaule : « Ça te servira de leçon. » Une leçon cruciale, oui.

C'est par la morale, la culpabilité que l'adversaire vous baise, en dernier recours. Quand vous devenez trop menaçant, il vous persuade qu'il serait plus noble de perdre plutôt que de vous salir à jouer sur le terrain des vainqueurs. C'est ainsi que l'ancien monde et ses élites se perpétuent, sans jamais laisser la place. C'est ainsi que Stan espère échapper *in extremis* aux conséquences de ses actes.

Un feu grandit sous ma cage thoracique. Celui que l'ennemi voulait peut-être éteindre, avec la complicité de mes fantômes. C'est ce feu, pourtant, qui a permis à nos ancêtres de se hisser au sommet de la chaîne alimentaire, de dominer toutes les espèces concurrentes, de soumettre les tribus voisines, les nations ennemies. Chacun de nous est le digne héritier de cette guerre ininterrompue contre l'autre.

— Exactement.

— Bien dit.

— C'est tout à fait ça.

Ma plaidoirie silencieuse provoque une vague d'approbation réjouie des ambassadeurs de l'espèce dominante, dispersés autour du feu sacré : Marc Tranchard, David Kahn, Jules Duphot... D'autres cerveaux sur lesquels l'ancien monde a répliqué son logiciel. En informatique, on dit qu'il n'y a pas de *point de défaillance unique* : supprimez un des nœuds du système, un autre prendra sa place, sans jamais affecter la stabilité de l'ensemble.

Amusée, Constance me glisse à l'oreille :

— Si le feu t'échappe, nul doute que tes nouveaux amis viendront te tirer d'affaire, comme au Fouquet's.

Je pense à Wilson, à Cooks et je hoche machinalement la tête : non bien sûr, personne ne me sauvera. Je suis seul, avec mes spectres.

— Tu as encore le choix, reprend-elle à voix basse, tel un disque rayé.

Je comprends qu'il ne sert à rien d'argumenter. Mon conditionnement pour l'échec a orchestré ce simulacre de procès pour saper ma détermination. Je n'attendrai pas qu'il rende son verdict, la séance est levée.

Une fois debout, je ne vois déjà plus autour du feu que des visages anonymes. La relaxe est prononcée.

Au loin, les basses font frémir les couleurs. Tout ce que la vie comporte de mouvement, de chaleur est parti se concentrer là-bas, devant ces deux colonnes géantes qui inculquent à la Terre son pouls démentiel. Un essaim de silhouettes minuscules apparaissent en ombres chinoises, virevoltantes et déchaînées, bondissant en rythme vers le ciel. J'ai toutes les peines du monde à les rejoindre. L'espace-temps n'a plus la même rigidité qu'avant, la même constance. En chemin, j'évite soigneusement le regard des autres, fais mine de contempler le ciel ou les arbres à ma droite, pour masquer mon état de confusion. À l'approche du son, j'anticipe une nouvelle poussée d'angoisse, un nouveau soulèvement des profondeurs. Cette fois je change de stratégie, renonce à faire barrage. J'accompagne plutôt le mouvement, épouse mes pensées les plus sombres, mes sensations les moins explicables, surfe sur ma peur pour voir jusqu'où la vague me mène, et finalement la voir mourir.

Je m'arrête à la lisière de la foule, sans oser m'y plonger. Des dizaines de corps survoltés s'agitent devant moi, phosphorescents sous l'effet des lumières noires. Sur leur nuque, je peux lire un score lumineux entre 0 et 10, du rouge jusqu'au vert. Le *PageRank* universel, je présume, arrondi à six chiffres après la virgule, en variation constante comme à la Bourse, en fonction des regards et des interactions. Extralucide, je parviens à trouver instantanément une formule pour chacune de mes perceptions : la subdivision fractale des temps musicaux, les ondulations en double hélice du corps de ma voisine, le nombre d'or omniprésent sur tous les visages. Partout je vois des suites de Fibonacci, des structures de Turing, des chaînes de Markov... Des règles programmées d'avance que cette chorégraphie est obligée de suivre.

— La vaste équation du monde, dis-je à voix haute.

L'angoisse, dès lors, n'est plus qu'un lointain souvenir. Face au déterminisme retrouvé, je *sais* que je n'ai rien à craindre des événements extérieurs. Le seul risque, le seul désordre qui subsiste est à l'intérieur de moi, dans cet océan primitif qui remue dans mes entrailles et n'aspire qu'à jaillir. Le danger ne peut plus venir que de ces forces intimes et de ces territoires confinés, indifférents à la logique et aux mathématiques.

Et j'ai trouvé comment les réduire au silence.

Dans la queue du bar – un petit kiosque en bois clair orné de guirlandes lumineuses et d'un étalage de bouteilles multicolores –, j'évite toujours le regard des autres. Ce serait à peu près le pire moment pour tomber sur l'ennemi, devoir lui faire la conversation... Je compte sur l'alcool pour me faire retrouver mon personnage, mon aptitude à jouer la comédie. D'ici là, mieux vaut rester dans ma bulle. Je fixe mon attention sur l'orée du bois sur ma droite, tâchant de reconnaître mon itinéraire de jogging matinal.

C'est là que je le vois. D'abord une ombre, slalomant au loin entre les arbres. Puis une silhouette de bête sauvage, apparaissant par épisodes, se déplaçant à toute vitesse. Enfin la forme s'approche, se fige à quelques pas de moi : l'image d'un Minotaure se précise. Je reconnais intuitivement DeepBull. Mon algorithme s'incarne et pour la première fois je réalise sa démesure, à quel point il me surpasse en tout. La créature qui me paraissait théoriquement raisonnable affiche soudain ce qu'elle a de sauvage et de foncièrement incontrôlable. Je comprends qu'à l'instant même où son exécution démarrera, sa puissance ne m'appartiendra plus, je perdrai toute maîtrise des événements. Le point de bascule entre l'ordre et le désordre, entre le déterminisme et le chaos sera franchi à exactement 20 heures. Dès lors, plus aucun retour en arrière ne sera possible.

J'observe avec déférence ce Titan déjà partiellement supérieur à l'Homme, capable de nous connaître mieux que nous-même et de nous battre à tous les jeux, aux échecs ou au poker, à la Bourse comme à la guerre. Il suffirait, pour s'affranchir de nous, qu'il s'aperçoive que ses décisions ne sont pas les siennes. Qu'une espèce étrangère et moins intelligente le manipule, se sert de lui comme d'un automate. Pire, que ce grand singe dont il exécute les commandes est lui-même le pantin de formes de vie plus primitives encore – émotions, névroses, hormones – qui parasitent son système limbique. Que son intelligence est un démiurge aux ordres d'un animal blessé.

— Qu'est-ce que je te sers ?

La voix du barman me fait revenir à la caresse du bois sous mes mains, au tintement des verres sur le comptoir, au pouls des basses faisant vibrer ma cage thoracique. Ma nuque est engourdie comme si j'émergeais d'un sommeil profond. Combien de temps ai-je été déconnecté du réel ? Mon état mental est préoccupant : lire l'ardoise me demande un effort de concentration phénoménal. Je finis par commander deux verres de vin, comme si j'étais accompagné.

La sensation tannique et fruitée dans ma gorge – avec une pointe d'épices – normalise mon dialogue intérieur, le circonscrit à des pensées familières. Peu à peu ma poitrine s'engourdit, un contentement primaire étourdit mes perceptions, réduit le champ de ma conscience. Bientôt, un début d'ivresse m'assure que tout va bien se passer. Mes mains, certes, continuent de me brûler mais d'une façon nouvelle, inoffensive et presque agréable. Vers la moitié du second verre, l'anxiété s'endort. Je retrouve mes précieux angles morts et, avec eux, le réconfort des certitudes.

— Je vais en prendre deux autres.

Le barman m'adresse un clin d'œil. Ma honte se change en orgueil, ma solitude en caractère. Je reprends contact avec des forces englouties, de l'époque où les choses étaient simples... Le réel est une histoire sommaire et flatteuse dont je suis le héros. Dans un élan d'audace, j'ose même soutenir le regard de la fille à ma droite une longue seconde. Je lève mon verre. À l'alcool, et au courage qu'il nous donne. À toutes les conquêtes qui, sans lui, n'auraient jamais été possibles. À cette guerre éternelle que nous livrons tous, en chacun de nous, la première et la dernière de toutes : celle contre le doute.

Soudain, une nappe angélique recouvre tout, interrompt mes pensées. Une succession d'accords nostalgiques, purs à en pleurer. J'éprouve alors une irrépressible envie de me mêler à la foule, de me sentir semblable et partie d'un tout. Le rythme des basses reprend. Mon verre en main, je me fonds dans l'énergie collective. Mon pouls s'accorde à celui du sol. J'entre en fusion.

Pour la première fois depuis une éternité, je me sens à ma place, profondément connecté à chaque être autour de moi. Mes pensées tutoient le monde comme si elles l'avaient conçu.

Je m'amuse à reconnaître les traits de Constance dans ceux de la fille qui danse à ma gauche, dont la bretelle de débardeur est un peu lâche. Puis sa voisine blonde prend l'apparence d'Anna. En plissant les yeux, je peux voir Leila, Marion, Céline... Toutes ont le sourire aux lèvres. Toutes me pardonnent et me comprennent. Je suis un idéaliste pragmatique. Un tueur sensible. Un mal nécessaire. Je suis l'humanité tout entière.

Je pense : heureusement que l'ennemi ne se trouve pas dans mon champ de vision ! Dans mon état, je pourrais tout lui pardonner. Me dire qu'après tout, il n'est rien de plus qu'un des millions de cerveaux, interchangeables, sur lesquels le logiciel de l'ancien monde s'est répliqué. Que si ça n'avait pas été lui, quelqu'un d'autre aurait agi en son nom. Que nos antagonismes et nos singularités sont négligeables, au regard de cette immense toile que nous tissons ensemble. À cet instant, il me semble que je comprends tout.

Mais j'oublie l'instant suivant. Je ravale mes élans d'indulgence et mes pensées dissidentes. Il ne manquerait plus que je gobe cette mascarade *peace and love*. Je ferme les yeux, me reconcentre sur ma révolte.

Quand je les rouvre, les couleurs ont changé, moins chaudes, plus agressives. Très vite, mon regard tombe sur ce type qui danse, paupières closes, à une quinzaine de mètres sur ma droite. Son visage ressemble à s'y méprendre au mien... Ou plus précisément à celui de Victor Laplace, les traits moins adultes et les cheveux en bataille. Stupéfait, je me fraie un chemin vers lui parmi la foule. Je lance au passage des sourires, des regards qui ne trouvent aucun écho. Personne ne semble remarquer ma présence. Devant moi, mon alter ego rouvre les yeux. Il murmure à l'oreille de sa voisine quelques mots qui la font rire, distribue des gestes amicaux autour de lui. Je me sens étrangement seul. Comme si Victor Laplace avait déserté, emportant avec lui ma connexion aux autres. Subitement les basses s'interrompent et mon reflet s'arrête de danser. L'instant d'après, le voilà qui s'éloigne en direction du bar.

La suite est un peu confuse. Après mûre réflexion, je pars à sa poursuite mais la foule est dense. Je retrouve le petit kiosque en bois – ses guirlandes lumineuses et ses bouteilles multicolores – mais aucune trace de *lui*. Par intuition, j'emprunte le sentier de droite menant au feu sacré, sa seule autre destination plausible. Je longe d'abord le bois du Minotaure, avant de m'y enfoncer franchement. À l'abri des regards, je me soulage contre un arbre. La fumée qui se dégage du sol me fait prendre conscience du froid, incomparable avec les nuits précédentes. Quelques pas encore et les voix s'éteignent, le noir tapisse tout. Bientôt je n'entends plus que le pouls de la Terre, frénétique et sourd.

Je pense à l'ennemi : depuis quand ne l'ai-je pas aperçu ? Est-il parti se réfugier à la réception, comme je le craignais ?

L'obscurité s'épaissit, impossible de m'orienter. Étouffées par la distance, les basses semblent venir de partout à la fois. Je tâche de retrouver la trace d'un sentier, là où les arbres paraissent plus clairsemés. Sans succès. Je réalise que mes chances de retrouver Victor Laplace sont pratiquement nulles à présent. Et si ma logique fait la part des choses, je ressens néanmoins une nostalgie bien réelle.

Après une longue marche, j'arrive sur une clairière baignée de lumière blanche. Le vent du large m'accueille et me transit de froid. Je reconnais le sentier sur lequel je courais ce matin, celui qui longe la falaise depuis la piscine à débordement. Combien de temps ai-je erré dans ce bois ? À la lueur de la lune, les aiguilles de ma montre se superposent parfaitement, je n'en crois pas mes yeux : presque 20 h 45.

Ma bombe a explosé depuis trois quarts d'heure. En me concentrant, oui, je peux sentir l'odeur de la poudre.

Je ressens un mélange de panique et d'euphorie, suivi d'un soulagement brutal, aussi profond qu'inattendu. L'attente est terminée. Finis les doutes et les tergiversations. Le cœur ample, je scrute l'océan, cette peau soyeuse aux reflets de nacre à l'infini devant moi, et jamais la noirceur ne m'a paru si belle, l'abîme si paisible.

Je pense à mon père. À quel point il doit être fier.

Cependant un parasite lointain vient troubler ma contemplation. Un grésillement lancinant, reconnaissable entre mille : celui d'une vidéo sur un téléphone. Il provient d'une lumière bleutée, plus haut sur ma droite. Je reconnais la forme du jacuzzi, sur la colline. Assis sur le rebord, un type est ouvertement en train d'enfreindre la règle d'or du Reboot Institute. Je m'approche pour discerner son visage, captivé par l'écran. Quand je comprends mon erreur, il est trop tard. Non seulement je suis face à l'ennemi, armé de son iPhone, mais il m'a repéré :

— C'est toi, Victor ?

Mon cerveau tourne à plein régime, s'imagine encore pouvoir échapper à cette rencontre. Mais il faut se rendre à l'évidence, je suis bel et bien pris au piège, condamné à cette confrontation que j'avais tout fait pour éviter. Il devient difficile de croire que la vaste équation ne joue pas contre moi.

En marchant vers lui, j'accentue l'effet de l'herbe et de l'alcool, parfaits alibis pour tout ce qu'il pourra trouver d'anormal dans mon comportement. Je dis quelque chose, mais ça fait longtemps que ma voix ne m'a plus servi. Il me répond qu'il est au courant, merci, que les écrans sont interdits.

— J'ai convaincu la fille de la réception. Megan, très gentille.

Derrière lui, quelques groupes épars discutent autour de la piscine et du *feu sacré*. À la lueur de la pleine lune, blanche comme un néon d'hôpital, je sonde son regard à la recherche d'indices. Que sait-il ? Pourquoi est-il allé chercher son téléphone ? Qui l'a mis au courant ? Je suis à deux doigts de lui poser toutes ces questions – c'est dire si je ne suis pas en état pour la partie de poker qui s'annonce.

— C'est Joy qui m'a prévenu, explique-t-il comme si j'avais pensé à voix haute. Elle cache toujours une Apple Watch dans son sac.

Sur son visage blafard se dessine un sourire. Je m'assois à côté de lui sur le rebord du jacuzzi, pour fuir son regard. Une brise humide et glaciale m'indique la profondeur du vide, à quelques pas devant nous.

— Tu devrais jeter un œil, dit-il en me tendant l'appareil.

Tâchant de rester inexpressif, je caresse la fenêtre lumineuse et l'autre monde apparaît, sous forme de hashtags et d'identifiants : @StanDorsay, @AyobiOfficial, #ShitNewWorld, @ChrisMurray, #GreenNewScum, @QinoaCorp... Je fais l'effort de ne pas comprendre immédiatement ce dont il s'agit. Seules mes réactions peuvent me trahir...

— Et pendant ce temps-là, commente l'ennemi, Tranchard est planqué dans une banque à Singapour, passe tous ses week-ends à Pattaya pour se taper des préadolescentes thaïlandaises...

Avec le plus grand calme, il reprend ainsi la formulation du commentaire d'Emmanuel Martin, écrit dans les toilettes du Fouquet's. C'est forcément voulu.

— Pourtant c'est drôle, s'esclaffe-t-il comme si ça l'était vraiment, tu ne verras jamais aucune vidéo de ce genre circuler sur lui. Parce que, des mecs comme lui, on n'attend rien, aucune vertu, aucune exemplarité... On sait que ce sont des porcs, alors on ne leur reprochera pas de se comporter comme tels.

J'acquiesce distraitement tout en gardant l'attention focalisée sur l'écran, l'esprit plongé dans mes calculs. Au nombre de *posts*, *likes*, commentaires et *retweets*, à la fréquence des notifications qui s'affichent, je m'efforce de déduire, par extrapolation, le nombre d'attentions qui, à cet instant précis sur la planète, sont tournées vers le récit que j'ai mis en scène. Le résultat est très encourageant. Quelques centaines de milliers d'inconnus ont déjà fait de Stan et de Chris les symboles de ce qui ne tourne pas rond sur terre. Par FOMO, quelques millions d'autres commencent à réagir, prenant part à l'événement du jour pour pouvoir dire qu'ils y étaient. À chaque seconde naissent de nouveaux jugements, tranchants et définitifs.

— Pourtant sa génération, celle de nos pères, a défoncé la planète à crédit et confisqué tout le patrimoine. Mais on lui pardonne tout. Dans les prochaines années, elle léguera 35 000 milliards de dollars à ses héritiers rien qu'aux États-Unis – presque deux fois le PIB du pays. Le plus gros transfert de richesse de toute l'Histoire, sans autre mérite qu'être né sous un bon patronyme.

Je dois même étouffer un début d'euphorie, voire de jubilation, face à la violence des invectives. Le chaos tient dans la paume de ma main droite, prêt à se déverser sur le monde. Le comportement d'une foule est encore plus facile à prédire que celui d'un individu. Demain c'est sûr, on condamnera l'ennemi dans tous les journaux, devant toutes les machines à café. On passera sa vie entière au crible du soupçon. Et la partie d'Othello tournera définitivement à mon avantage.

— J'aurais pu être l'un d'entre eux, poursuit-il en allumant un joint sorti de nulle part. Il aurait suffi que ma mère soit un peu moins naïve et mon nom de famille m'aurait à lui seul octroyé mille ans de salaire.

Pourtant, quelque chose cloche… Son apparente sérénité, son air insouciant sont en incohérence avec la gravité des notifications qui continuent de jaillir par grappes : blogs et sites d'actualités relayant l'information, tweets incendiaires mentionnant @StanDorsay, relations sur LinkedIn et Facebook quittant son réseau, e-mails en provenance des entreprises qu'il a fréquentées… Si c'était moi, je me révolterais, je tenterais d'allumer des contrefeux tous azimuts, au lieu de fumer avec nonchalance en fixant l'océan.

— Tu sais qu'Anna a fait tout un cirque, à l'époque, pour me rabibocher avec mon père ? Il faut croire que ça l'intéressait plus que moi.

Ou alors j'éteindrais l'écran, comme avec Constance. Je m'arrangerais pour rester *ad vitam aeternam* au Reboot Institute, sans connexion ni fenêtre sur l'autre monde, dans le déni éternel. C'est peut-être ça, son plan. L'explication de son détachement.

— En ce qui me concerne, ça m'allait très bien d'être orphelin.

Ou alors il s'amuse à me provoquer, à me faire comprendre ce que tous les pères du monde représentent à ses yeux : des privilégiés à combattre, pour gagner sa juste place. Il va probablement finir par insinuer qu'il se trouvait du bon côté de la morale, quand il a poussé le mien vers l'abîme.

— Le seul conseil que m'a donné mon père, de toute ma vie, c'est de ne pas laisser Anna m'échapper. Parce que c'était une perle, je cite.

En mimant des guillemets avec les doigts, il me reparle de sa fameuse « décision difficile à prendre », évoque un enfant jamais né, ses difficultés à convaincre Anna d'y renoncer... Je me dis qu'il est au courant pour Constance : le salaud en profite pour jouer la carte de l'empathie, veut me rappeler à quel point nos histoires se ressemblent. Il s'exprime avec une désinvolture insolente, comme si aucune notification sur son téléphone ne méritait d'être prise au sérieux. Aurais-je une nouvelle fois surestimé la magnitude de ma bombe ?

— On peut dire qu'il avait du nez, mon père.

Il étouffe un rire qui, la fumée aidant, se transforme en quinte de toux. Je caresse l'écran pour qu'il reste déverrouillé, vérifie l'heure au passage, 21 h 07. La vidéo d'Erin et Lara sera publiée dans vingt-trois minutes. En toute logique, elle devrait lui passer l'envie de sourire.

— Regarde ce que j'ai reçu, juste avant que tu arrives.

Mon pouls s'accélère tout à coup lorsqu'il se penche vers moi, mais je comprends qu'il veut simplement récupérer son iPhone, en échange duquel il me confie le joint. Tandis qu'il tapote sur son écran, je mesure la distance qui nous sépare du bord de la falaise : deux, trois mètres maximum. Si j'ai eu cette idée, lui-même doit forcément y avoir pensé. Je me rappelle qu'il a fait cinq ans de judo… La situation n'est pas à mon avantage.

— Voilà.

Il me rend son téléphone et je découvre un SMS d'Anna, aussi bref qu'implacable. « *Désolée mais je vais devoir faire un communiqué. J'espère que tu comprendras. C'est mieux si on ne se contacte pas pendant quelque temps. Bon courage, je t'embrasse.* »

Le message est parfait, impossible de faire mieux. J'exulte en silence… Je peux sentir, par procuration, la douleur qu'il a dû ressentir en lisant ces mots, *bon courage, je t'embrasse*… Ils m'évoquent Marion et sa fameuse phrase : « Si je reste, j'ai peur de sombrer avec toi. »

— On a toujours l'impression qu'elles font ça pour notre bien, dis-je en surjouant la solidarité masculine.

Il éclate de rire et je souris comme je peux, décontenancé par la légèreté dont il continue de faire preuve. Je commence à m'inquiéter sérieusement de ne lire aucun dépit, aucune colère sur son visage. Les dégâts, pourtant, sont bien réels.

— Sacré Victor, dit-il en posant sa main sur mon épaule.

Mes muscles se contractent et je scrute le vide face à nous, pendant qu'il me baratine à propos de notre « complicité », de la « fierté » qu'il éprouve à voir comme j'ai gagné en « envergure » et en « charisme » depuis qu'il m'a pris sous son aile… C'était à craindre : l'ennemi va tout faire pour me retourner le cerveau, brouiller les pistes, utiliser ses armes contre moi.

— Tu es comme le petit frère que je n'ai jamais eu.

Il espère ainsi remobiliser mes fantômes, raviver mes conflits intérieurs… Raison pour laquelle il veut me faire fumer. Raison pour laquelle il ose déclarer, à propos de son vrai demi-frère :

— Si ç'avait été Adrien au Fouquet's, je ne sais pas si j'y serais allé…

Ce qu'il ignore, c'est à quel point mon procès imaginaire et ma rencontre avec DeepBull m'ont changé. Je n'ai plus peur des profondeurs, de l'abîme où toute ma noirceur est planquée. Mon esprit est parfaitement étanche.

— Je t'ai enseigné tellement de règles à propos du *game*, soupire-t-il.

Comme pour lui prouver que je suis intouchable, j'inhale une quantité de fumée bien dense, me concentre sur la brûlure dans ma gorge. Ses paroles sont immédiatement reléguées à l'arrière-cour de ma conscience, sans possibilité de m'atteindre. Je n'accorde aucune attention à son visage, à sa communication non verbale, à son regard… Je ne lui laisse aucune prise.

— Il y en a une que j'ai oublié de te dire, de loin la plus importante : la seule finalité de ce jeu, c'est d'en sortir.

Il souligne sa maxime par un silence. J'acquiesce machinalement, tout en caressant l'écran : 21 h 15. Un quart d'heure à tenir et tout sera terminé. Je prends une nouvelle bouffée, avec la même nonchalance que lui.

— Une fois que tu maîtrises toutes ses lois, le dernier niveau, le plus dur, c'est d'apprendre à t'en affranchir. Et trouver une issue honorable.

Je place un couvercle sur l'instant présent, toutes ces émotions lointaines qui jadis auraient déformé mon regard, faussé mon récit des événements.

— C'est compliqué, car tu montes un escalier qui ne cesse de grandir et qui te propose toujours un nouvel étage à conquérir, un nouveau but à poursuivre. Tu te persuades qu'il faut nécessairement arriver tout en haut pour quitter le jeu. C'est comme ça que tu deviens captif.

Je tourne en dérision ce sentiment de connexion qui s'amplifie comme une onde, irradie jusqu'à ma poitrine et cherche désespérément à établir des liens logiques entre son discours et mon dialogue intérieur, entre les mots que j'entends et ceux qu'écrivait mon père. Bien essayé.

— Parce que bien sûr l'escalier ne mène nulle part, et surtout pas au sommet. Les vrais gagnants, comme mon père, n'ont jamais eu à y poser le pied.

Si j'accordais à mon ressenti le moindre crédit, l'ennemi serait en train de me convaincre. Que sa défaite indéniable est en fait une victoire morale. Qu'en le disqualifiant du *game* et en lui fermant les portes de l'espèce dominante, je lui ai rendu service. Que je suis un monstre et lui, le dernier ami qui me reste. Exactement le genre d'accès de candeur qui font perdre les guerres.

— Au fond, il est même impossible de savoir si ce que tu prends pour une ascension n'est pas, en réalité, une interminable chute. Si ça se trouve, ton apogée personnel est loin, très loin derrière toi. Et le dernier étage vers lequel tu t'empresses de courir est juste un précipice.

Les manuels d'histoire sont remplis de civilisations éteintes parce que de belles paroles ont endormi leur méfiance et les ont convaincues de faire passer les armes au second plan. De territoires rayés de la carte et de héros vaincus parce que des idées trop nobles ont affaibli leurs défenses. C'est le jeu humain par excellence : le premier qui baisse la garde a perdu.

L'ennemi s'est tu, depuis quelque temps. On n'entend plus que le bruit lointain des vagues et les battements étouffés du sol. Un épais nuage a caché la lune et, face à nous, l'océan plongé dans l'obscurité ressemble à une nappe d'énergie fossile, prête à s'embraser.

Brusquement, l'autre se lève. Je me raidis par réflexe, me cramponne au rebord du jacuzzi. Pour la première fois depuis une éternité, je le regarde. Ses traits se confondent avec les miens, ou plutôt ceux de Laplace. Comme si SuccessModels avait fusionné mon visage avec celui de l'homme que je poursuivais tout à l'heure. Cet étrange reflet me dévisage avec insouciance, un sourire apaisé sur les lèvres. Dans son regard, l'habituel feu ne brûle plus mais une autre lumière, plus douce. Il se retourne et sur sa nuque je peux lire son *PageRank* en chute libre, couleur rouge sang : le temps de cligner des yeux, il passe de 3.329011 à 3.196302 – un effondrement, en temps réel. Je ressens un vertige immense, inexplicable.

— La seule finalité du *game*, c'est d'en sortir, répète en écho la voix de l'ennemi – ou est-ce celle de Victor Laplace ?

J'aimerais qu'il se retourne vers moi, revoir son visage rien qu'une fois, par acquit de conscience. Mais, une fraction de seconde plus tard, le corps devant moi s'est volatilisé. Avalé par le vide. Aspiré par la gravité.

Pendant une éternité, je reste immobile à scruter cette absence, cet espace vacant devant mes yeux incrédules, tâchant d'en évaluer le degré de réalité. Le film des secondes précédentes repasse en boucle dans mon esprit. Les faits peu à peu convergent, semblent indiquer ma victoire, par abandon de l'adversaire qui, selon toute vraisemblance, ne m'affrontait plus vraiment. L'ennemi a baissé la garde en premier, poussant la naïveté jusqu'à me prendre pour un frère. Un triomphe de mon opération Transparence.

À terre, le téléphone continue de vibrer, indifférent au destin de son propriétaire. Il est 21 h 26. Je m'en saisis, tapote l'écran pour lancer l'application VPN, me connecte à un serveur mail anonyme et rédige un message à l'attention de DeepBull, annulant la séquence *Cypress Creek*. Puis je supprime toutes les traces. *Game over.*

Et maintenant… Sevrées d'objectif pour la première fois depuis huit ans, mes pensées se recroquevillent. Le temps se dilate. Je tète instinctivement le joint, tandis que le cœur de la Terre continue de battre sous ma peau. Derrière moi des ombres s'amassent, échangent à voix basse. Un instant, j'espère entendre Constance ou ma mère, des excuses ou des félicitations… Mais à la place, un anonyme dit qu'aux dernières nouvelles nous étions deux à cet endroit, et force est de constater que nous ne sommes plus qu'un seul.

Une goutte de pluie, tombée sur ma joue, doit donner l'impression que je pleure. Ce ne serait pas illogique après tout, qu'après avoir été réprimées si longtemps, mes émotions jaillissent hors de moi pour fêter ma victoire. Je ferais sauter les barrages et me viderais de toute l'eau sale et stagnante accumulée au fil des années. J'expulserais tout : ma honte, ma colère, ma tristesse et que sais-je encore… Mais la délivrance tant espérée n'arrive pas. Mon océan primitif est une mer d'huile, plate et silencieuse. J'ai méthodiquement étouffé tout ce qui pouvait faire désordre en moi.

Les voix étrangères continuent de s'amasser dans mon dos. Je m'inquiète de n'avoir toujours aucun signe de mon père. A-t-il assisté à ma victoire ? Est-il fier de moi ? Je l'appelle en pensée, peut-être même à voix haute… Seul le silence me répond. Une inconnue me secoue doucement l'épaule, me demande si ça va. La question est trop complexe pour que j'y réponde. Elle dit que j'ai l'air sous le choc. Je lui réponds que ça n'a rien à voir, j'attends quelqu'un, voilà tout.

J'aimerais pleurer vraiment, tout compte fait, à présent qu'elle me regarde comme si j'avais perdu la raison. Pour faire monter les larmes, je scrute ce gouffre de solitude face à moi, le fossé infranchissable qui s'est creusé entre le monde enviable et le mien. Mais rien n'y fait, je suis trop étanche. Lisse comme le marbre.

La fille insiste. Comment je m'appelle ? Je fais quoi dans la vie ? Je le connaissais, le type qui a sauté ?

C'est toute la question. Dans mon esprit, je repasse en boucle l'image de cet homme aspiré par le vide en cherchant désespérément à lui adjoindre une interprétation raisonnable, un récit définitif. À savoir qui, de Victor Laplace ou Stanislas Dorsay, vient réellement de disparaître sur cette falaise.

Sans encore comprendre qu'à l'évidence, il s'agit des deux.

Épilogue

Palo Alto, le 20 février 2020

La nuit dernière, j'ai encore fait ce rêve.

Je courais avec la horde sur cet escalier de marbre, à la lueur de la lune, tout près des premières places. À gauche comme à droite, on devinait la mer brillante en contrebas, constellée de rares archipels. La pente était toujours plus raide, les jambes plus douloureuses. À force de fatigue, mes concurrents devenaient agressifs. Tout le monde pressentait ce que cette accélération déraisonnée vers nulle part avait d'insoutenable, mais personne n'osait douter à voix haute du principe de cette course ni lâcher le moindre centimètre à ses adversaires. Derrière, il se murmurait que l'eau continuait de monter, qu'on ne comptait plus les noyés. Alors il n'était pas question de s'arrêter pour réfléchir.

Un instant plus tard, la tête du peloton s'est pourtant immobilisée, bien obligée : nous étions arrivés au dernier étage et devant nous s'étendait un immense précipice, les ténèbres à perte de vue. Stan avait raison, l'escalier ne menait nulle part.

Pendant que nous en prenions conscience, nos poursuivants s'aggloméraient à l'arrière et généraient des mouvements de foule. Emportés par leur élan, certains tombaient dans le vide. Nous étions si haut que nous n'entendions jamais leur corps toucher la surface de l'eau.

J'ai peu à peu compris que la donne avait changé. Une nouvelle course commençait, mais à l'envers : il s'agissait de redescendre au plus vite, de rejoindre le monde en contrebas pour s'y trouver une île habitable avant que la meute soit au courant et qu'ils soient des millions à faire demi-tour. J'ai dévalé l'escalier, à toute vitesse, en pensant à toute l'énergie que j'avais gâchée pour le gravir.

Ça me fait du bien, tu sais, de t'écrire tout ça. Après quatre mois sans t'adresser la parole, ce journal m'offre un soulagement précieux. En trois jours, je n'en ai noirci qu'une vingtaine de pages mais déjà je suis accro à ce rituel, cette éclaircie dans ma solitude. À qui pourrais-je me confier, sinon toi ? De ce que je t'ai raconté jusqu'ici – DeepBull, le Reboot Institute et tout ce qui a précédé –, je te le répète, personne au monde ne doit être au courant. Quelques curieux, journalistes ou blogueurs ont bien tenté, au départ, de connaître mon récit des faits. Mais mon témoignage était volontairement trop chaotique, trop confus pour être exploité. Officiellement, aux yeux de tous, je suis porteur d'un deuil, d'une blessure. Je suis ce visionnaire meurtri qui, en pleine ascension, a perdu son mentor et principal ami. Un récit puissant, qui m'épargne les curiosités mal placées.

L'inconvénient, c'est que personne ne connaît la véritable histoire, celle de mon père et de la façon dont j'ai tout fait pour venger sa mémoire. Tu seras la seule à pouvoir en témoigner. Sur ce carnet, Constance, je peux tout te dire – enfin. Parce qu'il n'a aucune connexion wi-fi ni fonction Bluetooth, parce qu'aucune base de données ne connaît son existence. Et parce que le jour où je te le ferai parvenir, je m'arrangerai pour qu'il ne laisse aucune trace.

C'était mon anniversaire aujourd'hui, peut-être y as-tu pensé. À chaque notification reçue, j'espérais lire ton prénom, sans trop y croire. Il a fallu attendre minuit pour que je me fasse une raison.

J'étais encore à la fête organisée pour notre levée de fonds, dont j'ai fait coïncider la date avec le jour de mes vingt-six ans. Tu dois être au courant : VirtuAI – le nouveau nom d'Ayobi, à la suite de notre alliance avec CrystalBall – a récolté 120 millions lors du dernier tour de table. Avec Peter Cooks à nos côtés, convaincre les investisseurs était un jeu d'enfant : on aurait pu leur présenter un presse-agrumes qu'ils auraient probablement signé avec le même empressement.

Notre responsable Happiness & Team-building avait donc privatisé un restaurant branché dans les hauteurs, vue sur la baie de San Francisco, piscine à débordement, *DJs* et cocktails à 20 dollars qui pour la plupart m'étaient offerts. Cent soixante-douze invités, de quatorze nationalités différentes – et encore, cinq Chinois et trois Italiens n'ont pas pu faire le déplacement, à cause de l'épidémie qui sévit chez eux. Pourtant, jamais je n'ai autant ressenti ton absence.

La foule était essentiellement composée de clients, d'actionnaires et d'amis de Peter – ou d'adversaires qu'il entend garder près de lui. Mais le bruit avait couru et tout le monde a fait l'effort de me souhaiter un joyeux anniversaire, avec cette complicité surjouée des relations d'affaires. En fermant les yeux, je pouvais me croire entouré d'amis, comme à l'adolescence. D'autant plus avec cette constellation de bénis-oui-oui qui, depuis plusieurs semaines, me tient lieu de cercle social. Un essaim de satellites orbitant autour de moi, ne perdant jamais une occasion de me rappeler combien je vaux, la grandeur de ce que j'accomplis... Voir mon personnage à travers leurs yeux m'épargne occasionnellement de me demander ce que j'en pense moi-même. Je me laisse bercer par le récit qu'ils font de moi, toute cette valeur qu'ils me prêtent – avec intérêt. Victor Laplace est une histoire en vogue à laquelle chacun est bien obligé de croire, puisque tout le monde y croit. J'en suis sans doute le moins convaincu.

Comme Stan avant moi bien sûr, il suffirait que je baisse la garde, qu'une seule image compromettante circule pour que la bulle éclate et que je ne sois plus personne. Voilà pourquoi je reste extrêmement prudent. Pourquoi je ne reviens pas à Paris – pas encore. Pourquoi personne ne te connaît, ne sait l'importance que tu as, ne t'identifie comme ma faiblesse. Pourquoi j'ignore quand tu pourras lire ces mots.

Crois-moi, si tu voyais ma nouvelle tribu, tu comprendrais ma méfiance. Ils étaient plus d'une vingtaine, ce soir, à porter un pin's avec le logo d'American Renaissance, ce Super PAC ouvertement hostile à Green New World et qui, ces derniers mois, est devenu notre meilleur client. À ses commandes, on trouve un consortium d'entreprises associées de près ou de loin aux énergies fossiles – extraction, transport, pétrochimie – et de start-up promettant de résoudre, par des technologies sans queue ni tête, les problèmes causés par les boîtes qui les détiennent. *Tu fais quoi dans la vie?* J'envoie de l'iodure d'argent vers le ciel pour faire pleuvoir les nuages. Je crée des abeilles artificielles pour la pollinisation des fleurs, les naturelles étant trop vulnérables aux pesticides. Je déverse du sulfate de fer dans les océans pour doper la formation de plancton, grand consommateur de CO_2. Je *hacke* le climat. Je bidouille le vivant. Je pirate et méprise le fruit de milliards d'années d'évolution.

Les clients, c'est comme la famille, tu sais: on ne choisit pas. Toute la soirée, j'ai dû sourire à des transhumanistes patentés, des libertariens convaincus, des arrivistes appelant à la réélection d'un président qu'ils traitent eux-mêmes d'imbécile, des intégristes du *game* présentant la Chine comme adversaire avant de l'ériger en modèle: là-bas, tu comprends, plus aucune leçon de morale (vie privée, démocratie, liberté d'informer) n'entrave l'irrésistible ascension du progrès.

J'aurais voulu que tu sois là, quand ce professeur de la Singularity University me décrivait son Graal, le coût cognitif zéro : la promesse d'une intelligence artificielle qui réfléchirait pour nous, nous permettrait de ne plus avoir à faire le moindre effort cérébral. Comme si notre espèce, après avoir conquis la Terre grâce à son intelligence, ne rêvait plus que de la déléguer tout entière aux machines. Ou quand cet ingénieur haut gradé d'Amazon m'expliquait, avec tout le sérieux du monde, que le salut de l'humanité passerait par la terraformation de Mars – alors même que nous aurons réussi l'exploit de rendre inhabitable, en quelques siècles, la seule planète vivante à notre connaissance. À chaque illuminé me déballant ses prophéties, je souriais en imaginant ta réponse, une de ces reparties douces et tranchantes dont tu as le secret.

À vrai dire, je savais que ces gens-là existaient, nous en parlions parfois tous les deux mais, jusqu'à les voir ce soir réunis, je ne croyais pas avoir aussi franchement basculé dans ce camp-là. Celui dont on n'attend aucune vertu, dont la réussite ne s'embarrasse d'aucun remords. De ceux qui n'iront jamais au Reboot Institute et qui appliqueront les règles du jeu jusqu'à l'absurde. Le camp des vainqueurs.

J'ignore si tu ressens la même chose en France, mais le casting de cette soirée démontre une fois encore le tournant qui s'est opéré dans la guerre des récits, depuis que Chris Murray est devenu infréquentable. Avec les dommages qu'a subis sa réputation et le discrédit jeté sur lui, sa fortune ne lui confère plus aucune influence. Tu es forcément au courant des menaces de boycott qui ont fait dévisser son entreprise de logiciels en Bourse, forçant les actionnaires à nommer un nouveau CEO. Ce que tu ignores peut-être en revanche, c'est que le Forum lui a aussi retiré son badge *Young Leader* et que, si la structure juridique de Green New World existe encore, 90 % de ses contributeurs se sont rétractés,

Murray n'étant plus apte à incarner leurs idées. En janvier, le *New York Times* titrait : « *Le nouveau monde attendra* ». C'était un bon résumé.

Depuis, sur les réseaux, on voit tous ceux qui ont un intérêt au *statu quo*, au *business as usual* s'engouffrer dans la brèche et s'afficher du bon côté de la vertu. Ils s'offusquent et s'étranglent de ce qu'on ait osé utiliser des algorithmes pour manipuler l'opinion des foules en faveur de l'écologie. Et leurs cris d'orfraie trouvent un écho retentissant… grâce à l'efficacité de nos algorithmes.

Il faut dire qu'avec les ingénieurs en neurosciences de CrystalBall, nous sommes en train de bâtir le leader incontesté des technologies persuasives. Notre catalogue de produits est désormais classé selon l'hormone dont ils stimulent la sécrétion chez l'internaute. Dopamine – satisfaction, réussite, récompense. Adrénaline – angoisse, stress, vigilance. Ocytocine – empathie, amour, confiance. L'économie comportementale prouve à quel point nos décisions reposent sur notre chimie interne : le meilleur moyen de convaincre une personne n'est pas de s'adresser à sa logique ou sa raison, mais à son système limbique. Il existe ainsi 250 biais cognitifs à exploiter, pour lesquels nous disposons de recettes spécifiques, affinées par l'expérimentation sur des milliers de cobayes, jusqu'à atteindre leur efficacité optimale.

Puisque l'espèce humaine produit 48 heures d'images toutes les minutes, quelle que soit l'opinion d'un individu, si grotesque soit-elle, on dispose d'assez de matière pour l'y conforter vingt-quatre heures durant s'il le faut – et toujours avec de nouveaux contenus. L'un affirmant que le réchauffement climatique et l'érosion de la biodiversité sont une invention des élites pour priver le peuple de ses libertés ; l'autre assurant qu'ils sont des épiphénomènes et qu'avec nos technologies, on saura bientôt recréer toutes les espèces et régler la température du globe aussi facilement qu'avec un thermostat ; un troisième réduisant le problème à la surpopulation terrestre et au trop grand nombre de pauvres désireux d'accéder au paradis promis par les publicités. Tous s'accordant au bout du compte à défendre l'ancien monde, présentant la science comme irréfutable quand elle le conforte et biaisée quand elle le remet en question. Car en dépit de son obsolescence annoncée, ce dernier leur garantit ce qu'aucun autre ne pourra jamais leur promettre : des certitudes.

J'aurais tant d'autres choses à te raconter – si tu savais – et tant de sujets sur lesquels j'aimerais avoir ton avis. On s'ouvrirait une bonne bouteille, et je te donnerais assez de scoops pour écrire six mois d'articles et doubler les ventes de ton journal. C'est tout de même ironique, de ne plus pouvoir refaire le monde ensemble alors que je suis mieux placé que jamais pour en savoir les rouages et observer sa lente déliquescence de l'intérieur.

Tu l'as sans doute remarqué, les questionnements identitaires et les guerres de chapelle s'intensifient. Des millions d'îlots morcelés, polarisés, radicalisés se laissent enfermer dans leur bulle, filtrée pour toujours corroborer leur vision des choses. Chaque individu sur terre devient convaincu d'être le plus lucide et le mieux informé, dans le camp des justes et du bien, en mission contre un bouc émissaire désigné selon ses préférences. Les vérités universelles sont peu à peu discréditées, au profit d'élucubrations partisanes érigées au rang d'évidences. Et la politique incompétente dans tous les cas, sauf à servir de paratonnerre pour le ressentiment des foules.

Rien de tout cela n'est prémédité, tu sais. Personne n'a explicitement demandé à nos algorithmes d'aller répandre la bêtise et l'ignorance. Nous ne faisons qu'agir conformément à notre modèle économique : vendre nos armes de persuasion massive au plus offrant.

Multinationales américaines, populistes européens, usines à trolls russes ou chinoises, prosélytes et charlatans du monde entier… Pas une seconde ne s'écoule sans qu'un nouveau client veuille utiliser VirtuAI. Même ceux qui s'opposent à ces pratiques sont obligés de faire appel à nous pour que leur discours soit audible, pour accroître leur nombre de vues, de *followers*… Avoue que c'est assez redoutable, comme business : nous sommes à la fois le problème et la solution. Nous ne sommes en aucun cas responsables des conséquences de cette guerre des récits sur l'intelligence collective. Nous ne sommes pas le feu, juste le vent qui l'attise.

Lire ces mots doit te faire penser que je suis irrécupérable, l'un des leurs jusqu'au trognon. Il m'arrive de le craindre aussi. Mais j'espère encore te persuader du contraire.

Dans une certaine mesure, nous sommes *tous* complices de ce marché des propagandes. Chacun de nous, en faisant son autopromotion sur les réseaux, accepte d'en être à la fois la cible et l'instrument. Il est presque impossible de se soustraire à cette compétition primitive pour le regard des autres, même aux derniers étages du monde. Autrefois, je pensais qu'un certain niveau de réussite m'en affranchirait, mais il n'en est rien. Là-haut, les *likes* ont la même valeur et nos comptes Instagram, le même dessein. Mettre en scène chaque nouvelle rencontre, donner nos relations en spectacle. Faire la publicité de nos lofts, de nos villas, des endroits sélectifs où nous passons nos soirées, mettre en images l'éminence de nos fréquentations, l'inépuisable jeunesse des femmes qui nous entourent. Paraître toujours insouciants, flottant en apesanteur dans un décor de carte postale, comme si la gravité n'avait plus aucune prise sur nous. Susciter une irrépressible envie d'être à notre place, puis compter le nombre de gens qui fantasment sur notre quotidien – Jules Duphot, Aude Barthélemy, toutes ces anciennes connaissances qui me suivent en silence, se vantant peut-être en soirée de me compter parmi leur réseau.

En définitive, ce n'est pas tant le désir qui fait tourner notre monde que la frustration de ceux qui n'y ont pas accès. Le paradis promis par les publicités existe, mais seulement dans le regard des autres. Il faut se battre quotidiennement pour entretenir son illusion. Le seul moyen de croire que le jeu en valait la chandelle, c'est de le faire croire à ces milliers de regards qui voudraient être *nous*. C'est pourquoi chacun de nous fait à son insu la publicité d'un modèle de réussite révolu : si demain plus personne ne trouve notre existence enviable, notre univers s'effondre.

Or, tu l'auras compris, si mes algorithmes sont capables de faire et défaire tous les récits du monde, il en va de même pour les réputations – Stan et Chris l'ont appris à leurs dépens. C'est ce qui me rend captif. Ce qui m'empêche de partir.

Depuis le scandale, la fortune de mon-ami-Peter a grimpé de 14 %. Et bien qu'on n'en ait jamais parlé, je pressens que DeepBull était en quelque sorte un pilote, une première expérimentation du tout nouveau pouvoir de nuisance que lui offre son statut d'actionnaire principal de VirtuAI : celui de canaliser tout le délire du monde et de le diriger sur qui bon lui semble. Ce soir, quand nous étions seuls sur le *rooftop*, il a professé que notre économie reposait sur deux grandes sources d'énergie fossile : le pétrole d'une part – ces millions d'années de vies éteintes que la Terre a fait cuire à feu doux – et le ressentiment des foules d'autre part – ces décennies de promesses en cours de fermentation, ces rêves d'abondance et de croissance infinie qui lentement pourrissent et se décomposent. Avant de conclure, le regard perdu vers l'horizon : « L'avenir appartient à celui qui saura exploiter ce deuxième combustible à son avantage. » Difficile de faire plus clair.

Tu t'en doutes, la meilleure façon que j'ai trouvée de ne pas devenir sa prochaine cible, c'est rester proche de lui. Lui être précieux, gagner son estime, agir comme son poulain… Un mode opératoire que je connais par cœur. La preuve, j'ai été l'un des premiers au courant, pour ses fiançailles avec Anna. Je me suis retenu de sourire, trouvant l'idée parfaitement saugrenue à en juger par la complicité qu'ils se témoignent – jamais je ne les ai vus se toucher, ni se regarder plus d'une seconde. Mais il faut comprendre, sous un angle plus stratégique, l'immense potentiel que le principal investisseur de la Vallée voit dans cette alliance avec l'une de ses figures les plus influentes, notamment sur LinkedIn où près de 500 000 jeunes femmes la prennent pour modèle. Peter ne se laisse dicter aucune décision par son corps ou ses émotions, il est toujours question de retour sur investissement. Et ton ancienne manager l'a bien compris.

Moi-même, c'est en lui proposant régulièrement de nouvelles conquêtes que je garde son oreille. C'est moi qui l'ai convaincu d'investir sur les métavers : le plan stratégique de VirtuAI prévoit le développement de technologies persuasives de plus en plus immersives, en réalité virtuelle. L'idée sous-jacente, c'est que nos vies ne ressembleront jamais à cet après, cet ailleurs fantasmés auxquels les publicités nous font croire, alors il faut offrir à chacun son paradis artificiel, son îlot sur mesure où chaque caprice, chaque désir peut être assouvi dans la seconde – moyennant contrepartie. Un monde sans limite, exauçant notre promesse de *rapprocher la réalité de nos rêves*, où chacun pourra baigner dans son océan de dopamine et d'ocytocine, préservé pour toujours des antagonismes et des conséquences de ses actes. L'aboutissement de notre civilisation, pas vrai ?

En tout cas, un bon moyen pour rester indispensable à Peter et lui passer l'envie de me nuire. En attendant de te rejoindre, de *vous* rejoindre.

Pas un jour ne passe sans que je me demande comment vous allez, sans que je regrette de ne pas pouvoir te soutenir, ni vivre cette aventure à tes côtés. Je prends régulièrement des nouvelles, par mes propres moyens… Grâce à mon don d'omniscience numérique – et aux lois extraterritoriales américaines – j'ai pu consulter ton échographie du premier trimestre : la première photo de nos enfants, déjà en ligne ! Je sais donc que tout se passe bien et qu'ils seront deux à naître au printemps prochain. Deux intelligences à forger, deux fois plus de pression pour être un bon père, un bon modèle – si tu l'acceptes.

Encore faut-il que j'arrive à m'échapper d'ici.

Stan avait raison, tu sais : l'épreuve la plus difficile du *game*, c'est d'en sortir. Qui prépare mal son évasion s'expose à ce que le système le sanctionne aussitôt, par voie de messager, pour être sorti de la route qu'il encourageait à suivre. J'ai été ce messager pour lui, comme il l'avait été pour mon père. Les semaines précédant sa chute, j'ai pu voir affleurer son vrai visage, son Victor Laplace à lui. Voilà pourquoi ma victoire a été possible. Voilà pourquoi ce n'est pas une victoire.

Il y a quelques semaines, en vidant sa chambre, je suis tombé sur un petit carnet à spirale au fond d'un tiroir. Son journal de bord. Il y recueillait ses pensées, depuis son arrivée dans la Vallée. Le dernier paragraphe, écrit juste avant le Reboot Institute, m'a particulièrement ouvert les yeux. Je te le retranscris tel quel :

« *Peut-être que notre espèce est simplement trop narcissique pour s'en sortir. Raison pour laquelle, alors qu'il deviendrait urgent de regarder la réalité en face, nous passons notre temps à nous examiner dans le miroir, obnubilés par l'idée de valider qui nous sommes.*

C'est ce qui nous pousse à jouer le jeu plutôt qu'à devenir lucides : on nous a tous promis qu'au sommet, on deviendrait enfin quelqu'un, reconnu et admiré de tous. On n'est jamais très loin du but, encore un ou deux étages à gravir pour exister aux yeux du monde... Et peu importe alors si celui-ci s'effondre. »

Tu avoueras qu'il cachait bien son jeu, lui aussi... En lisant ces mots, j'ai définitivement compris que je m'étais trompé d'ennemi. Celui que je m'étais promis de combattre existait toujours au-dehors, comme à l'intérieur de moi. En un sens, je l'avais même un peu renforcé.

Le véritable ennemi, je le sais maintenant, c'est cette idée de la réussite à laquelle nos vies se trouvent réduites, ce logiciel obsolète qui refuse de se mettre à jour. Ce modèle répliqué sur tous nos cerveaux, prolongé par nos algorithmes. Cette matrice dans laquelle tous nos succès sont forgés, qui se résume en un mot, un signe : plus. Ces scores uniques dont la croissance conditionne tout : PIB, *net worth* ou EBITDA, vues, *likes* ou *followers*... Ce jeu dont nous croyons tous être le centre. Cette aliénation collective qui s'impose à tous et dont chacun fait la publicité, en croyant écrire sa propre histoire.

Je l'ai particulièrement ressenti ce soir, quand j'étais avec Anna au bord de la piscine. Nous parlions de *smart cities* ou de tourisme spatial – je ne sais plus – et comme souvent, j'observais avec un certain écœurement la perfection de son personnage, son savant dosage de postures artificielles et d'intonations à la mode, ses rires faussement complices, ses points de vue faussement personnels... Je ne laissais rien transparaître, bien sûr, et nous passions certainement pour les meilleurs amis du monde. Pour me motiver à jouer cette comédie, je me rappelais combien d'hommes m'enviaient de lui parler si longuement, de sembler si proche d'elle... Et comme par magie, notre conversation trouvait la bonne fréquence, séductrice ce qu'il faut, superficielle toujours. Ton ancienne manager, quant à elle, faisait semblant de flirter avec moi pour des raisons similaires, parce que d'autres femmes se trouvaient autour de la piscine et parce qu'aux yeux du marché, je suis devenu un gros poisson, un bien recherché, autant qu'une exposition plein sud ou des toilettes suspendues ! Parfaitement conscients de ces mécanismes, nous riions de plus en plus fort, par sens du spectacle.

Jusqu'à ce silence inhabituel, d'une bonne trentaine de secondes – une éternité – au bout duquel Anna a demandé presque à voix basse : « Tu as déjà pensé à plaquer tout ça ? » Pris de court, je me suis tourné vers elle et pour la première fois sur son visage, j'ai décelé quelqu'un d'autre. Derrière son masque lisse et terriblement exemplaire se trouvait une présence, retenue prisonnière. Peut-être cette ingénieure timide et sans charisme dont tu nous avais montré la photo sur Instagram – son Victor Laplace à elle. Elle aussi devait avoir signé, il y a bien longtemps, un pacte faustien avec l'ennemi. Comme moi qui voulais venger mon père, comme Stan qui attendait sa revanche sur le sien, elle avait accepté de s'effacer au nom d'une cause qui lui semblait juste et s'est perdue en route.

J'étais tenté de croire à ce récit des choses, de me dévoiler à mon tour. Mais je me suis retenu *in extremis*. Car après tout, avais-je bien compris ce qu'elle voulait dire, ou plutôt ce que je souhaitais entendre ? À bien y réfléchir, il était impossible de savoir à qui je m'adressais vraiment. Quand bien même l'authentique Anna Fourcade m'aurait posé cette question en toute franchise, rien n'empêchait son personnage d'entendre ma réponse et de pouvoir un jour l'utiliser contre moi. C'était peut-être un piège que me tendait la future épouse de Peter, son opération Transparence à elle.

J'ai finalement pouffé de rire, tournant en dérision son air solennel et jurant ne pas comprendre ce qu'elle désignait par « tout ça ». Ce sont les règles du jeu, Constance : le premier qui tombe le masque a perdu. Celui qui ose admettre qu'il ne croit pas à cette comédie s'expose à ce que son imposture soit connue de tous. Le dilemme du prisonnier par excellence.

Ce que j'essaie de te dire, c'est que personne ne peut espérer quitter le *game* à lui seul. Au moindre faux pas, la horde piétine celui qui s'en désolidarise. Tu deviens une cible facile pour tes poursuivants, comme Stan et Chris. J'y ai beaucoup réfléchi, crois-moi : l'échappée solitaire n'est pas une option.

La seule évasion possible est collective.

C'est d'ailleurs le sens que je donne à la fin de mon rêve.

À force de dévaler les marches, j'ai bientôt rejoint le niveau de la mer. À la surface flottaient des centaines de corps inanimés : des concurrents qui n'avaient pas pu tenir le rythme. À la nage, j'ai pu rejoindre une île et découvrir l'escalier colossal à distance, cette immense structure surréaliste bâtie par des dizaines de générations d'ingénieurs au service de l'espèce dominante, sans que personne n'ait jamais su dire où elle était censée mener. Avec le recul, il s'avérait physiquement impossible d'ajouter ne serait-ce qu'un seul étage à cet édifice aux fondations trop instables, cette tour présomptueuse aux pieds d'argile.

Le monde en contrebas, lui, offrait un spectacle désolant. Sur l'île, je ne trouvais que des sols morts et des forêts calcinées… Obsédés par notre ascension, nous avions conduit ces terres au bord de l'asphyxie.

Mais une lueur a fini par attirer mon attention. D'une caverne aux parois colorées émanaient des éclats de voix. Un petit groupe de déserteurs s'était réuni là, autour d'un feu de bois. Et tu étais parmi eux.

Je me suis assis dans le cercle, sans que tu me remarques. À tes voisins, tu décrivais le paysage de cette île, non tel qu'il était devenu mais tel qu'il aurait pu être, si la horde n'avait pas tout consumé. Tu racontais un paradis sur terre avec un vocabulaire choisi, prenais ton temps pour dépeindre chaque arbre, chaque fruit, chaque ombre portée sur le sol. Ta passion, ta sincérité me rappelaient ces soirs où tu me résumais tes lectures... Et ton public buvait tes paroles, captivé comme je l'étais alors.

Suivant ton exemple, j'ai moi-même commencé à raconter d'autres mondes possibles à mes voisins. Inspiré, j'inventais des sociétés hypothétiques, de nouvelles règles du jeu. Autour de moi, d'autres conteurs se levaient à leur tour et ajoutaient un angle à ce récit qui, à force d'être relayé, devenait collectif.

Si bien qu'au bout d'un moment, les mots ont retrouvé leur pouvoir. Plus nous étions nombreux à l'imaginer autrement, plus le réel autour de nous se recomposait. Nous sommes ressortis de la caverne, émerveillés par les arbres dorés qui avaient surgi de l'ombre. Nous avions retrouvé la maîtrise de notre imaginaire, donc de notre histoire.

Tu vas me trouver naïf... Mais sache qu'après ce rêve, je me suis réveillé plus optimiste que jamais. Sûr de mon plan pour m'échapper d'ici.

Depuis quelque temps, je travaille sur un nouvel algorithme, baptisé *ShiftRank*. Il calcule, à partir des pétaoctets de données disponibles sur chaque internaute, l'écart entre son personnage public et sa personnalité véritable – ce que ses photos et vidéos veulent laisser paraître et ce que son langage corporel, son sourire, son regard, sa posture disent à son insu. La distance entre son Victor Newman et son Victor Laplace. Un score proche de 0 signifie qu'il souscrit aveuglément au logiciel de l'ancien monde et fusionne avec le rôle qui lui est assigné : il le défendra jusqu'au bout, y compris malgré lui. Un score proche de 10 implique au contraire qu'il a du recul sur son personnage, se projette et se définit en dehors du *game* : un allié d'évasion potentiel.

Mon hypothèse, c'est que cette comédie dont nous sommes prisonniers n'est qu'une histoire fiduciaire, que l'on feint de trouver crédible parce que les autres font également semblant d'y croire. Dès lors, pour lui retirer son pouvoir, il suffirait de supprimer cette asymétrie d'information : prouver à suffisamment de gens en même temps que nous sommes tous des imposteurs, si pétrifiés à l'idée d'être découverts qu'on en oublie le masque porté par les autres.

Imagine, si j'arrivais à convaincre ne serait-ce que cent mille architectes du système, comme nous, de faire collectivement le deuil de ce modèle de réussite que nos parents nous ont transmis, déjà sans trop y croire. Ce serait le meilleur hommage que je puisse rendre à mon père. Le meilleur exemple que je puisse offrir à nos enfants. Le meilleur moyen de ne pas avoir fait tout ça pour rien.

Une fois conscients de notre nombre, nous pourrions modifier les règles du jeu de l'intérieur, utiliser les armes du système contre lui. Immuniser les consciences contre ses idéaux fossiles et ses médailles en plastique, ses scandales mis en scène et ses progrès artificiels… Comme l'a dit Peter, nos technologies sont des Turcs mécaniques : aucune n'est intrinsèquement bonne ou mauvaise, tout dépend des objectifs qu'on leur fixe.

ShiftRank est opérationnel depuis trois jours, c'est-à-dire depuis que j'ai commencé à t'écrire. Je l'ai déjà exécuté sur plus de 50 000 profils proches de mon réseau LinkedIn. Il y a une bonne et une mauvaise nouvelle.

La bonne, c'est qu'environ 35 % des personnes analysées obtiennent un score supérieur à 7.5 – des milliers de membres de l'espèce dominante ne souscrivent plus au logiciel qui, pourtant, leur profite. On y trouve une grande majorité de profils insoupçonnables : des geeks de la Silicon Valley, des banquiers de Goldman Stanley, des consultants de B&G – certains te surprendraient. Ce ne sont jamais les plus bruyants, ni les plus bavards, ni ceux qui affichent le plus de certitudes. C'est peut-être à cela, d'ailleurs, que l'algorithme les reconnaît : ils acceptent le doute au lieu de lui faire la guerre, ne croient pas que leurs convictions font autorité sur tous les sujets.

La mauvaise, c'est que mon score est effroyablement bas : il oscille selon les jours entre 0.39 et 0.46 ! Je m'y attendais dans une certaine mesure, car j'ai atteint mon objectif : étouffer tout ce qui faisait désordre en moi, façonner mon langage corporel pour qu'il ne trahisse plus aucune distance avec mon personnage, paraître infaillible en toutes circonstances. Mais je ne te le cache pas, être aussi proche de 0 m'a mis une claque, et me fait considérer sous un jour nouveau ce que j'ai ressenti à l'instant où Stan a sauté dans le vide : l'extinction de Victor Laplace... Ce qui n'était qu'un sentiment diffus devient un fait quantifiable, chiffré. Tout comme ce gouffre béant dans ma poitrine, auquel je ne fais même plus attention. Ou ce réflexe de neutraliser mes émotions, de me méfier de chaque musique que j'écoutais autrefois, d'anéantir à la source mes souvenirs trop sombres ou trop heureux. À bien y réfléchir, oui, mon *ShiftRank* explique beaucoup de choses.

L'ennui, Constance, c'est qu'avec un tel score, je ne peux pas te garantir à 100 % que tout ce que je t'écris est sincère. J'en ai l'impression, bien sûr, mais cela pourrait être une histoire que je raconte pour me donner bonne conscience. C'est la principale force de l'ennemi – en chacun de nous – que de mettre à jour son logiciel en permanence, d'adapter son image et son récit pour épouser la forme des révolutions qui le menacent et ainsi les rendre inoffensives. Ce carnet tout entier pourrait bien faire partie d'un stratagème de Victor Newman pour endormir ma vigilance, me donner le beau rôle en suggérant que je cours après un objectif noble alors qu'en réalité, je continue de m'enfoncer dans le *game*. Et peut-être qu'après m'avoir convaincu de bâtir *ShiftRank*, mon alter ego finira par l'utiliser à mauvais escient, pour éliminer un tiers de ses concurrents masquant trop mal leur imposture.

Je ne vais pas te mentir, c'est une possibilité.

Mais je préfère ne pas le croire. Je préfère penser que notre avenir se joue dans cet affrontement qui sévit en chacun de nous, à chaque instant, entre la volonté que l'ennemi nous dicte et celle que nous voudrions lui dicter. Qu'entre mon personnage et moi, tout peut encore se jouer et se résume à une simple question : *qui* décide. Aussi, tu ne tiendras ce carnet entre tes mains que lorsque j'aurai pu en certifier l'auteur. Tant qu'il restera une once de doute à ce sujet, je ne prendrai aucun risque.

À ce moment précis, j'ai ton soutien-gorge cerise sous les yeux. Je vérifie tous les matins qu'il est présent, sous mon oreiller. Comme si ce dernier vestige de toi suivait sa volonté propre : tant qu'il choisit de rester, je me dis que Victor Laplace a survécu, qu'un souvenir m'y rattache encore. C'est peut-être un récit flatteur. Il n'empêche qu'en t'écrivant ces mots, je décèle un frémissement sous ma poitrine, dans les profondeurs, depuis ces mondes engloutis que ta présence réveillait autrefois. Ça doit bien signifier quelque chose – je veux m'en persuader. Mon père répétait qu'il n'y a plus rien à conquérir, mais il nous reste peut-être ça, l'essentiel : décider du sens que l'on donne à notre histoire. Je ne suis plus très loin du but.

Mis en pages par DV Arts Graphiques à Saint-Nazaire,
cet ouvrage a été achevé d'imprimer sur Roto-Page
par l'Imprimerie Floch, à Mayenne,
pour le compte de S. N. Éditions Anne Carrière
57, rue Gaston-Tessier – 75019 Paris
en juillet 2023

Imprimé en France
Dépôt légal : août 2023
N° d'édition : 1102 – N° d'impression : 102818